学/者/文/库/系/列

突发公共卫生事件下基层治理法治路径研究

王琳 柴瑜 著

哈尔滨工程大学出版社
Harbin Engineering University Press

内容简介

在应对突发公共卫生事件时，只有依靠法治、坚持运用法治思维和方式统筹推进防控工作，才能切实保障人民群众的生命安全和身体健康，维护社会稳定和发展。本书从法治思维的独特视角出发，深入探讨突发公共卫生事件中的基层治理问题，对于构建共建、共享、共治的基层应急法治治理格局而言，具有重要的参考价值与启示意义，可供相关领域的研究人员阅读使用。

图书在版编目（CIP）数据

突发公共卫生事件下基层治理法治路径研究 / 王琳，柴瑜著. -- 哈尔滨 : 哈尔滨工程大学出版社，2024.12. -- ISBN 978-7-5661-4595-6

Ⅰ. D922.104

中国国家版本馆 CIP 数据核字第 2024E5P547 号

突发公共卫生事件下基层治理法治路径研究

TUFA GONGGONG WEISHENG SHIJIAN XIA JICENG ZHILI FAZHI LUJING YANJIU

选题策划 刘思凡
责任编辑 张 彦
封面设计 李海波

出版发行 哈尔滨工程大学出版社
社 址 哈尔滨市南岗区南通大街 145 号
邮政编码 150001
发行电话 0451-82519328
传 真 0451-82519699
经 销 新华书店
印 刷 哈尔滨市海德利商务印刷有限公司
开 本 787 mm×1 092 mm 1/16
印 张 16.5
字 数 328 千字
版 次 2024 年 12 月第 1 版
印 次 2024 年 12 月第 1 次印刷
书 号 ISBN 978-7-5661-4595-6
定 价 81.00 元
http://www.hrbeupress.com
E-mail:heupress@hrbeu.edu.cn

本书为河北省社会科学基金项目：

突发公共卫生事件下基层应急管理能力提质升级路径研究

（项目编号：HB21ZZ006）研究成果

序

依法治国是我国治国理政的基本方式，也是我国国家制度和国家治理体系有效运行的基本保障。法治不仅在常态化的国家治理与社会秩序维护中发挥着举足轻重的作用，在非常态化，尤其是在突发公共卫生事件背景下，在克服危机、恢复社会秩序等方面也发挥着重要的作用。面对突如其来的公共卫生挑战，基层作为第一道防线，其法治化治理路径的探索显得尤为重要。正是在此背景下，《突发公共事件下基层治理法治路径研究》一书应运而生，它为我们深入理解和应对突发公共卫生事件提供了宝贵的法治思维与实践指导。

一、法治思维与基层治理的深度融合

突发公共卫生事件，不仅考验着一个国家的医疗卫生体系，更对基层治理能力与法治建设提出了严峻挑战。由于此类事件的突发性、传播性、危害性及依赖系统防控防治的特点，需要政府、社会、企业和每位公民等多方面迅速响应与协同作战。在此过程中，法治思维与法治方式的运用，成为保障人民群众生命安全和身体健康、维护社会稳定和发展的关键所在。

本书植根于河北省社会科学基金项目的研究成果，从突发公共卫生事件的基本理论框架出发，深入剖析了刑法、劳动与社会保障法、行政法、经济法等多个法律领域中面临的挑战，旨在提出一系列针对性及可操作性强的应对策略。这一研究视角的选取，不仅体现了我们对于基层治理法治化问题的深刻洞察，更彰显了法治思维在应对突发公共卫生事件中的独特价值。

在基层治理中，法治思维和法治方式的运用意味着要依法决策、依法行政、依法治理。它要求我们在面对突发公共卫生事件时，必须严格遵守法律底线，确保防控措施的合法性、合理性和有效性。同时，法治思维和法治方式还强调权利保障与义务履行并重，既要保障人民群众的知情权、参与权、表达权和监督权，又要引导人民群众自觉履行防控义务，共同维护社会秩序和公共利益。

二、基层治理法治化的创新实践

本书的创新之处不仅在于研究视角具有独特性，更在于研究内容的丰富与深入。著者力图对提升突发公共卫生事件背景下新时代基层治理法治化能力进行科学的理论定位，着眼于基层应对突发公共卫生事件的防控实践，从多个法律视角对社会基层治理、民生保障等焦点、热点问题进行全面、深入的探究。

在刑法领域，本书关注了涉疫犯罪的认定与惩处、网络谣言的刑法规制等问题。特殊时期刑事司法不仅肩负着打击犯罪的重任，还要保障各项防控措施的实施，维护公共安全和社会秩序，这是刑事司法在特殊时期的担当与责任。

在劳动与社会保障法领域，本书关注了特殊时期劳动者就业、最低工资保障、感染传染病工伤认定、社会补偿等劳动者高度关注的问题。应健全劳动法律法规、及时调整有关政策保障劳动者的合法权益，这对于实现社会分配正义、维护社会和谐稳定具有重要意义。

在行政法领域，本书探讨了突发公共卫生事件背景下的行政应急制度、应急征用制度和个人信息行政法保护机制存在的不足和应对策略。应科学配置行政应急主体的权力，规范个人信息保护的行政监管与救济途径；优化应急征用的具体程序和补偿制度。

在经济法领域，本书探讨了突发公共卫生事件对经济发展的影响及应对策略。应通过财政、税收、金融等手段，加强对被冲击行业的扶持，同时还应加强市场监管与反垄断执法力度，维护公平竞争的市场秩序。

三、基层治理法治化的国际视野

在全球化背景下，突发公共卫生事件的应对已成为世界各国共同面临和关注的课题。本书在探讨基层治理法治化问题时，不仅立足国内实践，还积极借鉴国际经验，展现了开阔的国际视野。

国际社会在应对突发公共卫生事件时，应遵循法治原则和国际合作原则。通过加强国际合作与交流，共同制定和执行国际卫生标准与规范，这可以有效提高全球公共卫生治理的效率和水平。各国均需提升应对突发公共卫生事件的能力，为国际合作提供坚实的法治保障。

本书详细分析了中国在全球公共卫生治理中的积极贡献。中国坚持人民至上、生命至上的理念，采取了一系列科学的防控措施，加强与世卫组织及各国的沟通协调，为全球公共卫生治理注入了正能量。

四、学术创新与价值展望

本书在学术创新方面取得了显著成果。首先，在研究视角上，本书勇于尝试从法治思维的独特视角出发，深入探讨突发公共卫生事件中的基层治理问题，对构建共建、共治、共享的基层应急法治治理格局具有重要的参考价值与启示意义。

其次，在研究内容上，本书力图对提升突发公共卫生事件背景下新时代基层治理法治化能力进行理论定位，全面、深入地探究了多个法律领域中的焦点、热点问题。这一研究不仅丰富了基层治理法治化的理论体系，也为实践中的具体操作提供了有力的理论支撑。

最后，在逻辑结构上，本书采取了以法学为基础，同时兼顾其他相关学科的综合性分析方法，力求将实证研究、历时性研究与共时性研究有机融合。在章节和内容安排上坚持理论逻辑与实践逻辑相统一，这也使得本书呈现结构严谨、条理性强的特点。

基层治理法治化仍是一个持续深化、不断创新的过程。随着全球公共卫生治理体系的完善和国内法治建设的深入推进，我们有理由相信，基层治理法治化将在应对突发公共卫生事件中发挥更加重要的作用。本书的研究成果不仅为基层治理法治化的实践提供了宝贵的参考和借鉴，也为推动全面依法治国进程、构建社会主义法治国家作出了积极探索。

在此，我衷心希望本书的出版能够引起社会各界对于基层治理法治化问题的广泛关注与深入思考，为推动我国基层治理体系和治理能力现代化建设贡献智慧和力量。同时，我也期待更多的学者和专家能够加入到这一研究领域中来，共同探索基层治理法治化的新路径、新方法和新经验。

2024年11月25日

目　　录

导　论

一、研究目的

突发公共卫生事件涵盖重大传染病疫情、群体性不明原因疾病、重大食物中毒和职业中毒等严重影响公众健康的事件。随着我国进入互联网时代，社会结构随之变化，提高应对突发公共卫生事件能力，是保障和维护人民健康的必然要求，也是维护国家安全和社会稳定的迫切需要。特殊时期只有依靠法治、坚持运用法治思维和方式统筹推进防控工作，才能切实保障人民群众生命安全和身体健康，维护社会稳定和发展。面对突如其来的公共卫生挑战，基层是前沿阵地，在各类突发公共卫生事件的预防、救治、防控中至关重要，其应急管理能力直接决定着应急管理整体工作水平的底线，这也使得其自身的法治化路径探索显得尤为重要。

当前针对突发公共卫生事件应急管理的研究，多以国家、省、市为视角。基层是各类突发公共卫生事件处置的第一线，基层应急管理体系是国家应急管理体系的重要组成部分。2019年起我国学者才陆续关注突发公共卫生事件下的社区、农村应急管理问题，因此以法治视角探究特殊时期的基层治理的可借鉴研究成果相对有限。本书立足于基层应对突发公共卫生事件的防控实践，从刑法、劳动与社会保障法、行政法、经济法、社区和乡村法治治理实践等多个法律视角出发，对社会基层治理、民生保障等焦点、热点问题进行全面探究，为构建共建、共治、共享的基层应急法治治理格局提供可资借鉴的研究成果。

二、基本内容和主要观点

本书除导论之外，共有六章。

第一章主要讨论有关突发公共卫生事件的基本问题，这是整个研究的基点。本章介绍突发公共卫生事件概念、特征、级别和类别，分析了近现代我国的突发公共卫生事件及应对措施，和近年来国际上主要的突发公共卫生事件及应对措施。

第二章是突发公共卫生事件下的刑法规制。在特殊时期，刑法精准打击犯罪行为的同时，还能高效参与配合相关防控措施，最大限度地保护人民群众利益，维护社会秩序。本章重点关注了突发公共卫生事件下传染病防治失职罪、妨害公务罪、以危险方法危害公共安全罪、妨害传染病防治罪的适用难点和完善对策。针对特殊时期网络谣言对社会秩序带来的重大负面效应，本章从完善刑法规制网络谣言的罪名体系、科学界定责任主体的范围、清晰确定刑事规制边界等方面入手，提升了对网络谣言的刑事治理水平。

第三章是突发公共卫生事件下的劳动与社会保障法应对。本章涉及特殊时期劳动者密切关注的劳动就业、最低工资保障、感染传染病工伤认定、社会补偿等焦点问题。本章从健全劳动法律法规、及时调整有关政策保障劳动者的合法权益入手，对于实现社会分配正义、维护特殊时期的社会和谐稳定尤为重要。

第四章是突发公共卫生事件下的行政法规制，本章探讨了突发公共卫生事件背景下的行政应急制度、应急征用制度、个人信息行政法保护制度存在问题和完善途径。在特殊时期，更应科学配置行政应急主体的权力，优化应急征用的具体程序和补偿制度，规范个人信息保护的行政监管与救济途径。

第五章是突发公共卫生事件下的经济法规制，本章探讨了突发公共卫生事件对经济发展的影响及应对策略。此外还分析了特殊时期消费者通过电商平台购物时，其合法权益遭受侵犯的情形，探讨了针对电商平台的经济法规制策略。

第六章是突发公共卫生事件下的基层治理法治实践。本章分析了特殊时期乡村、社区治理中存在的问题和完善法治化治理的应对策略。突发公共卫生事件下，多元共治的法治化已经成为一种现代的管理策略，应以多样性为中心，以共治作为手段，以法治作为支撑，科学应对突发公共卫生事件。

三、研究方法

其一，比较法学研究法。本研究依托国内外权威的文献数据库，系统性地检索并分析了最新的研究成果，通过横向与纵向的比较，梳理国内外在突发公共卫生事件应对中基层治理法治化的实践模式与理论探索。

其二，实证分析法。聚焦于河北省的城市与乡村基层，通过实地考察、案例分析等方式，深入剖析基层在应对突发公共卫生事件时的法治实践，识别存在的问题与挑战，如法律体系的适应性、应急响应机制的效率、公众参与度的高低等。此方法确保了研究的实践导向，使理论探讨紧密贴合现实需求，为提出针对性改进措施奠定了坚实基础。

其三，社会调查法。为获取第一手资料，本研究设计并实施了一系列深入城市、县、区、街道等基层单位的访谈与问卷调查。通过面对面交流、问卷调查等多种形式，广泛收集基层工作者、普通民众对于突发公共卫生事件应对法治化的看法与建议，并对数据进行科学统计与分析，从而准确把握基层治理法治化的现状、需求及改进空间。这一方法极大地增强了研究的实证基础与说服力。

其四，跨学科交叉研究法。鉴于突发公共卫生事件应对的复杂性，本研究跨越法学、社会学、公共卫生学、管理学等多个学科领域，采用交叉研究的视角，系统探讨基层治理法治化的多维度影响因素与路径选择。学科间的理论对话与融合，不仅拓宽了研究的视野，也促进了理论创新与实践应用的深度融合，为构建全面、系统的基层应急治理法治化框架提供了理论支撑与实践指导。

鉴于本研究涉及内容的广泛性与跨学科特性，著者在某些领域的理论理解与研究深度上难免存在局限。因此，诚恳地欢迎广大读者及同行专家批评指正，共同推动突发公共事件下基层治理法治化研究的深化与发展。

第一章　突发公共卫生事件概述

第一节　突发公共卫生事件的概念与特征

一、突发公共卫生事件的概念

我国现行《突发公共卫生事件应急条例》第一章第二条，对突发公共卫生事件做出了具体解释，即“突然发生，造成或者可能造成社会公众健康严重损害的重大传染病疫情、群体性不明原因疾病、重大食物和职业中毒以及其他严重影响公众健康的事件”。

另外根据世界卫生组织2005年修订、2007年正式实施的《国际卫生条例》中的对“国际关注的突发公共卫生事件（Public Health Emergency of International Concern，PHEIC）”的定义是：“通过疾病的国际传播构成对其他国家公共卫生风险，并可能需要采取协调一致的国际行动的不同寻常的公共卫生事件。”

当某种特定传染病造成了重大突发公共卫生事件的发生，世界各国及相关卫生组织均有法律义务做出相应的反应。如，2009年的H1N1流感、2014年的野生型脊髓灰质炎病毒、2016年的寨卡病毒、2022年的猴痘，都构成了PHEIC。

二、突发公共卫生事件的特征

第一，具有突发性和意外性。国内外各类突发公共卫生事件，虽然都存在着一定的征兆和预警，但是在其发生、发展过程中具有较为复杂的多变性，所以想要做出及时而精准的预测，仍旧存在着一定的难度和不确定性。

第二，具有危害性和群体性。跨越历史的时空，纵观世界各国，历次突发公共卫生事件都给人类的生命健康、经济财产带来了不可估量的危害。同时这样的危害性也不仅涉及某一个体或某一群体，而是会涉及整个社会层面的各个群体，体现了突发公共卫生事件的群体性。例如，暴发于公元前430年的雅典大瘟疫，导致雅典四分之一的人口死亡，使雅典的实力大幅下降，最终在战争中败给了斯巴达。再如，欧洲三十年战争中，1629—1631年感染了鼠疫的威尼斯军队在撤退中，将瘟疫传播到伦巴第平原上的米兰城，导致当时拥有13万人口的米兰城近一半的人口死亡。可见，突发公共卫生事件的危害是复杂多样的，而这样的危害又具有广泛的群体性。

第三，具有多样性和传播性。众多公共卫生事件往往与自然灾害、事故灾害、社会安全事件有着紧密的关系，可见突发公共事件的成因是具有多样性的。从自然灾害的角度来说，所谓大灾之后必有大疫，这是历史总结出的经验教训。1998年我国长江、嫩江、松花江等江河流域发生特大洪灾、2008年四川汶川发生的里氏8.0级大地震、2010年甘肃舟曲发生的特大泥石流等自然灾害。从中央到地方各级政府在积极开展灾后救援的同时，为了人民的生命安全和身体健康，始终坚持“大灾之后防大疫”“确保大灾之后无大疫”的原则开展疫情防控工作。另外，近年来备受关注的生物安全也是突发公共卫生事件的成因之一。近20年内，全球范围内直接与生物安全有关的公共事件频频发生，继SARS病毒之后，禽流感、甲型流感、埃博拉、中东呼吸综合征等公共卫生事件此起彼伏。生物安全成为我国食品药品安全、公共卫生预防的重点，并得到了高度重视。2020年2月14日，习近平总书记在中央全面深化改革委员会第十二次会议上也强调，要从保护人民健康、保障国家安全、维护国家长治久安的高度，把生物安全纳入国家安全体系，系统规划国家生物安全风险防控和治理体系建设，全面提高国家生物安全治理能力。除了自然灾害、生物安全之外，生态环境的污染和破坏、交通事故、动物疫情、食品安全、药品危险等安全事件都可能导致公共卫生事件的发生。突发公共卫生事件还具有广泛的传播性。尤其是在全球化的时代，一旦某地发生疫情，传染源便会随着便捷的现代交通工具频繁而广泛地跨国活动，传染给更多的易感染人群，造成更大范围乃至全球性的扩散和传播。

第四，具有时空分布上的差异性。我国地域广阔、地形多样，人口众多，不同地域的生态环境、自然环境各不相同，也是世界上少数的多灾害国家之一。所以我国突发公共卫生事件的分布也存在着时间、空间及不同人群的差异性。例如，SARS病毒更容易在冬季、春季传染，而夏季升温则给肠道传染病带来了更大的传染可能性。另外，地理环境、气候特征等也造成了空间分布的差异，尤其是夏季南方地区多雨，气候潮湿，在人口密度较高的地区就会造成流感病毒的聚集与传播。而出血热则为北方常见的传染性疾病，尤其进入十月之后，陕西关中地区便进入出血热高发期。

第五，具有阶段性和频发性。任何一起突发公共卫生事件，从发生、发展到结束，主要分为酝酿、暴发、消退、消除四个不同阶段，每个阶段还存在着局部的频发性和反复性。例如自2019年12月发生的新型冠状病毒感染，至今仍在世界范围内持续流行。

第六，具有防控、防治的系统性。从全社会来看，突发公共卫生事件不仅是医疗卫生问题，还涉及社会多个层面的综合问题。在治理的过程当中，需要整个社会不同部门相互配合、共同努力，才能够有效防控和综合治理。如医疗系统、交通系统、社会保障系统等多方位协同推进工作，才能使突发公共卫生事件得到有效控制。另外，伴随着全球化进程的加速，特殊的突发公共卫生事件的治理需要采取协调一致的国际应对措施。2019年12月新型冠状病毒肺炎疫情暴发后，习近平总书记首次提出了“人类卫生健康共同体”理念，并强调“加强与国际社会合作”“向其他出现疫情扩散的国家和地区提供力所能及的援助”“疫情没有国界，世界各国是休戚与共的命运共同体”“国际社会必须树立人类命运共同体意识，守望相助，携手应对风险挑战，共建美好地球家园”等主张和理念。

第二节　突发公共卫生事件的级别与类别

一、突发公共卫生事件的级别

（一）划分依据

新修订的《中华人民共和国突发事件应对法》于2024年11月1日起施行。其中规定：“突发事件，是指突然发生，造成或者可能造成严重社会危害，需要采取应急处置措施予以应对的自然灾害、事故灾难、公共卫生事件和社会安全事件。”同时，“按照社会危害程度、影响范围等因素，突发自然灾害、事故灾难、公共卫生事件分为特别重大、重大、较大和一般四级。法律、行政法规或者国务院另有规定的，从其规定。突发事件的分级标准由国务院或者国务院确定的部门制定”。[①] 从这一规定可以看出，突发公共卫生事件也属于突发事件之一，其也可以分为特别重大、重大、较大和一般四个级别。

（二）具体级别

突发公共卫生事件在级别划分方面，主要是依据事件性质、危害程度和波及范围等几个方面进行考量并划分为四个等级的，其中包括特别重大级别、重大级别、较大级别和一般级别，这四个级别也可以依次记作Ⅰ级、Ⅱ级、Ⅲ级、Ⅳ级，并分别用红色、橙色、黄色、蓝色进行预警标识。突发公共卫生事件的分级具体标准如下。

1. 特别重大级别，当出现红色预警时意味着发生了特别重大突发公共卫生事

①《中华人民共和国突发事件应对法》，第二条，第三条．

件，并具有下列情形之一的发生。

（1）肺鼠疫、肺炭疽在大、中城市发生并有扩散趋势，或肺鼠疫、肺炭疽疫情波及两个以上省份，并有进一步扩散趋势。

（2）发生传染性非典型肺炎、人感染高致病性禽流感病例，并有扩散趋势。

（3）涉及多个省份的群体性不明原因疾病，并有扩散趋势。

（4）发生新传染病或我国尚未发现的传染病发生或传入，并有扩散趋势，或发现我国已消灭的传染病重新流行。

（5）发生烈性病菌株、毒株、致病因子等丢失事件。

（6）周边以及与我国通航的国家和地区发生特大传染病疫情，并出现输入性病例，严重危及我国公共卫生安全的事件。

（7）国务院卫生行政部门认定的其他特别重大突发公共卫生事件。

2. 重大级别，当出现橙色预警时意味着发生了重大突发公共卫生事件，并具有下列情形之一的发生。

（1）在一个县（市）行政区域内，一个平均潜伏期内（6天）发生5例以上肺鼠疫、肺炭疽病例，或者相关联的疫情波及2个以上的县（市）。

（2）发生传染性非典型肺炎、人感染高致病性禽流感疑似病例。

（3）腺鼠疫发生流行，在一个市（地）行政区域内，一个平均潜伏期内多点连续发病20例以上，或流行范围波及两个以上市（地）。

（4）霍乱在一个市（地）行政区域内流行，一周内发病30例以上，或波及两个以上市（地），有扩散趋势。

（5）乙类、丙类传染病波及两个以上县（市），一周内发病水平超过前5年期平均发病水平两倍以上。

（6）我国尚未发现的传染病发生或传入，尚未造成扩散。

（7）发生群体性不明原因疾病，扩散到县（市）以外的地区。

（8）发生重大医源性感染事件。

（9）预防接种或群体性预防性服药出现人员死亡。

（10）一次食物中毒人数超过100人并出现死亡病例，或出现10例以上死亡病例。

（11）一次发生急性职业中毒50人以上，或死亡5人以上。

（12）境内外隐匿运输、邮寄烈性生物病原体、生物毒素造成我境内人员感染或死亡的。

（13）省级以上人民政府卫生行政部门认定的其他重大突发公共卫生事件。

3. 较大级别：当出现黄色预警时意味着发生了较大突发公共卫生事件，并具有下列情形之一的发生。

（1）发生肺鼠疫、肺炭疽病例，一个平均潜伏期内病例数未超过5例，流行范围在一个县（市）行政区域以内。

（2）腺鼠疫发生流行，在一个县（市）行政区域内，一个平均潜伏期内连续发病10例以上，或波及两个以上县（市）。

（3）霍乱在一个县（市）行政区域内发生，一周内发病10～29例或波及两个以上县（市），或市（地）级以上城市的市区首次发生。

（4）一周内在一个县（市）行政区域内，乙、丙类传染病发病水平超过前5年同期平均发病水平一倍以上。

（5）在一个县（市）行政区域内发现群体性不明原因疾病。

（6）一次食物中毒人数超过100人，或出现死亡病例。

（7）预防接种或群体性预防性服药出现群体心因性反应或不良反应。

（8）一次发生急性职业中毒10～49人，或死亡4人以下。

（9）市（地）级以上人民政府卫生行政部门认定的其他较大突发公共卫生事件。

4. 一般级别：一般级别的突发公共卫生事件以蓝色预警的出现为标识，并具有下列情形之一的发生。

（1）腺鼠疫在一个县（市）行政区域内发生，一个平均潜伏期内病例数未超过10例。

（2）霍乱在一个县（市）行政区域内发生，一周内发病9例以下。

（3）一次食物中毒人数30～99人，未出现死亡病例。

（4）一次发生急性职业中毒9人以下，未出现死亡病例。

（5）县级以上人民政府卫生行政部门认定的其他一般突发公共卫生事件。

（三）医疗卫生救援的级别划分

医疗卫生救援的级别划分主要有：特别重大（Ⅰ级）、重大（Ⅱ级）、较大（Ⅲ级）和一般（Ⅳ级）四级。

1. 特别重大事件（Ⅰ级），具体有以下情形。

（1）一次事件伤亡100人以上，且危重人员多，或者核事故和突发放射事件、化学品泄漏事故导致大量人员伤亡，事件发生地省级人民政府或有关部门请求国家在医疗卫生救援工作上给予支持的突发公共事件。

（2）跨省（区、市）的有特别严重人员伤亡的突发公共事件。

（3）国务院及其有关部门确定的其他需要开展医疗卫生救援工作的特别重大突发公共事件。

2. 重大事件（Ⅱ级），具体有以下情形。

（1）一次事件伤亡50人以上、99人以下，其中，死亡和危重病例超过5例的突发公共事件。

（2）跨市（地）的有严重人员伤亡的突发公共事件。

（3）省级人民政府及其有关部门确定的其他需要开展医疗卫生救援工作的重大突发公共事件。

3. 较大事件（Ⅲ级），具体有以下情形。

（1）一次事件伤亡30人以上、49人以下，其中，死亡和危重病例超过3例的突发公共事件。

（2）市（地）级人民政府及其有关部门确定的其他需要开展医疗卫生救援工作的较大突发公共事件。

4. 一般事件（Ⅳ级），具体有以下情形。

（1）一次事件伤亡10人以上、29人以下，其中，死亡和危重病例超过一例的突发公共事件。

（2）县级人民政府及其有关部门确定的其他需要开展医疗卫生救援工作的一般突发公共事件。

二、当前公共卫生事件的类别

根据事件的性质、成因和表现形式，突发公共卫生事件可作以下分类。

第一种是按照突发公共卫生事件的表现形式进行的。其一是在一定时空内，一定的人群遭遇了某种传染病或不明原因的中毒的情况，并且群体危害性较大、涉及人数较多且达到了一定预警峰值的公共卫生事件。如某种传染性疾病、职业性中毒、疫苗接种后的恶性反应、菌种或毒株的丢失等问题，以及由县级或更高级别的卫生管理部门确定的某些公共卫生事件。其二则是某一时间范围内，由生态环境遭遇某种原因的破坏所导致的公共卫生事件，并且也达到了规定的预警峰值。例如，核辐射、化学物泄漏、放射源丢失、有毒微生物宿主事件，以及其他影响公共生命健康的事件。同时这一类公共卫生事件也具有事后出现病例，或一定时间内无病例的特点。

第二种是根据其内在的性质和成因进行分类的。主要分为重大传染病疫情、群体性不明原因疾病、重大食物中毒和职业中毒、新发传染性疾病、群体性预防接种反应和群体性药物反应、重大环境污染事故、核事故和放射事故，以及生物、化学、核辐射恐怖事件，自然灾害导致的人员伤亡和疾病流行，其他影响公众健康的事件。上文所述的各类公共卫生事件又可以分为以下几种不同的情形。

（一）重大传染病疫情

从医学的角度看，传染病主要是由微生物、寄生虫等各类病原体所引起的，并在人或动物间直接进行传播，包括人类之间、人类与动物之间，以及动物之间的相互传播。传染病对人类具有一定的危害性，所以防疫部门须及时掌握病源和发病情况，并及时采取有效措施，因此也称为法定传染病。根据传染病的危害程度和所需采取的具体防控措施，我国将主要的40种传染病分为甲、乙、丙三类，并写入《中华人民共和国传染病防治法》，甲类、乙类和丙类传染病具体如下。

甲类传染病是指：鼠疫、霍乱。

乙类传染病是指：传染性非典型肺炎、艾滋病、病毒性肝炎、脊髓灰质炎、人感染高致病性禽流感、麻疹、流行性出血热、狂犬病、流行性乙型脑炎、登革热、炭疽、细菌性和阿米巴性痢疾、肺结核、伤寒和副伤寒、流行性脑脊髓膜炎、百日咳、白喉、新生儿破伤风、猩红热、布鲁氏菌病、淋病、梅毒、钩端螺旋体病、血吸虫病、疟疾。

丙类传染病是指：流行性感冒、流行性腮腺炎、风疹、急性出血性结膜炎、麻风病、流行性和地方性斑疹伤寒、黑热病、包虫病、丝虫病，除霍乱、细菌性和阿米巴性痢疾、伤寒和副伤寒以外的感染性腹泻病。

在以上三类传染病中，甲类传染病中的鼠疫和霍乱被医学界认定为重大的传染性疾病。它们不仅是一种烈性传染疾病，更会造成严重的公共卫生问题和社会经济后果。因此，由鼠疫和霍乱触发的疫情也同样被视为重大传染性疫情。

在具体疫情防控工作中，根据实际情况也会进行调整，以便更好地进行防控和治理。《中华人民共和国传染病防治法》第三条中也做了具体规定："国务院卫生行政部门根据传染病暴发、流行情况和危害程度，可以决定增加、减少或者调整乙类、丙类传染病病种并予以公布。"所以，2003年非典型肺炎SARS、2019年12月开始流行的新型冠状病毒感染，在分类上都属于乙类传染病，但是因其具有较高的传染性和危害性，所以采取甲类重大传染病疫情的管制措施。由此，有些学者从实际疫情防控的视角，也将非典型肺炎、新型冠状病毒感染所引起的疫情视为重大传染病疫情。如英国医学学术期刊《柳叶刀》曾刊发，"重大传染病疫情是指鼠疫、霍乱、非典（SARS）、甲流（H1N1、H5N1、H7N9等）、新型冠状病毒肺炎（COVID-19）等在中国按甲类防控措施管理的传染病的暴发或流行，通常具有突发性强、传播范围广、致死率高等特征，是国家公共卫生事件防控的重点"。

（二）群体性不明原因疾病

根据我国卫生部《群体性不明原因疾病应急处置方案》（试行）（以下简

称《方案》）中的相关规定：“群体性不明原因疾病是指一定时间内（通常是指2周内），在某个相对集中的区域（如同一个医疗机构、自然村、社区、建筑工地、学校等集体单位）内同时或者相继出现3例及以上相同临床表现，经县级及以上医院组织专家会诊，不能诊断或解释病因，有重症病例或死亡病例发生的疾病。群体性不明原因疾病具有临床表现相似性、发病人群聚集性、流行病学关联性、健康损害严重性的特点。这类疾病可能是传染病（包括新发传染病）、中毒或其他未知因素引起的疾病。”

《方案》中也对群体性不明原因疾病的分级进行了明确规定。

Ⅰ级 特别重大群体性不明原因疾病事件：在一定时间内，发生涉及两个及以上省份的群体性不明原因疾病，并有扩散趋势；或由国务院卫生行政部门认定的相应级别的群体性不明原因疾病事件。

Ⅱ级 重大群体性不明原因疾病事件：一定时间内，在一个省多个县（市）发生群体性不明原因疾病；或由省级卫生行政部门认定的相应级别的群体性不明原因疾病事件。

Ⅲ级 较大群体性不明原因疾病事件：一定时间内，在一个省的一个县（市）行政区域内发生群体性不明原因疾病；或由地市级卫生行政部门认定的相应级别的群体性不明原因疾病事件。

不明原因疾病事件在我国时有发生，较为典型的如曾在黑龙江发现的克山病。1935年，黑龙江省克山县发生地方性心肌病，因发生在克山县故而也被称为克山病。该病在临床上的表现主要是急性、慢性心功能不全，心脏扩大，心律失常以及脑、肺和肾脏等器官的栓塞，常见症状有面色苍白、四肢厥冷、脉细弱、体温不升、精神萎靡、咳嗽、气急等，重症急性可在发病后几小时内死亡。而克山病的病因到目前仍旧尚不清楚。1980年之后，急性克山病在不明病因的情况下却基本消失了。

（三）重大食物中毒

重大食物中毒是指由于食品污染等原因而造成的超过30人中毒或出现死亡1例以上的饮用水和食物中毒事件。全国每年有100多万因腹泻疾病而去世的病例，其中大部分病例均是由食物中毒所导致。重大食物中毒主要有以下几个方面成因。

1. 食品加工处理不当

因食材具有不同的属性，在加工过程中一定要注意得当，否则就容易使食材成为“毒药”。如四季豆、豆角、荷兰豆等豆类蔬菜含有皂苷和血细胞凝集素等天然毒素，在未煮熟的情况下食用，对人体的消化道有强烈的刺激作用，易引起食物中毒。如果食用剂量过大，便容易引发恶心、呕吐、腹泻等症状，严重时会出现心慌、四肢麻木等不良现象。再如生活中常见的干木耳，如果经过长时间的浸泡，便会产生米硝酸菌，当食用时，便可能出现恶心、呕吐等轻微的食物中毒，如果食用过量也可能引起急性的肝功能、肾功能及心脏的衰竭，甚至导致死亡。

2. 食品交叉污染或不正确冷藏

食品交叉污染主要指的是携带病毒或细菌的污染物，在直接或间接的接触过程中使清洁的食品受到了病毒或细菌的污染，从而导致清洁食品内部或整体产生了腐败或变质。常见的交叉污染途径有3种：空气-食品、物体表面-流质食品和物体表面-食品接触面。[①]这里的“物体表面-食品接触面”是指食品通过接触被污染的物体表面而被污染，这样的污染途径尤为常见，在生活中也屡屡发生。2019年一场酒店聚餐引发了一起沙门氏菌感染的食源性疾病事件，患病率达到31.92%，[②]再如2018年8月广西桂林某酒店的沙门氏菌感染事件，也导致近百人食物中毒。

肉类中的单增李斯特菌（listeria monocytogenes），也是一种食源性病原菌，会导致食物中毒，如引起中毒者昏迷、呼吸困难，引发败血症、脑膜炎，严重者甚至会死亡。在食品的加工和储存过程中，如果忽视了某些关键环节，这类病原菌可能会通过交叉污染的方式传播，最终导致食源性疾病的发生。

除了食品交叉污染，不正确的冷藏也是经常引起食物中毒的重要原因之一。如生活中将煮熟的食品长时间置于室温下储存、把大块食物贮存于冰柜中，或冷藏温度不够，都属于不正确的冷藏方式，极易引起食物中毒。所以在《中华人民共和国食品安全法》中针对食品的储存也有相关的明确规定，贮存、运输和装卸食品的容器、工具和设备应当安全、无害，保持清洁，防止食品污染，并符合保证食品安全所需的温度、湿度等特殊要求，不得将食品与有毒、有害物品一同贮存、运输。[③]另外，在学校、酒店等具体单位还会有相关的食品贮存管理制度，如“冷藏食品必须配备专用冰箱和冰柜”“各类食品分类存放，标志明显，防止交叉污染”“贮存食品做到‘四防’：防霉或防腐、防鼠、防虫、防蝇”等相关管理制度。

3. 食品原料遭受污染

食品原料的污染主要有两种情况：一是食品原材料本身的污染，称为内源性的污染；二是食品原料在生产加工、运输销售、储存冷藏等过程中被污染，

①王海梅，董庆利，朱江辉，等. 厨房中食源性致病菌交叉污染的研究进展[J]. 食品与发酵科技，2014，50（6）：16-21.

②赵永丽，牛蓓，田美娜，等. 一起酒店聚餐引起的沙门菌食源性疾病暴发事件分析[J]. 医学动物防制，2021，37（1）：88-91.

③《中华人民共和国食品安全法》（2021修正），第三十三条.

称为外源性的污染。内源性的污染指的是动植物在其生长过程中，因自身携带的微生物或寄生虫而造成的污染。如在我国各地均有种植的豆科草本作物大豆，如果在其生长过程中遭遇土壤中微生物群体的侵袭，会使得成熟后的大豆携带腐败菌，而这种菌类则是导致豆制品变质的罪魁祸首。如有研究者发现，在我国黑龙江地区不同种植环境的大豆，枯草芽孢杆菌（bacillus subtilis）和蜡样芽孢杆菌（bacillus cereus）是豆制品原料中携带的固定致腐菌。[①]而外源性的污染（exogenous pollution），则是指动物性食品在其加工、运输、贮藏、销售、烹饪等过程中受到的污染，又称第二次污染。外源性的污染是动物性食品受微生物污染的主要途径之一，其污染的来源主要有水、空气、土壤的污染，以及运输过程、储藏过程中受到的生物性污染或化学性污染。

所以结合以上两种情况，食品原料的采购和验收应严格按照《中华人民共和国食品安全法》中有关规定进行，即“食品生产者采购食品原料、食品添加剂、食品相关产品，应当查验供货者的许可证和产品合格证明；对无法提供合格证明的食品原料，应当按照食品安全标准进行检验；不得采购或者使用不符合食品安全标准的食品原料、食品添加剂、食品相关产品”。[②]

4.误用误食有毒化学物质

在重大食物中毒事件中，误用误食有毒化学物质也时有发生。这类中毒事件往往首先以特殊环境或某种特殊环境的临时住所为前提条件。其次是在特定环境下有一定量的农药、亚硝酸盐及其他化工产品和化学物质，存在着不规范、不安全的储存和保管问题。最后是有人将某种化学物质误认为是生活用品，从而误用误食而导致的发病或死亡。

除此类情况外，生活中也常有误用误食有毒化学物质事件的发生。如2022年3月23日，四川省泸州市丰乐镇王某与梁某误将厨房中存放的醇基燃料认作食用白酒，并于中午饭和晚饭中分别提供给客人饮用，最终导致部分食用者甲醇中毒，造成4人死亡。2022年5月，湖南省长沙市某初三学生将装有化学试剂氢氧化钠溶液的瓶子放在家中，其2岁的妹妹将瓶盖打开，误把化学试剂当“水”喝，致口腔、舌部腐蚀性烧灼伤。

5.误食某些含有有毒成分的动植物

在我国广大农村地区，夏季雨水充沛、植被茂盛，大量结果植物、菌类植物进入繁盛期。经常有人采集野果、蘑菇，进而误食了有毒的植物而造成食物中毒。如我国南方分布的马桑果，其果实成分主要为马桑毒素、羟基马桑毒素、氢

①柳玉．大豆籽粒中微生物的分布及黑龙江大豆致腐菌的种类比较[D]．北京：中国农业大学，2007.

②《中华人民共和国食品安全法》（2021修正），第五十条．

化马桑毒素等，如果误认为是桑葚而食用则容易引起痉挛、呕吐、抽搐、水肿、呼吸衰竭等症状。

再如我国山区丘陵地带，每年夏季也是野生蘑菇生长的旺季。而蘑菇的种类繁多，成分中的毒性也较复杂，单凭肉眼根本无法识别，由此导致了很多人误食而中毒。比如常见的有毒蘑菇目中，鹅膏属、盔孢伞属、环柄菇属的蘑菇均含有鹅膏环肽，而鹅膏环肽极耐高温，耐酸碱和盐，日常中的高温蒸煮和爆炒等烹饪方法都不会破坏其毒性。早在2000年3月，就曾有9人因误食鹅膏属蘑菇而中毒死亡，此后此类蘑菇又被称为“致命鹅膏”。有数据显示，2022年2月中旬至4月初，我国广东、福建等地至少发生6起误食致命鹅膏的中毒事件，导致25人中毒，2人死亡。“致命鹅膏”因毒性大而被称为蘑菇里的“头号毒王”，从被发现至今，在我国至少已经发生了30余起中毒事件，导致100余人中毒，其中超过60人死亡。

6. 食用过期变质食品

日常生活中的食品都有各自的保质期，在保质期内食用、饮用，食品的口味、口感和安全性均有保障。《中国人民共和国食品安全法》中规定，食品保质期是指食品在标明的贮存条件下保持品质的期限。[①]如果食品已超出保质期，则可能产生大量的细菌和病菌，尤其肉类食品超出保质期后可能会染上肉毒杆菌，会危害人体神经系统和肌肉运动系统，导致呼吸麻痹，甚至引发食物中毒。另外，如纯牛奶、鸡腿、鸭脖等营养成分较高的食品，如果超出保质期，微生物含量会增多，微生物分解食物产生的代谢物也会不可控，这些代谢物有可能会引起我们身体的不适，严重者会导致食物中毒。

因食用过期变质食品引起的食物中毒事件屡有发生。《中华人民共和国食品安全法》中对销售过期食品的处罚也有明确规定，即“没收违法所得和违法生产经营的食品、食品添加剂，并可以没收用于违法生产经营的工具、设备、原料等物品；违法生产经营的食品、食品添加剂货值金额不足一万元的，并处五万元以上十万元以下罚款。货值金额一万元以上的，并处货值金额十倍以上二十倍以下罚款；情节严重的，吊销许可证”。[②]

7. 人为投毒

人为的故意投毒行为，属于较为恶劣的危害公共安全的行为之一，其手段主要是将带有放射性、腐蚀性、毒害性以及传染病病原体的物质，投放到公共区域或某些场所，侵害他人生命健康的行为。

①《中华人民共和国食品安全法》（2021 修正），第一百五十条.

②《中华人民共和国食品安全法》（2021 修正），第一百二十四条.

因他人人为的投毒行为而导致的食物中毒事件屡有发生。例如1995年发生在广东肇庆金利镇的特大投毒事件，母子二人的投毒行为导致163人中毒，18人中毒身亡。另外，2015年5月，我国广东省东莞市内多家超市售卖的饮料，遭到了人为的恶性投毒。此次投毒事件导致1死4伤的悲剧发生。2002年，《关于执行〈中华人民共和国刑法〉确定罪名的补充规定》发布后，投毒罪这一罪名被取消，并将该罪改为投放危险物质罪。如行为人投放或释放具有毒害的物质，并且对公共安全造成一定威胁，但尚未引发严重影响的行为人，将被判处三年至十年的有期徒刑；如果造成了严重的后果，将被判处十年以上的有期徒刑、无期徒刑或者死刑。

（四）职业中毒

职业中毒是指劳动者在生产劳动过程中由于接触生产性毒物而引起的中毒。生产性毒物是指生产过程中产生的，存在于工作环境空气中的毒物（在一定条件下较小剂量即可引起人体暂时或永久性病理改变，甚至危及生命的化学物质）.[①]职业中毒由于生产性毒物的毒性、接触时间和接触浓度、个体差异等因素的不同，又可分为三种类型，即急性职业中毒、慢性职业中毒、亚急性职业中毒。急性中毒是指毒物一次或短时间内（几分钟或数小时）大量进入人体后所引起的中毒，如急性苯中毒等。慢性职业中毒是指毒物少量长期进入人体后所引起的中毒，如慢性铅中毒等。亚急性职业中毒则是指发病情况介于急性中毒和慢性中毒之间，但发病时间界限分明，如亚急性铅中毒。

职业中毒主要包括金属与类金属中毒，如铅中毒；刺激性气体中毒，如氨中毒；窒息性气体中毒，如一氧化碳中毒；有机溶剂中毒，如苯中毒；高分子化合物中毒，如氯乙烯中毒；农药中毒，如杀虫剂中毒等。职业中毒是我国法定职业病10个大类132种中占比最多的，具体种类主要有：铅、汞、锰、镉、铊、钒、磷、砷及其化合物中毒，铍病，砷、氯气、二氧化硫、光气、氨、氮氧化合物、一氧化碳、二硫化碳、甲苯、二甲苯、正乙烷、汽油、二氯乙烷中毒等60余种。

职业中毒在我国屡有发生。1999—2004年，我国贵州省曾发生过近20起职业中毒事故，共造成了200多人中毒，另外还有15人因中毒而死亡。2002年，江苏省无锡市疾病预防控制中心调查了全市发生的9起急性职业中毒事故，中毒人数达44人，导致11人死亡。2011年9月至2012年2月，广东省广州市白云区、荔湾区发生多例职业性1,2–二氯乙烷中毒事故，先后造成39人中毒（其中 4 人死亡）。2012年2月，甘肃省白银市白银区王岘镇某化工公司发生硫化氢中毒事故，造成3人死亡。

①梁友信．职业卫生与职业医学[M].北京：人民卫生出版社，2008.

2001年10月27日，第九届全国人民代表大会常务委员会第二十四次会议通过《中华人民共和国职业病防治法》，并于2002年5月1日起施行，该法案的发布与实施便是为了有效预防和控制职业病危害，让广大劳动者在生命健康和身心健康方面得到有效的保障。

该法后在2011年、2016年、2017年、2018年经历四次修订。其中第五十六条明确规定了职业中毒病人的权益："用人单位应当保障职业病病人依法享受国家规定的职业病待遇。用人单位应当按照国家有关规定，安排职业病病人进行治疗、康复和定期检查。用人单位对不适宜继续从事原工作的职业病病人，应当调离原岗位，并妥善安置。用人单位对从事接触职业病危害的作业的劳动者，应当给予适当岗位津贴。"①

（五）新发传染病

新发传染病（Emerging Infectious Disease，EID）是指在过去20年内在人群中的发病率有所增加或者在将来有可能增加的感染性疾病或病原微生物出现耐药而导致流行传播的疾病。②新发传染病传染性较强、传播范围较广，传播方式也较为复杂，因人类普遍缺少新发病免疫力，所以往往致死率较高、危害较大。新发传染病的病原体较多，以病毒性居多，病原体的宿主又以动物居多。新发传染病容易造成某国家和地区的大面积传染，乃至造成国际全球性的公共卫生事件，为预防和控制造成了一定的难度。

新发传染病大致可分为两类：一类是某些疾病早已存在，但未被认为是传染病或未证实是病原体，近来因诊断技术的进步，发现并证实这些疾病的病原体，如军团病、莱姆病、丙型肝炎、戊型肝炎等；另一类则是某些疾病过去可能确实不存在，由于微生物发生的适应性变异和进化，以及病原体来自动物的传染病，如艾滋病、SARS等。

新发传染病在全球不断出现，尤其是20世纪80年代曾达到高峰。截至2004年10月，世界范围内共有40多种新发传染病，主要有SARS、埃博拉出血热、人感染高致病性禽流感、艾滋病、西尼罗脑炎、莱姆病、丙型肝炎等，此外，在有的国家生物恐怖也被视为新发传染病范畴。

2021年4月15日，《中华人民共和国生物安全法》正式施行，对防范重大新发突发传染病以及动植物疫情、病原微生物实验室生物安全管理、人类遗传资源与生物资源安全管理、防范生物恐怖袭击与防御生物武器威胁等做出规定，是我国生物安全领域的里程碑式法律，标志着我国生物安全进入依法治理

①《中华人民共和国职业病防治法》（2018修正），第五十六条．

②卢洪洲，梁晓峰．新发传染病[M]．北京：人民卫生出版社，2018.

的新阶段。

（六）群体性预防接种反应和群体性药物反应

群体性预防接种反应是指一个预防接种单位在一次预防接种活动中出现群体性疑似异常反应或发生死亡。而群体预防性服药反应则是指一个预防服药点在一次预防服药活动中出现不良反应（或心因性反应）10例及以上或死亡1例及以上。[①]群体性预防接种反应和群体性药物反应的共同特征是，以实施疾病预防措施的过程为前提，以免疫接种人群或预防性服药人群的异常反应为结果，而引起这些异常反应的原因较为复杂。

由于存在一定管理疏漏，群体性预防接种反应和群体性药物反应事件在我国部分地区时有发生。如2005年安徽省泗县甲肝疫苗事件、2010年山西省的高温疫苗事件、四川省内江市“7・12”群体预防性用药事件。为了避免群体性预防接种反应、群体预防性服药反应事件的发生，2005年我国出台《疫苗流通和预防接种管理条例》，2019年12月1日起施行了《中华人民共和国疫苗管理法》。《中华人民共和国疫苗管理法》规定了“国家坚持疫苗产品的战略性和公益性”。另外，2010年12月13日经卫生部部务会议审议通过了《药品不良反应报告和监测管理办法》，并于2011年7月1日起施行。

（七）重大环境污染事故

环境污染事故指的是在人类的各种活动中，违反了自然生态环境的规定，并与相关的环境保护法律和法规产生冲突的行为和活动。此外，它还涵盖了在某些突发事件下，无法避免的自然灾害导致的生态环境的破坏和污染。

人类与大自然息息相关，生态环境与人类生命健康更有着密切的联系。放任生态环境恶化或被肆意破坏，不仅会对人们的生命和健康构成威胁，还可能导致全社会的经济损失。

环境污染事故时有发生，水污染事件、危险化学品、废弃化学品污染事件等均属于重大环境污染事故。如2004年四川省沱江干流水域特大水污染事故、2004年重庆江北区某企业的氯气储气罐泄漏事件等均属于重大环境污染事故。

为了避免和杜绝重大环境污染事故，全社会积极推进生态文明建设，1979年9月13日，我国第一部环境法律《中华人民共和国环境保护法（试行）》颁布。2014年第十二届全国人民代表大会常务委员会第八次会议对《中华人民共和国环境保护法》进行了再次修订，并于2015年1月1日起施行。

另外，针对造成重大环境污染事故的相关法律责任，《中华人民共和国刑法》也做了相关的规定，如第三百三十八条规定：“违反国家规定，排放、倾

①李学信．社区卫生服务实用手册[M]．南京：东南大学出版社，2002.

倒或者处置有放射性的废物、含传染病病原体的废物、有毒物质或者其他有害物质，严重污染环境的，处三年以下有期徒刑或者拘役，并处或者单处罚金；情节严重的，处三年以上七年以下有期徒刑，并处罚金。”

（八）毒物泄漏事件、核事故、放射性事故

毒物泄漏事件、核事故和放射性事故是指由于有毒物质、放射性物质或其他放射源造成或可能造成公众健康严重影响或严重损害的突发事件。毒物泄漏事件、核事故、放射性事故时有发生，其中影响较大的毒物泄漏事件莫过于1984年12月发生的印度博帕尔毒气泄漏事件，直接造成了2.5万人死亡，55万人间接致死，20多万人永久性残废，另外还造成了当地居民的患癌率及儿童夭折率大幅增加。核事故中堪称史上最严重的核污染事件便是发生在1986年4月的切尔诺贝利核事故，另外一起则是2011年3月11日发生在日本福岛县的福岛核事故。

为了避免和杜绝毒物泄漏事件、核事故和放射性事故的发生，我国相继颁布了相关法律法规。1987年2月17日，国务院发布《化学危险物品安全管理条例》。1993年8月4日，国务院发布《核电厂核事故应急管理条例》，并于2011年1月再次修订。2013年我国修订了《国家核应急预案》，对核应急准备与响应做出部署。2001年8月我国卫生部、公安部联合发布了《放射事故管理规定》，同时1995年卫生部和公安部联合发布的《放射事故管理规定》废止。2002年1月26日我国发布了《危险化学品安全管理条例》，同时废止《化学危险物品安全管理条例》，2011年、2013年《危险化学品安全管理条例》两次修订。2003年6月，我国颁布了《中华人民共和国放射性污染防治法》。2017年9月，我国颁布了《中华人民共和国核安全法》，并于 2018年1月1日起施行。此外，中国先后加入《及早通报核事故公约》《核事故或辐射紧急情况援助公约》，严格履行公约义务，深化核应急领域国际合作。2014年5月，中国加入“国际核应急响应与援助网络”，为国际社会核应急体系建设提供支持。

（九）核辐射、化学、生物恐怖事件

核辐射、化学、生物恐怖事件是指恐怖组织或恐怖分子为了达到其政治、经济等目的，通过实际使用或威胁使用放射性物质、化学毒剂或生物战剂，或通过袭击、威胁袭击化工（核）设施（包括化工厂、核设施、化学品仓库、实验室、运输槽车等）引起有毒有害物质或致病性微生物释放，导致人员伤亡，或造成公众心理恐慌，从而破坏国家和谐安定，妨碍经济发展的事件。相关统计数据证明，自1960年至今，全球已经发生270多起核化学生物恐怖事件，如1995年日本东京地铁沙林事件、2001年美国炭疽恐怖事件等。①

---

①邹飞，万成松．核化生恐怖医学应对处置[M].北京：人民卫生出版社，2010.

生物、化学、核辐射恐怖事件在世界各国屡次发生，并造成了极大的危害和不良的社会影响。如1995年日本东京地铁的沙林毒气事件，造成5 510人中毒，12人死亡。2001年9月18日之后，美国遭受为期数周的“炭疽攻击”生物恐怖袭击事件，17人被感染，5人死。2002年10月，俄罗斯莫斯科某文化宫剧院人质事件中，俄国军警及阿尔法小组以秘密化学气体麻醉表演厅内所有人，事件导致39名武装分子被击毙，与此同时129名人质因麻醉气体而身亡。2017年9月，英国伦敦某购物中心的有毒物质袭击事件，导致6人受伤。

核辐射、化学、恐怖事件的危害之大一直备受国际社会的广泛关注。早在1899年和1907年，海牙公约就明文禁止使用毒气和有毒武器。而在第一次世界大战中，德国第四集团军在第二次伊普尔战役中首次大规模使用毒气，于阵地上施放的6 000罐18万千克氯气，导致英法联军1.5万人中毒，约5 000人死亡。此后生化武器在第一次世界大战中被频繁使用，其中被使用的毒剂有氯气、光气、双光气、氯化苦、二苯氯胂、氢氰酸、芥子气等多达40余种，毒剂用量达12万吨，伤亡人数约130万，占战争伤亡总人数的4.6%。为了避免战争中无辜的民众和战俘遭受生化武器的危害，第一次世界大战之后的1925年，各国在日内瓦召开国际会议，并签署了《日内瓦公约》，包括《关于禁用毒气或类似及细菌方法作战议定书》。

2001年“9·11”事件之后，国际恐怖与反恐怖斗争日益激烈，加之美国在“反恐”中的错误主张和借用“反恐”之名在全球发动战争，让全球恐怖主义转向新的发展方向，同时生物、化学、核辐射恐怖事件愈演愈烈。2011年10月19日，我国发布了第一个专门针对反恐工作的法律文件《关于加强反恐怖工作有关问题的决定》，对恐怖活动、恐怖活动组织、恐怖活动人员做出界定，向反恐立法迈出第一步。2015年12月我国颁布《中华人民共和国反恐怖主义法》，并于2016年1月1日起施行。

（十）影响公共健康的自然灾害

随着全球气候变暖，气候变化将导致干旱、暴雨和热浪等极端事件发生的频率和强度增加，并通过改变生态系统、破坏粮食生产和基础设施、增加人类发病率等方式，对人类社会造成严重的负面影响。自然灾害主要是指自然力引起的设施破坏、经济严重损失、人员伤亡、人的健康状况及社会卫生服务条件恶化超过了所发生地区的所能承受能力的状况，主要包括洪涝、干旱、地震、海啸、火灾、泥石流等。

洪涝灾害是全球最频繁、最具破坏性、突发性的自然灾害类型，几乎占过去十年中所有自然灾害总数的一半，严重影响了世界各国人民的生命和财产安全。如1998年我国长江、嫩江、松花江等流域发生的特大洪水灾害，是继1954年以来又一次全流域性的大洪水，全国29个省（区、市）受灾人口达2.23亿人，死亡4 150人。再如2021年7月，河南省遭遇特大洪涝灾害。

除洪涝灾害之外，地震也是破坏力极强的自然灾害。如1966年3月8日，河北邢台隆尧县里氏6.8级地震，3月22日河北邢台宁晋县里氏7.2级地震，在前后两次地震中共死亡8 064人，伤38 000人，经济损失达10亿元。1976年7月28日，河北省唐山市发生了里氏7.8级大地震，共造成了242 769人死亡，164 851人重伤。1998年1月10日，河北省张家口市张北县发生里氏6.2级地震，这场灾难对当地居民造成了巨大的伤害，同时也导致了超过8亿元的经济损失。

另外，在沿海地区也会因地震引起海啸，如1966年我国台湾省花莲县发生里氏7.8级地震，同时引发了海啸。1969年7月18日，渤海中部发生里氏7.4级地震引发了海啸。此外，2010年8月，甘肃省甘南藏族自治州舟曲县遭遇了严重的泥石流灾害，造成了1 481人死亡，284人失踪。2022年的夏秋季节，我国长江流域中下游的大部分区域都遭受了严重的干旱，鄱阳湖和洞庭湖也受到了干旱影响。

第三节　近现代我国的突发公共卫生事件

一、清末重大公共卫生事件及应对

1840年鸦片战争之后，帝国主义的坚船利炮不断撞击着我国的国门。清政府的腐败无能，使得人民本不富裕的生活更是雪上加霜。连年的战乱、自然灾害，以及生活环境差、饮水卫生条件恶劣、传染等原因造成的瘟疫不断发生。据《清史稿》记载，从道光二十年（1840年）至同治十一年（1872年），便有17次瘟疫发生。另外各省州府的地方志中也记载了大小瘟疫数百起，其中霍乱、鼠疫、天花、麻疹、水痘、痢疾、疟疾、烂喉痧、白喉等较为普遍。

（一）清末重大突发公共卫生事件

1.鸦片战争期间的江南瘟疫

1840年鸦片战争爆发，英军从广东、福建北上，7月占领浙江定海（今舟山）。英军占领了定海后，舟山地区的高温、多雨和饮用水问题导致在找水不利的情况下，人类饮用水主要是稻田死水，其水色泛白，易致胀气。这种淡水已含有大量菌毒以及寄生虫，易致食物中毒及其他并发症。[①]1840年7月13日至12月31日，英国驻舟山群岛的3 600名士兵里，住院疗病的士兵就有5 329人次，另有

①李彬．舟山瘟疫与鸦片战争考实[J].历史教学问题，2019（4）：47-51,139.

448人病死。住院疗病的患者超过半数得了间歇性发热疟，三分之二的死者死于痢疾和腹泻。

此外，1840年，江苏省连降大雨，导致洪水暴发，江潮涌灌入江宁（今南京），全省大面积受灾。1841年8月，因黄河决口，泛滥的洪水直逼洪泽湖，苏北部分地区受灾。1842年秋季，苏南地区的苏州、松江两府降雨不断，引发江苏全省性的灾害。《清史稿》记载："道光二十二年（1842年）正月，高淳大疫。夏，武昌大疫，蕲州大疫。"俗话说"大灾之后必大疫"，这一年，江苏人民在自然灾害、战争创伤之下又迎来了大面积瘟疫的暴发。1842—1843年，瘟疫不断传播，江苏、湖北、江西和浙江等地的人民饱受瘟疫之苦。

2. 杜文秀起义期间的云南瘟疫

1855年，云南的回、汉豪绅为了争夺楚雄石羊银矿而发生了械斗，其间杜文秀在永昌回汉争讼中入狱。同年，云南大理巍山发生鼠疫。1856年，蔡春发营救杜文秀出狱，他们在云南蒙化（今巍山）起兵，开始了长达16年的反清活动。鼠疫也随着杜文秀的反清活动在云南及周边地区扩散与传播。1856—1900年，云南共有86县流行鼠疫，导致超73万人死亡。此次的鼠疫也成为继拜占庭帝国鼠疫、欧洲黑死病之后的世界第三次大鼠疫。

1868年3月28日，清廷任命岑毓英为云南巡抚镇压杜文秀。1872年，杜文秀被岑毓英所杀，在长达16年的战乱中，云南有近300万人死亡，其中三分之二是因战乱中感染鼠疫而死亡。云南的澄江、武定、楚雄、蒙化（巍山）、大理、普洱等府、厅因鼠疫而死亡的人口总数达到了惊人的147.2万。不仅如此，源于云南巍山、鹤庆的鼠疫，不仅在云南省内传播，同时也传播到广西、广东等地。

3. 太平天国战争中的江南瘟疫

1851年，洪秀全在广西金田村发动起义。至1864年，太平天国的首都天京（今南京）陷落，太平军彻底失败。而在长达15年的太平天国运动中，随着军队一路征战，所经之地因战乱而导致瘟疫不断暴发和传播。

安徽广德地处江苏、浙江、安徽交界，在这里太平军与清军交战时间长达五年之久。1862年广德暴发瘟疫，1864年8月，太平天国首都天京被湘军攻陷，至1865年，安徽广德本地居民只剩下5 000余人，四年的时间里因瘟疫而死亡的人口达30万。《广德州志》记载："民不得耕种，粮绝，山中藜藿薇蕨都尽，人相食，而瘟疫起矣。其时尸骸枕藉，道路荆榛，几数十里无人烟。"

更为严重的是，安徽广德的瘟疫进一步引发了全国范围的霍乱流行。《清史稿》记载："同治元年（1862年）六月，江陵大疫，东平大疫，日照大疫，静海大疫。秋，清苑大疫；滦州大疫；宁津大疫；曲阳、东光大疫；临榆、抚宁大疫；莘县大疫；临朐大疫；登州府属大疫，死者无算。二年六月，皋兰大疫，江山大疫。八月，蓝田大疫，三原大疫。三年夏，应山大疫，江山大疫，崇仁大疫。秋，公安大疫。”1872年，石达开余部李文彩在贵州全军覆没，随着太平军最后一支部队的败亡，历经22年的太平天国运动终于画上了句号，但是战争和战争中的瘟疫带给人民的却是永远无法弥补的创伤。

4. 甲午战争期间广东的鼠疫

1894年中日甲午战争时期，广州暴发了鼠疫，并且迅速传到了香港。从农历正月第一例确诊病例开始，到二月下旬开始在旧城南侧旗人聚居的南胜里流行，四月上旬疫情已经在老城区“四处开花”，到六月中旬“更及于省乡镇，愈染愈多，愈推愈远”。半年的时间里，由鼠疫导致的死亡人数高达十万余。法国医生、细菌学家亚历山大·耶尔森，也在同年发现鼠疫杆菌，并于1895年制成治疗鼠疫的血清。

关于广州的鼠疫，宣统《南海县志》记载：“光绪二十年（1894年）甲午，羊城鼠疫流行，蔓延远近，人触其气，病辄死，日以百数计，医者束手。”另外，当年的《申报》在报道中谈道：“入春以来，雨泽稀少，今日更觉火伞当空，炎威可畏，虽值仲春之节，无殊炎夏之时，路上行人皆挥汗如雨，不特田畴龟坼，而且疠疫丛生……”“死亡之快，死亡之多令人惊心动魄，以致当地棺材脱销、供不应求”。

5. 八国联军侵华战争之后京师直隶的霍乱

19世纪末，中国山东、直隶、河南义和团运动达到高峰，并提出“扶清灭洋”的口号。清政府对义和团采取了既镇压也利用的态度。1900年，由英、美、法、德、俄、日、奥、意八国组成的八国联合军队，以军事行动侵入当时的清政府统治下的中国。1900年6月初，义和团控制了天津城垣内的街道，并开始进攻外国租界。此后，外国联军与清军、义和团发生了激烈战斗。[①] 八国联军7月占领了天津，8月14日攻陷北京。在此期间义和团参与了与八国联军的战斗，并获得了廊坊大捷。1901年9月7日，《辛丑条约》签订。

八国联军侵华战争期间，也正逢全球第六次霍乱大流行。1902年5月31日，来自上海的船只将霍乱传播到了天津，不到一个月的时间，死亡人数达到近万人。而后，京津直隶地区暴发大面积的霍乱。这一次的疫病流行，与前几次的疫病不同，前几次疫病都与恶劣的自然环境相关，而这次霍乱流行前，京师地区气候正常，并无连续的干旱或水灾，霍乱的出现呈突然性、危害大、传染快的特点。瘟疫同时也在上海、浙江等周边地区流行，并导致了近万人的死亡。

①辛加拉维鲁．万国天津·全球化历史的另类视角[M]．郭可，译．北京：商务印书馆，2021.

6.清王朝灭亡前夕黑龙江及东北地区的鼠疫

1910年10月25日，源于沙俄的鼠疫在满洲里暴发。11月9日，满洲里的疫情通过中东铁路，迅速传播到了哈尔滨，并导致了每日50余人的死亡。其后又沿着铁路交通线由北向南不断传播，12月2日，长春首次出现感染者，很快波及奉天（今沈阳），继而传播到大连，最终导致了整个东北地区，乃至京津、河北、山东等多地出现大瘟疫。

1911年1月20日，《北华捷报》报道中说："一种可怕的疾病——××鼠疫正在吉林省肆虐，甚至沿着这条路传播，而据报道，它正在从哈尔滨向东的中东铁路沿线肆虐。"1月27日，《北华捷报》报道："奉天电报报道，在北满洲、宽城子（今长春）、奉天等地，死于鼠疫的人数每天都在增加，尸体随处可见。绅士和富人的大量外流使这些地方处于一种荒凉的状态。其次是经济严重受损。"关于此次公共卫生事件，在清代边疆学者曹廷杰（时任蒙务处协理）编撰的《防疫刍言》中也有所记载："宣统二年（1910年），岁次庚戌九月下旬，黑龙江省西北满洲里地方发现疫症，病毙人口。旋由铁道线及哈尔滨、长春、奉天等处，侵入直隶、山东各界，旁及江省之呼兰、海伦、绥化，吉省之新城、农安、双城、宾州、阿城、长春、五常、榆树、磐石、吉林各府厅州县。报章所登东三省疫毙人数，自去岁九月至今年二月底止，约计报知及隐匿者已达五六万口之谱。"

1910年12月，清政府任命伍连德为东三省防鼠疫全权总医官，同时调动了陆军军医学院、北洋医学堂、协和医院医护人员和学员以及来自直隶、山东等地的医生，赴哈尔滨开展鼠疫的防治工作。在伍连德等专家的建议下，黑龙江省对疫情采取了科学而有效的防疫措施，如组建各级防疫组织、疫情中心全面隔离、对患者和疑似病例进行隔离、租借俄方车厢改建隔离站、大规模焚烧疫尸、对疫区严格消毒，以及对警察进行培训后协助医务人员进行防疫工作，同时抽调官兵维持社会秩序。①黑龙江省民政司详细制定防疫章程，令各地严格按照章程控制疫情，并令东清铁路停运。为防止飞沫传播，伍连德还发明了中国第一款口罩"伍氏口罩"，同时积极倡导旋转餐盘和分餐制。至1911年3月1日，哈尔滨达到了鼠疫零死亡和零感染。

1911年4月，中国近代史上第一次国际学术会议万国鼠疫研究会在奉天（今沈阳）召开，来自中、美、奥、法、德、英、意、日、墨、荷、俄11国的医学专家和学者参加了本次会议，伍连德不仅担任了会议的主席，还与其他国家的专家合作完成了会议的报告。

---

①阿成．伍连德医生：纪念伍连德医生扑灭东北鼠疫100周年[N].光明日报，2010-12-17(12).

（二）晚清时期清政府的防疫态度及政策

清朝政府对于民间瘟疫的防控态度和对策，整体而言是较为消极的。尤其是到了晚清时期，鸦片战争之后，中法战争、甲午战争、八国联军侵华战争等相继发生，使得本来便风雨飘摇的大清王朝内忧外患，根本无暇顾及民间疾苦。南开大学历史学院的余新忠教授在其著作《清代江南的瘟疫与社会》中针对“救疗瘟疫之举措”谈道，宋元时期国家对瘟疫的救疗采取过较为积极的政策，到了明朝，国家政策开始逐渐转为消极。到清朝时期，情况更加严重，各地惠民药局的设立和指令都荡然无存了。由此造成了“国家对疾疫制度性的救疗基本阙如”，顶多也就是给京城里的居民发点救济粮、棺材钱之类，没有任何一次瘟疫有国家主导的全民抗疫、国家派专家组、全国医生赴援疫区、共享国家资源等强力举措。仅在制度之外，有时朝廷会采取一些临时性质的救疫措施。[①]当然，如果结合清代的医疗技术与水平，以及人民生活水平、居住环境及饮水质量等问题来进行综合考量的话，所谓“消极”的防疫态度又是情理之中的。

此外，我们在研究过程中，也在部分文献资料中查阅到了晚清时期针对疫情防控做出的一些实际行为。无论是出于彰显“皇恩的浩荡”，还是设身处地为民造福，毕竟这些政策的实施在一定程度上还是有益有利的。主要分为如下几个方面。

1. 防疫章程法规的制定

道光元年（1821年），清朝第一次从国家法层面出发，通过制定《救治时疫章程》，对灾疫进行依法依规的系统防治。此后该章程被一再援引，表明清代在防治传染性疾病方面，步入一个新的法规化阶段。[②]1911年4月17日，清政府出台了《民政部拟定防疫章程》，成为中国近代第一部全国性防疫法规。1911年1月28日，吉林防疫总局制定《检疫规则》。另外还有《留验告示及章程》《奉天京奉车站临时检疫留验所开办章程》等相关法规。

为了疫情的防控，清末交通部门也制定和颁布了相关章程。如《遮断交通之措置》《火车防疫章程》《水陆检疫之措置》《火车搭客章程》《火车输运货物章程》等，其目的主要是针对来往乘客及货物，采取阻断交通并检疫留验措施。邮传部颁行了《关内外通车检疫办法》。水上交通则出台了《轮船搭客章程》《水陆检疫之措置》《水上防疫办法》等相关法规章程。另外还有涉及老百姓日常防疫的《消毒规则》《清洁及消毒法》等。

2. 卫生检疫的实施

同治十二年（1873年），上海、厦门首先设立了卫生检疫机构，隶属海关，

①余新忠．清代江南的瘟疫与社会[M]．北京：北京师范大学出版社，2014.

②林乾，陈丽．法律视域下的清代疫灾奏报与防治[J]．西南大学学报（社会科学版），2020（3）：167-176，204.

主要负责海港检疫。但是当时海港建议权基本掌握在外国人的手里，检疫医官甚至多为驻华领事推荐。此后，1902年直隶又陆续设立了大沽口、秦皇岛防疫局，并依照《天津口岸检疫章程》《天津秦皇岛口暂用防护病症章程》开展卫生检疫业务，施行隔离、熏蒸、消毒等检疫管理措施。

3. 西医学堂的开办

1881年，直隶总督李鸿章在天津的北洋施医局创办西医学校。在此基础上，1893 年李鸿章创建北洋医学堂。依照庚子条约，所聘外国教习均为法国人，这是因为学校位于法租界，为了免交房地产税，必须聘法国教习任教，而每班前两名学员可到法国波尔多大学医学院进修。①

4. 民政部卫生司的设立

1905年，清政府设立了巡警部，并让该机构监管卫生事务。巡警部的警保司下辖一个卫生科，该科主要负责对卫生相关事务进行监管。到了第二年，巡警部更名为民政部，而卫生科则被提升为卫生司，并列为民政部五司之一，“掌核办理防疫卫生、检查医药、设置病院各事”。在地方管理方面京师内外工巡总局改为内外城巡警总厅，其中的卫生处设清道、医学、医务、防疫四股，分别负责包括卫生防疫在内的各项事务。

5. 国际防疫大会的召开

前文提到，1911年4月，国际防疫大会在中国奉天（今沈阳）召开，大会由伍连德主持。来自中、美、奥、法、德、英、意、日、墨、荷、俄11国的医学专家和学者参加了本次会议，并共同完成《1911年国际鼠疫研究会会议报告书》。

6. 中医防疫著作的编撰

由于清政府防疫态度上的消极，以及政策和措施对于老百姓而言鞭长莫及，在此情况下民间各地名医皆以中医的角度编著了多部防治瘟疫的书籍。如王光甸编著的《寒疫合编》、朱湛溪编著的《霍乱论摘要》，连文仲编著的《霍乱审证举要》等。再如，王景华将杨龙九所著、陈坤培藏本的《囊秘喉书》重新编订，并直接运用到1901年至1902年江苏省常熟地区的喉疫中，民间普遍反映疗效非常好。

此外，地方政府针对疫情实施了“设局延医诊治”“制送丸药”“延蘸祈祷”“刊刻医书”等措施，乡绅和社会慈善机构实施了“尽心诊治”“施医送药”“建议官府救疗”“刊刻散送医方”“祈神驱疫”等临事性救助。②

①陈小卡．西方医学传入中国史 [M]. 南京：中山大学出版社，2020.

②余新忠．清代江南的瘟疫与社会 [M]. 北京：北京师范大学出版社，2014.

二、民国时期重大公共卫生事件及应对

自1912年中华民国建立到1949年中华人民共和国成立前，三十八年的时间里发生了近60次重大公共卫生事件。如1928年湖南“黄肿症”瘟疫，死亡人数多达3万。1931年青海“牛羊传染”导致的瘟疫，造成了26万人死亡。1932年全国范围内的霍乱疫情，直接导致了40万~50万人的死亡，此次疫情也是民国时期范围最大、死亡人数最多的重大公共卫生事件。

（一）民国时期部分重大公共卫生事件

1.绥远扒子补隆的鼠疫

1917年8月，中国北方绥远地区再次暴发鼠疫，之后传播至山西、山东、安徽、南京等地，并且形成了全国范围的疫情，至1918年3月底4月初，疫情基本被扑灭。此次疫情也是民国以来的第一次重大公共卫生事件。

1917年8月，绥远省五原县扒子补隆（今内蒙古自治区巴彦淖尔市乌拉特前旗新安镇境内）的教堂暴发鼠疫，疫情至死人数达70多人。同年9月，一支运送毛皮的车队又将疫情一路扩散，导致包头、土默特、呼和浩特、清水河、托克托、凉城、集宁、卓资、丰镇等地的人民相继被传染，随后又从丰镇、大同沿着京包、正太、北宁、京汉、津浦等铁路线传播到山东、安徽、南京等省市，最终导致全国范围的疫情。

2.“西班牙大流感”波及我国

1918年，由于第一次世界大战，全球约有5亿人感染流感病毒，因流感而死亡的人数达到5 000万人。此次世界性的重大公共卫生事件虽然被命名为“西班牙大流感”，但是0号病例并非出现在西班牙，而是1918年3月4日出现在美国堪萨斯州的军营。因第一次世界大战中参战国的新闻管控，不准宣传和报道影响士兵士气的“负面新闻”。而当时作为中立国的西班牙，则在此期间不断发布本国流感疫情的发病情况。所以，最终被命名为“西班牙大流感”。

“西班牙大流感”也波及我国，1918年5月下旬，京津地区出现流感病例。著名史学家、书画鉴赏家和法学家余绍宋当时在北京政法大学任教，他在日记中也记录了当时的疫情：“5月26日，时疫流行，全家无不染疾。”[1]至5月底6月上旬，北方的长春、抚顺、沈阳、吉林、大连等“南满铁路”沿线、支线城市，以及南方的香港、上海、湖南、湖北等地均被流感波及。至7月份，九江、南昌、重庆等地也受到流感的侵袭。9月至10月浙江、山东、安徽等地疫情达到高峰。同时云南则从缅甸、越南传播而来。至11月甘肃、河南两省均被传染。有研

①余绍宋．余绍宋日记（1917–1922）[M].北京：中华书局，2012.

究数据显示，1918年民国时期我国因流感疫情死亡的人数为360万至450万。①

3. 川渝地区的三次霍乱

民国时期巴蜀地区，共发生过三次严重的公共卫生事件。第一次是发生在1920年，源于重庆，而后传播至万县、永川、成都、雅安、乐山等市县的霍乱。第二次是发生在1939—1940年，源自剑阁、南部交界处发生的霍乱，并传播至整个川北。第三次则是1945年源于内江，不久便传播至重庆乃至川东各地，并最终造成成都、金堂、华阳、郫县、广元等全省范围内的霍乱大流行。

民国时期川渝地区三次霍乱疫情，官方档案中的死亡人口数字为平均2 000人。但是这个数据与实际情况却相差甚远。1920年的霍乱仅达县死于霍乱者便有1.58万人。富顺县城疫情高峰期每日出丧300余具，潼南每日死人逾百。1939—1940年，四川北部的霍乱疫情属剑阁县的情况最为严重，最初每天的死亡人数近300人，到了8月，死亡人数则达到了7 000余人。另外，1945年全四川暴发霍乱，6月1日，内江率先暴发了霍乱疫情，随后迅速扩散到资中、泸县、自贡、乐山，甚至西康地区。后来，重庆也遭遇了霍乱，这导致了川东地区完全受到疫情的影响。在6月24日以后，成都、金堂、华阳、郫县等多个地区也受到了感染，疫情沿着川陕公路一路向北直至广元，但官方公布的患者数量仅20 316例、死亡3 381人（住院数）。②

4. 1932年全国的霍乱疫情

据资料显示，1932年，陕西、河南、湖北、安徽、江苏、江西等多省市发生霍乱疫情，全国因疫情死亡的人数近50万。1932年4月23日，湖北武汉出现霍乱病例，4月26日，上海也发现了霍乱患者。随后，多个城市相继出现霍乱疫情：5月8日，湖北武昌；21日，江苏南京；22日，广西荔浦、河北保定；24日，安徽芜湖；6月6日，广东广州；8日，山西太原；9日，天津塘沽；22日，浙江嘉兴；23日，陕西潼关；25日，广东汕头。江苏南京的霍乱疫情持续了三个多月，9月南京的疫情基本得到控制。截至9月16日，霍乱患者共计1 558人，死亡386人。最为严重的是陕西省，6月潼关县出现霍乱病例，7月5日西安出现病例，随后关中地区多个县出现疫情。8月之后，疫情逐渐向陕北地区扩展，最终陕西省全省60多个县疫情暴发。据当时的统计数字，陕西省全省因疫情而死亡的人数近13万之多。

1932年，全国霍乱疫情波及了23个省、市，300多个城市，几乎遍及全国。据史学专家张宪文、方庆秋等人进行的数据分析研究，“因疫病而死者比淹死、

①刘静 .1918 年大流感在华传播路径、范围和程度新探 [J]. 重庆大学学报 .2022.01（1）：87-201.

②吴厚荣 . 四川近现代几次疫病大流行与应对状况述略 [J]. 四川省情，2020（6）：49-52.

饿死的还多”，全国因灾死亡达370万人。

5. 淮河流域的黑热病

1931—1937年，淮河流域出现了严重的黑热病疫情。黑热病亦称内脏利什曼病，民国时期流行于长江以北的广大农村，涉及16个省、市、自治区。如江苏北部盐城、徐州、宿迁等地，仅1934年、1935年两年内患者竟高达28万之多。1936年，整个苏北地区黑热病患者达到了30余万人。至1948年，苏北各县黑热病患者总数达到120万余人。此外，淮河流域的鲁南、豫东南、淮北等地也受到黑热病的侵袭。至1937年前后，苏、鲁、皖、豫四省患者高达55万人。

1934年4月，江苏淮阴清江浦成立了民国时期首个专门针对黑热病进行全面预防和治疗的工作团队。在成立初期的两年时间里，工作队已经为超过30万名患者提供了医疗服务。在同一时期，江苏省也组建了专门针对苏北黑热病的调查小组，前往受疫情影响的地区进行实地考察。随后，淮阴黑热病防治队和防治站也陆续成立，作为苏北地区黑热病防治队伍的强有力的补充。此外，各个地方的县级医院也陆续完工，极大地提高了各地的医疗接诊效率。1937年6月，江苏省地方病第一研究所正式成立，并持续深化对黑热病预防和治疗的研究工作。令人遗憾的是，1937年日本侵略者的铁蹄踏入我国，使刚刚起步的防治工作被彻底打断。①

6. 日军731部队败退之后的东北鼠疫

1945年8月15日，日本宣布无条件投降。而在此之前，从1945年7月开始，731部队已经着手销毁机密文件资料。为了掩盖他们细菌战研究、活体解剖、人体实验等罪证，日本关东军又特意从沈阳调来一支工兵部队，于8月14日炸毁了哈尔滨731部队和长春100部队两座细菌实验基地的大部分建筑物。同时为了将他们制造的细菌传播出去，有意放出了带有病菌的老鼠、跳蚤等实验用的动物。更为可恨的是，731部队还向正黄旗三屯、正黄旗四屯和义发源屯等地，分别投掷了玻璃制成的“鼠疫菌投掷器”。由此导致了1946年我国东北地区鼠疫的暴发，给东北人民造成了巨大的伤害，死亡人数达到3万余人。

1946年4月28日，哈尔滨解放。中国共产党和新的人民政府积极组建卫生防疫组织和防治医疗队，仅用两个月的时间就控制住了哈尔滨的鼠疫。在辽沈战役期间，东北野战军在作战的同时，仍旧利用简易的防疫器材消灭鼠疫。到了1948年，东北地区的鼠疫情况已经明显好转，死亡人数与1947年相比大大减少。至1948年 9 月，疫情基本得到遏制。

①徐畅，夏坤．近代中国黑热病防治述论（1904—1937 年）[J]．山东社会科学，2022（6）：139-145.

（二）民国政府的防疫政策和应对

1.疫情防治部门的成立和完善

1912年中华民国成立后，由原来的民政部改建的内务部，仍设立卫生司，并分为四科进行管理，主要职责有预防各类传染病、疫苗接种、药品检查以及检疫工作。另外，警察厅也设有卫生处，肩负着地方相关防疫工作。1918年，北洋政府在内务部设立了防疫委员会，并绘制《防疫配备简明表》，明确标注遭受疫情的地方、染疫时间、责任人、防疫的机构设置。1919年，北洋政府建成中央防疫处，并任用伍连德为防疫处处长。

1928年11月，南京国民政府成立卫生部，薛笃弼出任卫生部部长，胡毓威任政务次长，刘瑞恒任常务次长。卫生部下设总务司、医政司、防疫司、保健司等，并由杨天受为总务司司长，严智钟、蔡鸿防、金宝善等分别担任各司司长、技监等职务。此后，卫生部公布了《全国卫生行政系统大纲》，在各省市县分别设立卫生处、卫生局，并在各个海港和边境设立检疫所，卫生行政建制至此始告完成。1931年改卫生部为卫生署，隶属于内政部。此外，在全国经济委员会下设有卫生实验处，是全国最高卫生技术机构。1932年9月，中央卫生设施实验处成立，金宝善任副处长，负责该处的实际工作。另外，由许世瑾出任中央卫生实验处生命统计系主任。

中央卫生设施实验处是当时全国最高卫生技术机关，其主要任务是创设各项卫生事业的实验与研究机关，设立实验区和训练卫生专门人才，为建设统一的卫生防疫体系提供了机构支持。1933年11月，中央卫生设施实验处改称“卫生实验处”，1941年，卫生实验处改组为中央卫生实验院。

1936年，卫生署奉令隶行政院，并于1937年迁至汉口。1938年，卫生署改隶内政部，西迁重庆。1941年，卫生署再度脱离内政部直隶行政院，机构扩大，内设医政、保健、防疫及总务四处。1945年，抗战胜利后卫生署迁回南京，1947年改为卫生部。

另外，南京国民政府成立后，海关检疫权也逐渐收回。1929年，伍连德向南京国民政府提交了检疫主权应归属中国政府卫生署并由中国人担任检疫医官的提案。1930年金宝善主持制定了《全国海港检疫条例》。1930年，7月1日，卫生部在上海成立全国海港检疫管理处，由伍连德担任处长、技监，并且当天成立了上海海港检疫所，由伍连德担任兼任所长，同时接收了海关的上海检疫人员、器械、设备。全国海港检疫事务管理处建立后，逐渐接手了各个沿海和沿江口岸的检疫部门。抗日战争爆发后，大部分沿海地区的港口被日军占领，海关检疫工作被迫暂停。

2.传染病防治法规的出台

早在1913年12月，北洋政府陆军部便公布了《陆军军医规则》，而后又发布《陆军传染病预防规则》成为中国最早的传染病预防法规。1915年为了防控当时的猩红热、白喉、痧疹等疫情，内务部设立临时防疫处，并发布了《临时防疫处办事规则》《临时防疫处防疫规则》。次年3月，北洋政府发布《传染病预防条例》，将霍乱、鼠疫、伤寒、天花等8种传染病定为政府管制传染病，其也被视为我国的第一部传染病防治法规。此后，北洋政府又相继颁布了《防疫人员奖惩及恤金条例》《防疫消毒规定收费办法》《京汉铁路检疫暂行细则》《医员汽车检疫法》等一系列法规。

1928年，南京国民政府的内政部正式发布了《传染病预防条例》以及相关的执行细节。该条例的实施，使我国传染病的防控工作进入一个新时期，该条例明确将伤寒、霍乱等疾病定义为法定的传染性疾病，并为这些疾病的预防和治疗提供了法律支持。1930年，卫生部公布新版《传染病预防条例》，并增加“流行性脑脊髓膜炎”为法定传染病。1944年12月6日，抗战中的重庆国民政府颁布了《传染病防治条例》，全文共35条，并新增“回归热”为第10种法定传染病。

3.疫苗的研制与接种

1919年3月，北洋政府成立中央防疫处，成为我国历史上第一个国家卫生防疫和血清疫苗生产研究专门机构。1928年，南京国民政府接管了中央防疫处，开始系统研制和生产霍乱菌苗、牛痘苗、巴氏狂犬疫苗、结核菌素、白喉抗毒素、百日咳菌苗、鼠疫菌苗、肺炎菌苗等。同时也在部分省市设置卫生试验所，从事传染病疫苗的研制和生产。1930年，著名微生物学家陶善敏在《中华医学杂志》上发表文章，他指出：“此等（疫苗）事业，关系人民生命，切望卫生部对于国内制造所，加以考验。使此种之药品，皆有确实效价，以免误医杀人！”专家的担心并没错，果然在1933年汉口便出现了疫苗造假事件。1933年的7月，案犯徐廷辉在汉口市假冒中央防疫处，用生理盐水伪造了68瓶霍乱疫苗。尽管假疫苗尚未在民间接种使用，但是徐廷辉本人仍以“侵占欺诈、伪造文书、公共危险”等罪判决有期徒刑5年。该案件也被称为“民国疫苗第一案”。疫苗虽然可以自主生产，但当时中国因为医学技术的限制，仍有部分疫苗从西方国家进口。如1933年，王良医生将法国卡介苗引入中国，并开始在民间接种，后在重庆建立起中国第一个卡介苗实验室，开始了中国研究培育卡介苗之路。

民国时期疫苗的接种整体呈现着城市较为普及，而广大乡村地区的接种率却极低的情况。1932年《大公报》报道了“陕甘地处偏僻，医疗设备极其简陋，对于防治虎疫之医药材料尤感缺乏”。而在上海，20世纪20年代街头就已经出现用汽车改装成的疫苗接种车，如此更加便于市民进行疫苗接种。这也是上海在短时间内遏制疫情的重要原因。20世纪30年代，北平传染病医院成为公共卫生工作中的重要力量，已能够免费为广大民众提供白喉、猩红热血清的注射服务。

另外，在抗日战争时期，日军一边在战场和国统区使用细菌作战，一边在沦陷区内对部分中国民众强行注射疫苗。日军曾在我国各地部署细菌试验部队，如哈尔滨平房区第731部队、长春孟家屯的第100部队、华北地区北平的第1855部队，华中地区南京的第1644部队、华南地区广州的第8604部队。日军于1940—1943年，在浙江宁波、衢州和湖南常德、鲁西地区投放了大量霍乱毒液、伤寒菌液及沾染鼠疫菌的跳蚤，导致了我国军民大范围感染患病。日军为了将细菌战引发的瘟疫控制在一定的范围内，避免传染至日军占领的区域，就组织防疫人员为民众注射预防针剂。但是中国居民对日军组织的疫苗注射怀有戒备之心，人们并不知道日军为中国人注射的是疫苗还是慢性病毒，往往采取能躲则躲、能逃则逃的态度。所以，日军在沦陷区开始发放“预防注射证明书”，并在街道设卡检查。日军此举，并非为了中国居民的健康防疫，其根本目的是担心他们自己“作茧自缚”。

4.公共卫生的起步及个人卫生的普及

北洋政府时期积极倡导“讲卫生从基层抓起，全社会总动员”，并号召群众在医疗卫生、环境卫生方面有钱出钱，有力出力。1925年，北京公共卫生事务所成立，这也标志着中国现代化城市卫生工作之开始，1928年改名为北平特别市第一卫生事务所。南京国民政府成立后，除了北平特别市第一卫生事务所之外，一些大中城市也逐步建立了疫情报告和防治体系。1932年，南京建立了夏季流行病预防联合会，并为隔离医院配置了40个床位。1934年，上海闸北地区建立了一个配备50张病床的隔离医疗机构。北平、广州等城市也相继建立了类似医疗机构。[①]民国时期大中城市相对来说已经初步建立了公共卫生体系，但是广大农村地区的医疗卫生和环境卫生仍旧相当落后。

在个人卫生和防疫方面，1928年，南京国民政府内政部颁布了《污物扫除条例》及其实行细则，认为“污物乃一切病疫的来源，微菌原虫的渊薮。欲求铲除龌龊不洁，预防瘟疫疾病，应先谋污秽物之妥善处理”。要求各省、市、县最高行政机关或卫生机关联合各机关、各团体及民众，于每年5月15日和12月15日举行两次大扫除，重点清扫尘屑、污泥、秽水、粪溺等污物。1944年颁布的《传染病防治条例》中强调了个人卫生和防疫的重要性，“以施行饮水消毒，改良水井，改良公私厕所，禁止随地便溺；应切实扑灭蚊蝇、蚤、虱、鼠等”。

①邓铁涛，程之范．中国医学通史（近代卷）[M].北京：人民卫生出版社，2000.

1934年2月19日，南京国民政府在江西南昌宣布“新生活运动”的开始，用以提升国民的道德和知识，进而“完成复兴民族的使命”。虽然“新生活运动”最终失败，但是从民国时期瘟疫频发的角度看，“新生活运动”中“不要随地吐痰、随地丢垃圾”等倡议还是有益的。

另外，报纸媒体也积极参与个人卫生和防疫知识的普及和宣传。如1931年8月20日，《大公报》倡导的卫生方法：饮水必煮沸、食物必煮熟、手指不可入口、入厕后必净手、勿与病人接近、接种菌液等内容。1932年6月13日，《中央日报》对民众进行疫苗接种的宣传：“况近来疫病，来自四处，致首都预防霍乱办事处，工作较前紧张数倍，而打防疫针者，仍不踊跃。”

抗战时期日军曾在宁波、衢州、湖南常德等地进行了细菌战，投放了大量鼠疫感染源。浙江省衢县防疫委员会编印了《鼠疫周刊》，向民众普及和宣传防疫知识。第二期印发时间为1941年4月19日，按此推算《鼠疫周刊》首期为一周前的4月12日左右。①

（三）革命根据地、抗日根据地和解放区的防疫政策和应对

1927年10月，毛泽东率领秋收起义部队来到江西井冈山开展革命斗争。1949年3月23日，毛泽东率领中共中央机关离开西柏坡前往北平。中国共产党建立了井冈山、延安、沂蒙山、大别山、西柏坡等革命根据地，在抗日战争时期还建立了晋察冀、冀鲁豫、晋冀豫、鄂豫皖、华中、华南、东江、琼崖、苏北、淮北、淮南、皖江、浙东等抗日根据地，以及东北抗联领导的城子山、东岔、鸡冠山等抗日游击根据地。在国民党当局“攘外必先安内”的政策之下，中国共产党领导的人民军队和地方老百姓，在生活物资、医疗卫生异常艰苦的条件下，也经历了多次的瘟疫灾害，但是中国共产党始终坚持以人民为中心，带领根据地和解放区的人民克服一切困难，遏制了一次次的瘟疫。

“一切为了人民的健康”，这是1929年毛泽东提出的口号，这一口号同样也成为我国延续至今的卫生工作宗旨。在此精神指引下，中央政府采取了一系列举措，开展了群众性的卫生防疫运动。1932年，全国性的霍乱流行，革命根据地也未能避免，同时在江西吉安的富田镇又发生了鼠疫，而福建西部地区也有天花疫情发生。而后，为了保障工农群众的健康和预防瘟疫，中央苏区发布《卫生运动纲要》，并在全区举行卫生防疫运动。

1933年11月，毛泽东到江西兴国县长冈乡实地调查，并在《长冈乡调查》中写道：“发动广大群众的卫生运动，减少疾病以至消灭疾病，是每个乡苏维埃的责任。”1934年1月27日，中华苏维埃第二次全国代表大会在江西瑞金召开，毛

①徐青．一张《鼠疫周刊》见证疫情防治[J]．浙江档案．2021（1）：51.

泽东在报告中提出要解决人民的“穿衣问题，吃饭问题，住房问题，柴米油盐问题，疾病卫生问题，婚姻问题”。同年3月份，成立了中央防疫委员会，并陆续建立了工农医院、看病所、诊疗所和药品合作社等一系列的卫生事业机构。与此同时，各类的医疗卫生学校也在苏区相继创办，为苏区的卫生防疫工作储备后续人才。1934年3月16日至23日，举行了防疫运动周，进行防疫演习活动。除以上各项积极措施之外，还颁布了一系列的卫生防疫法规，如《苏维埃区域暂行防疫条例》《卫生法规》《卫生决议案》等。其中《苏维埃区域暂行防疫条例》明确规定了疫情上报、患者隔离、疫苗接种等有益人民健康、有益于疫情防治的具体事项。

1941年春，陕北延安开始流行麻疹、百日咳，当年夏秋之季开始流行伤寒。次年春天，与陕甘宁边区相连的晋西北静乐一带，同时出现鼠疫、天花、伤寒等疫情。较为严重的是1944年1月延安周边乡村发生了传染病。川口、金盆、柳林、河庄、丰富等地均被疫情波及。前后不到半年的时间里导致延安县和延安市死亡人数达742人。《解放日报》曾报道了当时疫情的严重程度，“从一月到现在病死者已达五百人，其中约有半数为最近半月中得病死亡的。川口区死一〇四人，其中有六十六名为妇女；柳林区病势最为激烈，如圪赖沟一村就病死十四人，全区共死二二九人，其中一一〇人为最近二十天中死亡的；金盆区亦有一一〇人得病而死。河庄、丰富二区虽没有上述三区厉害，但最近蔓延的趋势亦属骇人，如河庄区三乡新窑沟村，在四月廿五日一天就病死八人”“据医大医疗队统计，在川口区三乡未经过治疗的病人死亡率占百分之九十八（六十人中仅一人未死），而经过医疗者却只死去百分之二十，其原因尚多由于群众迷信巫神拒绝复诊，或病势稍轻时即参加劳动复发后难以医治而来”。

陕甘边区经济落后、缺医少药、群众卫生习惯较差。面对当时疫情的严峻形势，1940年5月，陕甘宁边区便成立了延安防疫委员会，此后发起了“防疫运动突击周”。1942年4月28日，又成立了边区防疫总委会。1942年6月，边区防疫委员会制定了《传染病管理规则》，同年8月，为了应对当年的疫情，陕甘宁边区防疫委员会公布《为规定处置急性发热病人办法的通知》。1944年起，延安开展“十一运动”，要求“每区有一个卫生合作社，每乡有一个医生，每村有一个接生员、一眼水井，每户有一处厕所”。随着边区流动医疗队在各个乡村防治工作的开展，边区医院也施行增设床位、收容群众病人等措施，有效减少了边区疫情的发生。

革命根据地以及边区政府也非常重视利用报纸向人民宣传和普及卫生和防疫常识。如1933年2月，一篇题为《加紧防疫卫生运动》的社论，在江西瑞金苏维埃临时政府主办的《红色中华》上发表。该报后于1937年改称为《新中华报》，并于次年4月30日设置了卫生防疫的专栏，向广大民众进行防疫宣传。1941年5月《新中华报》与《今日新闻》合并为《解放日报》后，也开辟了“卫生专栏”，先后刊登了200多篇医疗卫生方面文章。为革命根据地的军民卫生健康、疫情防治起到了巨大作用，使“预防为主”的方针逐渐深入人心，有效减少了边区人民因疫患病的人数。

三、中华人民共和国成立后的重大公共卫生事件及应对

（一）中华人民共和国成立至今的重大公共卫生事件

1. 1949年的肺结核病

1949年，中华人民共和国成立之初，有着“十痨九死”之称的“痨病”自晚清、民国起一直未能得到解决和遏制，并且遗留下来。“痨病”即肺结核病，当时我国的肺结核患者高达2 700万人。

2. 1957—1958年“大流感”

1957年2月，贵州省西部发生了流行性感冒。到3月，流感传播至中部地区河南、安徽等省，4月传到香港地区，到5月又经东南亚和日本传播至世界许多国家，被称为亚洲流感（Asian Flu）。全世界因此次流感疫情而死亡的人口竟达200万之多。为了防治流感疫情，1957年下半年，我国成立了中国国家流感中心。1958年，北京生物制品研究所成功研发了灭活疫苗，当年接种1.2万例。

3. 20世纪50年代的血吸虫病

血吸虫病在我国由来已久，其根源是名为“血吸虫”的寄生虫进入人体之后引发的疾病，民间也称之为大肚子病。血吸虫病流行广，几乎遍及华东、华南、西南等12个省市的350个县市，患病人数约有1 000万，受到感染威胁的人口则在1亿以上。江苏省高邮县新民乡，1950—1951年因患血吸虫病而死亡的人口达1 006人，占全乡人口总数的18.2%，其中全家死亡的共计31户。1951年，江西省余江县首次被确认为血吸虫病流行县。①

4. 20世纪50年代的天花

民国时期天花从未间断，每年因患天花而死亡的人数以万计。1949年，北京天花发病人数225人，其中死亡109人，同年四川万县发病515例，死亡215例。安徽省约有5万多患者。1950—1952年，云南省有53个县市患病6 000多例。至1961年6月，最后一名天花病人胡小发痊愈出院，中国用了十年的时间，将全球流行了3 000年的天花彻底清除。

①班和．20世纪50年代党领导消灭血吸虫病的历史经验[N].光明日报.2020-04-15（1）

5. 1966—1967年的流脑

流脑全称为流行性脑脊髓膜炎。1966年11月，广东省出现第一例病例后，迅速在全国范围内传播。从1966年11月至1967年，全国有300多万人患病，病死率达5.49%。

6. 1968年的“香港流感”

1968年7月，我国香港地区暴发了流感疫情，并且一直持续到1969年。随着疫情在全世界范围内的传播，造成了约400万人死亡。1968年的H3N2亚型流感疫情也被称为“香港流感”。香港报告了近6万个病例，占其人口总数的15%。

7. 1978—1981年的霍乱

霍乱，由来已久。1978—1981年，受埃尔托霍乱弧菌在全球流行的影响，1978—1981年，霍乱疫情再次在我国传播。1981年，国务院下发文件，明确提出“标本兼治，治本为主”的防治霍乱的对策原则，各地采取有力措施，加强对霍乱疫情和疫源地的监测和防治工作。1981年以后，每年的霍乱发病数都维持在同一水平，总体呈下降趋势。

8. 1988年上海的甲肝

1988年1月，正值春节前夕，上海暴发了甲肝疫情。后来经调研，将1988年1月19日确定为当年甲肝大流行的暴发日。仅1988年1月19日至3月18日的两个月内，上海甲肝累计发病数为292 000多例，日报告发病数超过1万例的情况长达16天。根据数据显示，当时感染甲肝病毒的人数约为确诊病例的4倍，相当于当时上海至少有120万人感染甲肝病毒。经各方面的努力，从2月15日开始，上海的发病人数逐渐减少。到3月，持续了2个多月的甲肝疫情基本得到控制。

9. 1999年汉森氏病

汉森氏病，是一种慢性传染病，俗称“麻风病”。汉森氏病属全球三大慢性传染病之一，致残率极高。麻风病可通过飞沫传播，甚至患者接触过的衣物表面也有传播性。中华人民共和国成立之初，我国尚有50万麻风病患者，历经40多年的有效防治，到1999年，我国的麻风病基本被消灭。

10. 2003年的非典型肺炎

2002年12月，我国广东顺德发现首例传染性非典型肺炎患者，2003年初疫情开始扩散。2003年1月19日，广东中山市有28名患者出现同样病症，其中包括13名医护人员。2月3日至2月14日，SARS病毒在广东省进入传播高峰期，每日增长病例达50例以上。在此期间，2月12日四川省出现病例，2月17日湖南省出现病例，两例病例均有在广东省的居住和短暂停留史。此后，山西、北京、河北等省市出现病例，并形成全国疫情。截至2003年8月7日，全球共有30个国家报告了SARS病例。而我国则在2003年6月，随着新增SARS病例的零增长，宣告SARS病毒得到了全面控制。

11. 2004年的禽流感

2003年12月以来，H5N1亚型禽流感病毒引起的禽流感在亚洲地区流行。2004年我国也被禽流感所侵袭。禽流感属于人畜共患的一种疾病，仅2004年一年，我国就扑灭了91起禽流感疫情，所有疫情都被扑灭在疫点上，未造成扩散和蔓延。

12. 甲型H1N1流感

2009年5月11日，我国四川省一名从美国归来的学生被确诊为甲型H1N1流感病例。截至当年7月24日，中国内地共计1 789例，无死亡病例。香港自8月30日出现首例甲型H1N1流感死亡病例之后，陆续出现7例死亡病例。根据世界卫生组织宣布的数据，甲型H1N1流感造成了世界各国25万余人的感染，死亡达2 800多人。

13. 新型冠状病毒感染

2019年12月，湖北省武汉市多家医疗机构陆续发现多起由不明因素引发的肺炎病例。经过医学证明，该不明原因的肺炎病例属急性呼吸道传染病，均由新型冠状病毒所感染。2020年2月，世界卫生组织将新型冠状病毒感染的肺炎命名为“COVID-19”。[①]

2020年1月20日，国家卫生健康委员会（以下简称国家卫建委）将新型冠状病毒感染纳入《中华人民共和国传染病防治法》规定的乙类传染病，并采取甲类传染病的预防、控制措施。2020年1月，国家卫健委印发《新型冠状病毒感染的肺炎诊疗方案（试行）》《新型冠状病毒感染的肺炎疫情防控方案》《新型冠状病毒感染的肺炎病例监测方案》等多份新型冠状病毒诊疗、防控方案。用以指导全国各地疫情防控工作。截至2022年6月28日，国家卫健委共发布九版《新型冠状病毒肺炎防控方案》，用以指导全国各地疫情防控工作。

2023年1月8日起，对新型冠状病毒感染实施“乙类乙管”。

（二）中华人民共和国成立后党和国家的防疫政策和应对

1. 中华人民共和国成立初期针对各类传染病的防治政策

1949年中华人民共和国成立，从此中华大地上呈现着崭新的景象。党和国家领导人非常重视新中国卫生事业的发展和全国人民的健康。1949年11月1日，中华人民共和国成立了中央人民政府卫生部，并内设公共卫生局，下设防疫处（后在1953年改为卫生防疫司）。1952年3月14日，政务院决定重新组建中央防疫委员会。1953年，政务院批准在各省、市、县建立卫生防疫站，成立卫生部流行病学研究所；1953年，成立各级爱国卫生运动委员会，之后陆续建立各种传染病防

①胡克，叶柏新 . 新型冠状病毒肺炎基础 [M]. 北京：科学出版社 .2021.

治专业机构，很多医学院校开始在附属医院成立传染科。中华人民共和国成立3年内，就基本完成了传染病防控体系的布局。①

1950年8月，国家卫生部召开了中华人民共和国成立后的首届全国卫生工作会议，时任卫生部副部长的贺诚中将在会上提出了中华人民共和国卫生事业的三大方针，即面向工农兵、预防为主、团结中西医。毛泽东同志为本次会议题词："团结新老中西各部分医药卫生工作人员，组成巩固的统一战线，为开展伟大的人民卫生工作而奋斗！"次年4月份，国家卫生部发布《法定传染病管理条例（草案）》，并制定了霍乱、鼠疫、天花等19种传染病的防疫防治方案。1951年9月9日，毛泽东同志在《中共中央关于加强卫生防疫和医疗工作的指示》中提出："把卫生、防疫和一般医疗工作看作一项重大的政治任务。"

抗美援朝时期，我国志愿军在朝鲜战场上曾遭到美军大规模细菌战的侵扰。美军在朝鲜及我国东北和青岛等地投掷带有鼠疫、霍乱、脑膜炎、副伤寒、钩端螺旋体及回归热、斑疹伤寒等多种病原体的苍蝇、蚊虫、蜘蛛、蚂蚁、臭虫、跳蚤等昆虫30多种，投掷遍布我国东北三省的34个县、市。1952年12月，第二届全国卫生会议召开之际，毛泽东同志为大会题词："动员起来，讲究卫生，减少疾病，提高健康水平，粉碎敌人的细菌战争。" 此后，周恩来同志在兼任中央爱国卫生运动委员会主任期间，积极利用国际外交舞台，批判和抗议美国所使用的细菌战。《人民日报》分别在1952年2月25日、3月8日的报纸中报道了周恩来总理的讲话："号召全世界爱好和平的人民，采取行动，制止美国政府这种疯狂的罪恶行为。"②

中华人民共和国成立后，党和国家领导人在面对历次疫情时，始终从人民的切身利益出发，高度重视每一次传染病疫情。

1955年，毛泽东同志在杭州会议上发出"一定要消灭血吸虫病"的号召。1956年1月23日，中央政治局讨论通过《1956年到1967年全国农业发展纲要（草案）》，把消灭血吸虫病摆在了"消灭危害人民最严重的疾病"的首位。1956年2月，毛泽东同志在最高国务会议上提出号召："全党动员，全民动员，消灭血吸虫病。"③次年4月，国务院发出《关于消灭血吸虫病的指示》，明确要求建立各级防治委员会。1958年6月30日的《人民日报》刊登了一篇题为《第一面红旗——记江西余江县基本消灭血吸虫病的经过》的报道，毛泽东同志因此有感而发，写下了《七律二首·送瘟神》。

---

①杨维中．中国传染病防治70年成效显著[J].中华流行病学杂志，2019（12）：1493-1498.

②李洪河．周恩来与新中国的卫生防疫事业[J].党的文献，2012（1）：52-58.

③马驰．以人民为中心的生动写照：毛泽东《七律二首·送瘟神 》创作成因考[J].学习于探索，2021（4）：1-7，177，180.

此外，在消除“四害”和根除疾病的任务中，1955年12月，毛泽东同志为爱国卫生运动和卫生事业提出了消除“四害”和根除疾病的目标，并在次年将其纳入《1956年到1967年全国农业发展纲要（草案）》中。在对《1956年到1967年全国农业发展纲要（草案）》进行修订时，明确指出：“消除四害的核心理念是保持清洁卫生，激励每个人，改变传统习俗，并对国家进行改革。”1956年10月13日，毛泽东同志再次强调：“消除四害是一场大规模的清洁卫生行动，也是一场旨在打破迷信的运动。”

1958年11月，全国寄生虫病会议在上海召开。大会决定扩大群众消除寄生虫运动的规模，并缩短了原计划彻底铲除疟疾、丝虫病、钩虫病、黑热病和血吸虫病5种主要寄生虫病所需的时间。大会的决议称：“……我们决心努力在明年彻底铲除这五种寄生虫病。”随后，全面系统的群众卫生运动正式拉开，同时大规模、大范围的传染病疫情也得到了有效控制。

毛泽东、周恩来等同志在重视科学防疫、科学防治的前提下，也重视中西医结合和广大农村地区合作医疗问题。据1949年统计数字显示，当时全国有医院2 600所，病床80 000张。而1957—1965年，全国的医疗卫生机构由122 954个增加到224 266个，全国城乡卫生医疗网基本形成。到1975年，全国已有近3 000个卫生防疫站，为20世纪70年代实施冬春季预防接种，降低白喉等疫苗针对的传染病发病，整治环境卫生，控制血吸虫病、黑热病等提供了重要的技术人力保障，也为1976年唐山大地震灾后无大疫立下了汗马功劳。①

除了以上防疫工作的布局之外，中华人民共和国成立后，全国普种牛痘苗，并积极投入疫苗的研制和生产。在已有的防疫处基础上，重新组建了北京、成都、长春、兰州、武汉、上海六个生物制品研究所，并分片包干当时全国六大行政区（东北区、华北区、西北区、西南区、中南区和华东区）的流行性传染病的预防和控制，负责疫苗的研究和生产。

1950年10月，卫生部颁发《种痘暂行办法》，规定全国民众必须普种牛痘。1962年，卫生部发布《种痘办法》。1959年，卫生部印发《关于加强预防接种工作的通知》，实施白喉、百日咳、伤寒、霍乱、鼠疫等的疫苗接种。1963年，发布《预防接种工作实施办法》。1964年，卫生部发出《新法接生消除新生儿破伤风的通知》。1960年，顾方舟带领团队研制出脊髓灰质炎活疫苗，并开始生产和陆续接种，为后来控制和消灭脊髓灰质炎奠定了重要的基础。1975年，我国研制出了国产乙肝疫苗。1978年，卫生部下发《关于加强计划免疫的通知》，我国正式进入计划免疫的时代。

①杨维中．中国传染病防治70年成效显著[J]. 中华流行病学杂志，2019（12）：1493-1498.

2. 改革开放后党和国家的防疫政策和应对

1978年12月18日至22日，党的十一届三中全会在北京召开。我国传染病防治工作开启了新的快速发展之路。这一时期，陆续出台了很多卫生防疫机构发展改革的相关政策。1979年，卫生部印发《全国卫生防疫站工作条例》，实行了防疫津贴、优先乘坐车船飞机等政策；1980年，卫生部、国家编委下达《各级防疫站组织编制规定》；1988年卫生部、物价局、财政部印发《防疫机构收费标准》。1997年，中共中央、国务院做出关于卫生改革与发展的决定，国务院颁发《关于城镇医药体制改革的指导意见》。1998年，卫生部下发文件，组织防疫站等级评审。2001年，卫生部办公厅下发《关于疾病预防控制体制改革的指导意见》。①

在以上政策的指导下，我国各级卫生防疫机构及组织不断发展与完善。1983年，国家预防医学中心成立，后更名为中国预防医学科学院。1981年，国家结核病防治研究中心成立，1986年，明确中国医学科学院皮肤病研究所为全国性病防治中心。1987年，建立全国鼠疫布病防治基地。1990年，卫生部成立传染病监督办公室。1998年，卫生部成立艾滋病预防控制中心，隶属中国预防医学科学院。2002年，中国疾病预防控制中心成立，内设疾病控制与应急办公室、传染病预防控制所、病毒病预防控制所、寄生虫病预防控制所、免疫规划中心、结核病预防控制中心、艾滋病性病预防控制中心等传染病防治机构。

传染病管理的法治建设在这一时期也得到了快速发展，为全国疫情防控与防治打下了重要基础、提供了法律依据。1978年9月20日，为了全面有效控制和消灭各类急性传染病，我国卫生部颁发《中华人民共和国急性传染病管理条例》，其中规定管理的急性传染病分为两类二十五种，即甲类的鼠疫、霍乱及副霍乱、天花，以及乙类的白喉、流行性脑脊髓膜炎、百日咳、猩红热、麻疹、流行性感冒、痢疾（菌痢和阿米巴痢疾）、伤寒及副伤寒、病毒性肝炎、脊髓灰质炎、流行性乙型脑炎、疟疾、斑疹伤寒、回归热、黑热病、森林脑炎、恙虫病、出血热、钩端螺旋体病、布鲁氏杆菌病、狂犬病、炭疽。1989年2月21日，该条例废止，同年国家颁布了《中华人民共和国传染病防治法》，将传染病分为甲、乙、丙三类，共35种。此外，我国卫生部还先后发布了《国境口岸传染病监测试行办法》《全国麻风病防治管理条例》《全国结核病防治工作暂行条例》《性病防治管理办法》。以上各类法律法规的颁布和实施，有效地推动了我国传染病防治工作和免疫接种工作全面发展。

2003年5月7日，国务院发布了《突发公共卫生事件应急条例》，该条例后在2011年1月8日进行了修订。2004年再次修订《传染病防治法》，并新增“非

①杨维中．中国传染病防治70年成效显著[J]. 中华流行病学杂志，2019（12）：1493-1498.

典”“禽流感”，由此新修传染病防治法中甲、乙、丙三类共计37种传染病。

2007年8月30日，全国人大常委会公布并实施《中华人民共和国突发事件应对法》，其目的是为高效应对自然灾害、事故灾难、公共卫生事件和社会安全事件提供法律依据。《突发事件应对法》的发布，对于我国突发公共卫生事件来说，更加精准、详尽地为突发公共卫生事件的预防、预警、监测、应急准备、应急处置、医疗救助、紧急救援以及在事件中的相关部门的法律责任等做出了具体的规定。《突发事件应对法》为2019年12月发生的新型冠状病毒感染的应对，提供了重要的法律依据。所以说，《突发事件应对法》是新冠疫情期间国家紧急权力的直接来源。

在免疫接种方面。1978年卫生部下发《关于加强计划免疫工作的通知》，要求全国在3年内普遍实行计划免疫，尽快消灭白喉、脊髓灰质炎和麻疹。1980年，卫生部印发《预防接种工作实施办法》《疑似预防接种异常反应处理办法》，1982年发布《全国计划免疫工作条例》，1986年6月20日，成立全国儿童计划免疫工作协调小组，并决定在每年的4月25日，在全国范围内为儿童进行预防接种。次年《全国乙型肝炎血源疫苗免疫接种试行办法》发布。

1993年11月15日，国务院办公厅转发卫生部《关于开展强化免疫活动消灭脊髓灰质炎报告》，“糖丸”（脊髓灰质炎减毒活疫苗）有效减少了我国儿童小儿麻痹症的发病病例，后在2016年停用，改用脊髓灰质炎灭活疫苗替代。1994年2月，由毛江森院士领导的团队研制成功甲型肝类减毒活疫苗。2000年，世界卫生组织宣布我国消灭脊髓灰质炎病毒。2001年，卫生部、财政部发文将乙肝疫苗纳入国家计划免疫，2002年起免费为儿童接种乙肝疫苗。在此期间，世界卫生组织曾于1978年宣布了全世界消灭天花，我国也在1981年取消种痘。

2005年，国务院颁布实施《疫苗流通和预防接种管理条例》。2008年，卫生部印发《预防接种工作异常反应鉴定办法》。2007年，我国免疫规划疫苗增加至14种，相应防控15种疾病。白喉、百日咳、新生儿破伤风、麻疹、流脑、乙脑、甲肝、腮腺炎、风疹等传染病控制效果尤其显著，2007年以后就没有白喉病例报告了。2008年，国家开始建立预防接种疑似异常反应监测系统，开展预防接种疑似异常反应的监测工作，并开始建设全国预防接种信息化系统。

2009年，卫生部颁发《预防接种异常反应鉴定管理办法》，进一步规范了异常反应的鉴定工作。同年，将15岁以下儿童乙肝疫苗补种纳入医改项目。2009年以来，甲型H1N1流感在全球广泛流行，为有效应对疫情，甲型H1N1流感疫苗率先在我国研制成功，并在全世界范围内第一个将该疫苗应用于甲型H1N1流感疫情当中。2010年，卫生部等五部委印发《2010—2012年全国消除麻疹行动计划》，组织开展全国麻疹疫苗强化免疫，为实现消除麻疹目标进行冲刺。2012

年，我国儿童乙肝感染和发病明显下降，2012年达到世界卫生组织的阶段性控制目标，即5岁以下儿童的乙肝表面抗原携带率控制在2%以内，成为近年来中国公共卫生领域取得的最重要成就之一。

接种疫苗，作为一种最为简便、有效且经济实惠的预防和控制疾病的措施，被国际社会公认。我国历经几代专家的努力，攻克了多种世界性传染病疫苗的研发和生产难题，也为我国传染病的预防奠定了重要基础。

3. 党的十八大以来党和国家的防疫政策和应对

2012年11月8日，中国共产党第十八次全国代表大会在北京召开，中国特色社会主义进入新时代，在医疗卫生事业上也开启了健康中国建设新征程。2014年12月，习近平总书记在考察江苏镇江市世业镇卫生院时提出“没有全民健康，就没有全面小康”的观点。2015年10月，十八届五中全会首次提出推进健康中国建设，“健康中国”上升为国家战略。2015年11月25日，埃博拉出血热疫情防控工作表彰大会在京举行，习近平总书记作出重要指示：“要始终把广大人民群众健康安全摆在首要位置，切实做好传染病防控和突发公共卫生事件应对工作。”

2013年6月29日，《中华人民共和国传染病防治法》第三次修正，对传染病防治法中有关调整法定传染病种类和分级的职责、程序等规定进行了完善。新的修正将第三条第五款修改为：“国务院卫生行政部门根据传染病暴发、流行情况和危害程度，可以决定增加、减少或者调整乙类、丙类传染病病种并予以公布。”另外，在第四条中新增了一款，并作为第二款，具体为“需要解除依照前款规定采取的甲类传染病预防、控制措施的，由国务院卫生行政部门报经国务院批准后予以公布”。

为了广大人民群众的生命健康，党的十八大以来，党和国家高度重视传染病预防和疫苗的接种。2012年7月，卫生部下发《关于加强预防接种工作的通知》；2014年4月，国家卫计委等八部委下发《关于进一步做好预防接种异常反应处置工作的指导意见》；2015年4月，国家卫计委发布《关于规范预防接种工作的通知》。2016年，国务院公布了新修订的《疫苗流通和预防接种条例》。2016年，国家卫计委印发《预防接种工作规范（2016年版）》和《国家免疫规划疫苗儿童免疫程序及说明（2016年版）》，同年5月1日起，开始实施脊髓灰质炎疫苗的序贯免疫程序，即1剂次的灭活脊髓灰质炎疫苗加3剂次二价脊髓灰质炎减毒活疫苗程序。

2017年12月28日，国家卫健委新修《疫苗储存和运输管理规范》并印发实施。2019年6月29日，十三届全国人大常委会第十一次会议表决通过了《中华人民共和国疫苗管理法》，并于2019年12月1日开始施行。2019年12月31日，国家卫生健康委员会等部门联合发布《关于国家免疫规划脊髓灰质炎疫苗和含麻疹成分疫苗免疫程序调整相关工作的通知》。自2019年12月起，在全国范围内实施2剂次脊髓灰质炎灭活疫苗和2剂次脊髓灰质炎减毒活疫苗的免疫程序；自2020年6月起，在全国范围内实施2剂次麻疹—腮腺炎—风疹联合减毒活疫苗的免疫程序。

进入21世纪后，全球新发传染病一直是困扰世界各国公共卫生的主要问题。尤其是引发急性呼吸症状的冠状病毒和中东呼吸综合征冠状病毒，严重威胁着人类的健康，也使得全世界范围内公共卫生事业遭受巨大的挑战。

2019年3月，西班牙巴塞罗那大学的某一科研组在采集到的废水中发现了新冠病毒。2019年7月，美军最大的生化武器研发中心——德特里克堡生物基地被美国疾控中心调查并关闭，就在德特里克堡基地关闭不久，附近地区暴发了“电子烟疾病”，导致美国至少3 200万人感染。美国疾控中心主任罗伯特·雷德菲尔德在《纽约时报》的发言中谈道，部分流感死亡病例实际上感染的是新冠肺炎病毒。2019年10月，美国在中情局组织了一场代号为“事件201”的全球流行病演习。据“事件201”官网的介绍，演习的主要内容为模拟了一种新型人畜共患病冠状病毒的暴发。2019年12月，美国国立卫生研究院研究发现，全美有5个州已出现新冠病毒感染。

2019年12月，我国湖北省武汉市陆续发现不明原因的聚集性肺炎，经第一时间报告疫情，迅速采取行动，开展病因学和流行学调查。

2020年1月25日，习近平总书记在中央政治局常委会上提出：“生命重于泰山。疫情就是命令，防控就是责任……把人民群众生命安全和身体健康放在第一位，把疫情防控工作作为当前最重要的工作来抓。只要坚定信心、同舟共济、科学防治、精准施策，我们就一定能打赢疫情防控阻击战。”①此后，全国人民已严阵以待，明确坚决打好防控疫情阻击战的决心。

2020年3月，我国新增病例数逐步下降至个位数，中共中央作出统筹疫情防控和经济社会发展、有序复工复产的重大决策。截至2020年4月25日，武汉市新冠肺炎患者治愈率从2月底的39.1%上升至92.31%，死亡率持续降低。2020年4月26日，武汉市肺科医院某姓患者第二次核酸检测结果为阴性，临床症状解除，达到出院标准。至此，武汉市所有新冠肺炎在院患者清零。而后全国疫情防控进入常态化，我国境内疫情总体呈零星散发状态。

2020年9月8日，习近平总书记在全国抗击新冠肺炎疫情表彰大会上就抗疫精神阐述道：“在这场同严重疫情的殊死较量中，中国人民和中华民族以敢

①新华社．中共中央政治局常务委员会召开会议研究新型冠状病毒感染的肺炎疫情防控工作[N]．光明日报，2020-01-26（1）．

于斗争、敢于胜利的大无畏气概，铸就了生命至上、举国同心、舍生忘死、尊重科学、命运与共的伟大抗疫精神。”另外，还强调“人无精神则不立，国无精神则不强。唯有精神上站得住、站得稳，一个民族才能在历史洪流中屹立不倒、挺立潮头。同困难作斗争，是物质的角力，也是精神的对垒。伟大抗疫精神，同中华民族长期形成的特质禀赋和文化基因一脉相承，是爱国主义、集体主义、社会主义精神的传承和发展，是中国精神的生动诠释，丰富了民族精神和时代精神的内涵”。

2021年5月21日，习近平在全球健康峰会上发表了《携手共建人类卫生健康共同体》的重要讲话，“抗击疫情是为了人民，也必须依靠人民。实践证明，要彻底战胜疫情，必须把人民生命安全和身体健康放在突出位置，以极大的政治担当和勇气，以非常之举应对非常之事，尽最大努力做到不遗漏一个感染者、不放弃一个病患者，切实尊重每个人的生命价值和尊严。同时，要保证人民群众生活少受影响、社会秩序总体正常”。

2022年3月17日，习近平总书记在中共中央政治局常务委员会会议上的讲话中强调：“常态化疫情防控以来，我们坚持‘外防输入、内防反弹’，不断提升分区分级差异化精准防控水平，快速有效处置局部地区聚集性疫情，最大限度保护了人民生命安全和身体健康，我国经济发展和疫情防控保持全球领先地位，充分体现了我国防控疫情的坚实实力和强大能力，充分彰显了中国共产党领导和我国社会主义制度的显著优势。要提高科学精准防控水平，不断优化疫情防控举措，加强疫苗、快速检测试剂和药物研发等科技攻关，使防控工作更有针对性。”

2022年4月，习近平总书记在海南考察时说，要克服麻痹思想、厌战情绪、侥幸心理、松劲心态，针对病毒变异的新特点，提高科学精准防控本领，完善各种应急预案，严格落实常态化防控措施，最大限度减少疫情对经济社会发展的影响。同年年底，新型冠状病毒肺炎更名为新型冠状病毒感染，并自2023年1月8日起调整为“乙类乙管”，这也标志着我国历时三年的抗击新型冠状病毒疫情取得了最终的胜利！

党的十八大以来，党中央把人民健康放在优先发展的战略地位，提出新时代卫生与健康工作方针，将“以基层为重点”放在首要位置。尤其是经历了新型冠状病毒疫情，党和国家领导人更加重视我国基本公共卫生服务事业。

为了落实宪法关于发展国家医疗卫生事业、保护并提高人民健康水平，实现人人享有基本医疗卫生服务的目标。2019年12月28日，全国人民代表大会常务委员会通过《中华人民共和国基本医疗卫生与健康促进法》，并于2020年6月1日起施行。《基本医疗卫生与健康促进法》首次在法律层面上明确提出健康是人的基本权益，把保障人民健康放在优先发展的战略位置，确立了健康中国实施的基本原则、基本方针。从总则、公民的健康权利与义务、公共卫生和医疗服务组织与提供、药物保障等方面规范基本医疗卫生、促进国民健康。

2022年7月6日，《关于做好2022年基本公共卫生服务工作的通知》中明确指出，2022年基本公共卫生服务项目主要内容为“一是各地要指导基层医疗卫生机构结合基本公共卫生服务项目中传染病及突发公共卫生事件报告和处理，切实做好疫情防控相关工作，统筹实施好居民健康档案管理，健康教育，预防接种，0～6岁儿童、孕产妇、老年人、高血压及2型糖尿病等慢性病患者、严重精神障碍患者、肺结核患者健康管理，中医药健康管理，卫生监督协管等服务项目；二是不限于基层医疗卫生机构实施的地方病防治、职业病防治、人禽流感和SARS防控、鼠疫防治、国家卫生应急队伍运维保障、农村妇女‘两癌’检查、基本避孕服务、脱贫地区儿童营养改善、脱贫地区新生儿疾病筛查、增补叶酸预防神经管缺陷、国家免费孕前优生健康检查、地中海贫血防控、食品安全标准跟踪评价、健康素养促进、老年健康与医养结合服务、卫生健康项目监督等16项服务内容，相关工作按照原途径推动落实，确保服务对象及时获得相应的基本公共卫生服务”。其中还重点强调了基层公共卫生服务重点工作为“从严从实抓好基层常态化疫情防控、切实做好‘一老一小’（65岁及以上老年人、0～6岁儿童）健康管理服务、推进城乡社区医防融合能力提升、全面推进电子健康档案普及应用”。

2022年7月12日，国家卫健委基层卫生健康司发布《卫生健康系统贯彻落实以基层为重点的新时代党的卫生与健康工作方针若干要求》。文件中要求各级卫生和健康管理部门需要深入理解“两个确立”的重要性，并坚定地从“两个维护”的角度出发，以加速推动基层卫生和健康的高质量发展。

第四节　近代以来国际突发公共卫生事件

国际突发公共卫生事件一般指国际公共卫生紧急事件。国际公共卫生紧急事件是指“通过疾病的国际传播构成对其他国家公共卫生风险，并有可能需要采取协调一致的国际应对措施的不同寻常的事件”。自2007年颁布了管理全球卫生应急措施的《国际卫生条例》以来，世界卫生组织先后将七次公共卫生事件宣布为国际公共卫生紧急事件，主要包括2009年的甲型H1N1流感、2014年的野生型脊髓灰质炎疫情、2014年西非的埃博拉疫情、2015—2016年的“寨卡”疫情、2018

年开始的刚果（金）埃博拉疫情、2019年全球性的新型冠状病毒感染疫情和2022年的“猴痘”疫情。

一、世界卫生组织宣布的国际突发公共卫生事件

（一）2009年的甲型H1N1流感

2009年4月15日，美国发现第一例甲型H1N1流感样本。从而导致了甲型H1N1流感疫情在美国大面积暴发，并蔓延到214个国家和地区，导致近20万人死亡。2009年4月25日，根据《国际卫生条例》的规定，世界卫生组织总干事宣布2009年 H1N1疫情为国际关注的突发公共卫生事件。2010年8月，世界卫生组织宣布甲型H1N1流感大流行期已经结束。

（二）2014年野生型脊髓灰质炎疫情

2014年以来，在亚洲、非洲以及中东地区部分国家出现新发脊髓灰质炎病例，之后引发野生型脊髓灰质炎病毒疫情，并同时向多个国家扩散，且有可能导致国际性的灾难传播。2014年5月，世界卫生组织将野生型脊髓灰质炎病毒疫情宣布为国际公共卫生紧急事件。2014年以来，全球新发脊髓灰质炎病例112例。2015年世界卫生组织宣布2型野生脊髓灰质炎病毒已经被消灭。

（三）2014年西非的埃博拉疫情

2014年2月，非洲国家几内亚境内发现埃博拉病毒病例。此后，非洲西部地区利比里亚、塞拉利昂、马里、塞内加尔，以及美国、西班牙等多个国家暴发大规模埃博拉出血热疫情。同年8月，埃博拉疫情被列为国际突发公共卫生事件。到2014年12月17日为止，西非的利比里亚、塞拉利昂和几内亚三个国家中，已有19 031人被感染或疑似感染，其中有7 373人不幸去世。埃博拉病毒是一种新出现的传染性疾病，在全球多个地区暴发流行。到2016年1月14日为止，埃博拉的疫情已经完全画上了句号。

（四）2015—2016年的“寨卡”疫情

2015年5月，南美洲国家巴西发现寨卡病毒流行。2015年11月，巴西宣布全国进入紧急状态，共持续18个月。截至2016年1月26日，已有24个国家和地区出现“寨卡”疫情，其中主要在美洲地区，欧洲多国也有蔓延。2016年2月1日，世界卫生组织宣布寨卡病毒的暴发和传播已经构成全球突发公共卫生事件，呼吁国际社会联手应对。2016年2月18日，世界卫生组织在日内瓦发布“预防潜在性传播寨卡病毒的临时指导意见”。2016年9月29日，世界卫生组织通报马尔代夫和新喀里多尼亚暴发通过蚊媒感染的寨卡病毒病疫情，并将马尔代夫和新喀里多尼亚列入寨卡病毒病疫区名单。

（五）2018年开始的刚果（金）埃博拉疫情

2018年5月8日，非洲中部国家刚果（金）西北部出现了新一轮埃博拉疫情暴发，导致至少17人死亡。此后又在8月、10月、12月出现多轮埃博拉疫情。2018年12月27日，据法新社报道，刚果（金）埃博拉疫情5个月内已有350人死亡。2018年9月，世界卫生组织与我国签署援助协议，以支持应对刚果（金）的埃博拉疫情。2019年7月17日，联合国国际卫生条例紧急委员会在日内瓦举行评估疫情的第四次会议之后，世界卫生组织宣布，刚果（金）东部持续的埃博拉疫情为国际关注的突发公共卫生事件。

2018—2020年，刚果（金）第10轮埃博拉疫情期间，共报告确诊病例3 000余例，其中2 000多人死亡。2021年10月，刚果（金）出现本国第13轮埃博拉疫情，共报告8例确诊病例，其中6人不治身亡。同年12月，刚果（金）宣布该国本轮埃博拉疫情结束。2022年4月刚果（金）再次出现埃博拉病例并死亡。4月23日，世界卫生组织宣布刚果（金）暴发新一轮埃博拉疫情。

（六）2019年全球性的新型冠状病毒感染疫情

2020年2月11日，世界卫生组织将该疾病命名为2019冠状病毒病（COVID-19），引起COVID-19的病原体为新型冠状病毒（SARS-CoV-2）。2020年3月11日，世界卫生组织总干事谭德赛在日内瓦举行的例行记者会上称，鉴于病毒感染的传播程度和严重性，新型冠状病毒疫情已具有大规模流行特征。

（七）2022年的“猴痘”疫情

“猴痘”是一种病毒性人畜共患病，由猴痘病毒感染引发。2022年5月7日，英国卫生安全局报告了第一例“猴痘”病例。此后，葡萄牙、美国、瑞典、意大利、加拿大等国家也不断发现“猴痘”。同年7月23日，“猴痘”被列为国际关注突发公共卫生事件。

二、世界卫生组织的成立及全球公共卫生的应对

1851年7月，首届国际卫生大会在法国巴黎召开，来自法、英、俄等12个国家的医生和外交官参加了此次会议。国际卫生大会的召开也标志着现代意义上国际性卫生防疫合作行动的启幕。

1903年，20世纪第一次国际公共卫生会议召开，会议主要讨论国际公共卫生合作中霍乱和鼠疫的疾病检测。会议要求成员国通报疟疾和鼠疫的暴发信息，达成并签订了《国际公共卫生公约》，同时出台《国际公共卫生条例》。1907年，国际公共卫生会议通过了《关于建立国际公共卫生办事处的罗马协定》，随后成立了国际公共卫生办事处，并把该常设机构的总部定在巴黎。截至1908年底，国际公共卫生办事处常设委员会总共召开了两次会议。此后因第一次世界大战的暴

发而中断。

1918年11月11日，第一次世界大战中的协约国和同盟国宣布停火，经过巴黎和会六个月的漫长谈判，1919年6月28日，各国在巴黎签署了《凡尔赛条约》，共15个部分，其第一部分即为《国际联盟盟约》。《国际联盟条约》在第二十三条中即明确规定：要努力采取措施，以便在国际范围内预防及扑灭各种传染性疾病。依据这一条款，国际联盟卫生组织于1920年在日内瓦成立。国际联盟卫生组织专门负责处理国际疫情与卫生问题。国际联盟卫生组织在组织架构上又分为卫生委员会、医务部和总顾问委员会，三者各司其职，并在必要时进行协调合作。

1946年7月，第二次世界大战之后的首次国际卫生会议在美国纽约召开。7月22日，60多个国家共同签署了《世界卫生组织组织法》，于1948年4月7日生效。与此同时，世界卫生组织也宣告成立，并将每年的4月7日定为全球性的“世界卫生日”。从此，世界公共卫生领域的国际合作揭开了新的篇章。1948年6月24日，由世界卫生组织主办的第一届世界卫生大会在瑞士第二大城市日内瓦召开，此后也将世界卫生组织总部设立在日内瓦。

世界卫生组织成立后，在全球范围内积极投入公共卫生服务，并开展各类传染病的防治工作。1967年，世界卫生组织启动“天花根除计划”，在全球范围内推广天花疫苗接种。1980年，世界卫生组织宣布天花病毒已经被根除。这是人类消灭的第一个传染病病毒，也是公共卫生领域实现国际合作的典范。①

在1988年召开的世界卫生大会上，世界卫生组织宣布，争取在20世纪末全面消灭小儿麻痹症。此后的1994年，世界卫生组织向全世界宣布该病症已基本绝迹。

2005年5月23日，一项名为《国际卫生条例》的全新国际卫生法规正式获批，该法规由世界卫生组织制定和批准，并在2005年加入了额外卫生措施的理念。其主要目的是尽可能地保障公众的健康安全，同时最大程度地减少疾病对国际贸易和交通的干扰，这充分体现了世界卫生组织始终追求的一个核心目标，即平衡贸易与公共卫生的利益。该条例于2007年6月15日在会员国之间正式生效。在2019年新型冠状病毒疫情应对中，《国际卫生条例》作为全球公共卫生治理领域的基础性和框架性条例，其缔约国公共卫生核心能力建设的不完善，条例遵约引力的缺失以及国际公共卫生紧急事件机制的缺陷，再次使得《国际卫生条例》陷入实施困境。针对上述困境，应当以共同利益观为补位，强化《国际卫生条例》的权威性和规范性，使《国际卫生条例》在全球公共卫

①罗森．公共卫生史[M]．黄沛一，译．南京：译林出版社，2021．

生治理领域发挥应有的作用。

我国是世界卫生组织创始国之一。1972年5月，我国再一次获得世界卫生组织的合法席位，继续为全球的卫生事业贡献力量。1981年，世界卫生组织在北京设立驻华代表处。几十年来，我国与世界卫生组织一直保持着高度合作。2017年7月5日，世界卫生组织为中国政府颁发“社会健康治理杰出典范奖”。2020年1月28日，习近平总书记在人民大会堂会见世界卫生组织总干事谭德赛。谭德赛高度赞扬了中国政府和人民为世界卫生事业做出的巨大贡献。

第二章　突发公共卫生事件的刑法规制

第一节　突发公共卫生事件下刑法应对遵循的基本准则

一、刑法概述

刑法是规定犯罪、刑事责任和刑罚的法律。广义的刑法是一切刑事法律规范的总称。既包括刑法典，也包括单行刑事法规，还包括被分散规定于其他法律中有关犯罪与刑罚的规定，以及国家立法机关对刑法典和单行刑事法规进行修改或补充的规定。[①]狭义刑法指刑法典，即《中华人民共和国刑法》（以下简称《刑法》）。根据《刑法》第一条："为了惩罚犯罪，保护人民，根据宪法，结合我国同犯罪作斗争的具体经验及实际情况，制定本法。"我国《刑法》的根本目的是惩罚犯罪和保护人民。根据《刑法》第十三条，"犯罪"是指"一切危害国家主权、领土完整和安全，分裂国家、颠覆人民民主专政的政权和推翻社会主义制度，破坏社会秩序和经济秩序，侵犯国有财产或者劳动群众集体所有的财产，侵犯公民私人所有的财产，侵犯公民的人身权利、民主权利和其他权利，以及其他危害社会的行为，依照法律应当受刑罚处罚的，都是犯罪，但是情节显著轻微危害不大的，不认为是犯罪。"犯罪的主要特征体现在对社会造成一定的危害、在刑事上构成违法和应受刑罚处罚三方面。刑事责任是指犯罪行为应当承担的法律责任。

二、应对突发公共卫生事件中刑法的重要性

突发公共卫生事件的发生，势必会在一定程度上引起广大民众的恐慌。突发公共卫生事件的防控过程中有了刑法的参与，能够在有效保障公民合法权益的同时为特殊时期公民的行为提供指引。

（一）刑法调整范围的广泛性能全面防控突发公共卫生事件

重大突发公共卫生事件发生后，在短时间内往往会迅速扩散和蔓延，防控

---

①邹瑜，顾明．法学大辞典[M].北京：中国政法大学出版社，1991.

和防治面临着一定的困难和挑战。无论是从国家层面，还是从社会个人的角度来说，仅凭现有的医学理论和医疗技术设备往往难以快速应对，尤其是在特殊时期会引起人们不同程度的不安与恐惧。另外，当下新媒体时代人人都可以发声，恐惧和不安又被人们带到互联网，再一次形成聚集效应，加重了舆论压力。安全秩序本身就是实现自由和人权保障的现实基础，即社会不安全，个体便不自由。①在此条件下，化解突发公共卫生事件带来的恐慌尤为迫切。随着相关防控政策的实施，人民群众可以坚定战胜突发公共卫生事件的决心和信心，随之也能够积极主动地配合和参与到防控工作中。

在突发公共卫生事件背景之下，仅凭防控政策和相关的法律规定想要有效打击特定时期的犯罪活动，效果极为有限。此时的刑事法律不仅要维护社会秩序，还要配合各项预防措施。面对紧急状态下的各类危害社会公共安全、妨碍防控政策实施的行为，刑事法律都将其纳入司法治理的范围之内，并在紧急状态之下为公共安全提供保障，依法扩大了刑事制裁的边界，这也正是刑事司法在特殊时期的担当与责任。

在我国，突发公共卫生事件防控中往往采取全面性防控措施，会涉及一系列的法律问题，如行政应急行为的规制、公共安全的保障、信息的公开、公民合法利益的保护等问题。特殊时期如何统筹和维护多方的权益，需要能够有效解决以上问题的综合性法律，即刑法最为合适。刑法从保护手段和保护法益角度来说更具有有效性和广泛性。

《突发公共卫生事件应急条例》《中华人民共和国国境卫生检疫法》《中华人民共和国职业病防治法》及《中华人民共和国食品安全法》等法律法规，是突发公共卫生事件之下打击各类违法犯罪的重要法律依据。刑法在特殊时期更能够最大限度地全面保护法益，能够为疫情防控和传染病毒的防治提供法律保障，更是社会稳定的有力保障。

（二）刑法为防控措施的顺利实施提供法律保障

刑法的调整手段极为严厉，因此也决定了保护法益的有效性。从调整方式来看，疫情防控期间在保护法益时效率优先，特别是紧急状态下急需刑事规制的高效性。而这一点，也正是突发公共卫生事件中防控措施顺利实施所需要的，刑法提供重要的法律保障。刑法以惩治违法犯罪行为、保护公民合法权益、稳定社会秩序为使命。在突发公共卫生事件背景之下，刑法面对扰乱社会秩序的行为，必须在迅速予以严厉而准确打击的同时对不法分子给予震慑，为各类防控措施顺利实施提供保障。

①卢梭．社会契约论[M]．何兆武，译．北京：商务印书馆，2003.

（三）刑法调整为防控措施的顺利实施创造社会环境

精准打击犯罪行为是刑法最主要的法律职能和社会价值。尤其是在突发公共卫生事件背景之下，为防控措施的有效实施创造良好的社会环境，刑法的介入最为重要的衡量标准就是犯罪行为对社会的危害性，“情节显著轻微，危害不大”则可以排除在刑法调整之外。反之，如果犯罪行为达到了一定程度，那么刑法应及时发挥其作用，减少社会危害。这里衡量“危害性”也应放置于特定的环境之中，例如某种行为可能在日常生活中对社会的危害性并不达到刑法介入的程度，但是同样的行为如果发生在突发公共卫生事件背景之下的特殊时期内，其危害性便需具体分析了。例如，利用移动互联网散布某些不实信息在特殊时期极其容易导致恐慌的蔓延，为了稳定社会秩序，刑法必须及时介入。

（四）刑法的谦抑性原则为防控措施的实施提供法律底线

刑法的谦抑性原则，也被称为必要性原则，即在民事、行政手段均无效的情况之下，刑法会成为最后的不可避免的保障手段。针对特殊时期的某些没有严重影响社会秩序，也并未造成严重的社会危害的犯罪行为，刑法既能严肃理性地介入，又能够在国家、社会和大众之间达到利益的均衡。北京大学法学院的陈兴良教授认为：“运用刑法手段解决社会冲突，应当具备以下两个条件，其一，危害行为必须具有相当严重程度的社会危害性；其二，作为对危害社会行为的反应，刑罚应当具有无可避免性。”①法国著名思想家卢梭认为：“刑法在根本上与其说是一种特别的法律，还不如说是对其他一切法律的制裁。”②因此在突发公共卫生事件背景下，刑法能最大限度地平衡社会权益。

三、刑法规制重大公共卫生事件的基本原则

基于维护和保障社会秩序的需要，在应对突发公共卫生事件的过程中，公权力在一定程度上可能会限制人们的个人权利，使其让位于公共利益。解决个人利益让位于公共利益之时，为保持相对稳定、相对合理的平衡，就需要刑法的介入，应在着眼于全面维护社会大局的前提之下，保障广大群众的合法权益。具体来说，可以分为如下几个方面。

（一）效率原则

突发公共卫生事件最突出的三个特点便是其发生的突然性、紧急性和危害性。因此，当遭遇突发公共卫生事件时，相关应急部门和学科领域的专家必须在最短的时间内共同研究和制定应对策略，并同时采取相应的预防和控制措施，以

①陈兴良．刑法哲学[M]．北京：中国政法大学出版社，2004.

②卢梭．社会契约论[M]．何兆武，译．北京：商务印书馆，2003.

便最大限度地降低对社会的危害。

在突发公共卫生事件背景之下，新类型、新手段的犯罪行为层出不穷。这些犯罪行为严重影响特殊时期的社会秩序稳定，加剧了民众恐慌不安的情绪。在紧急状态下，刑法应精准、迅速地对这些犯罪行为进行有力的打击，这样便可以高效率维护社会秩序，为广大人民群众提供安定和谐的社会环境，积极参与、高效配合相关防控措施。

（二）调适原则

突发公共卫生事件发生后，为了早日恢复正常的社会秩序，最大限度地减少负面效应，国家行政应急部门采取相应防控措施进行应对，公权力往往会倾向于全社会的公共利益，在一定程度上会影响到个人利益。在这种特定的环境下，刑法需要进行适当调整，以适应在某些特定时期可能出现的偏差。

突发公共卫生事件本身就给广大群众带来了诸多的不安、恐惧，此时相关行政部门应该克制公权力的行使，杜绝盲目扩张。而对于那些失职渎职、贪污挪用、哄抬物价、制造假冒伪劣医药用品，以及辱骂殴打医务人员等严重危害社会秩序，严重损害社会公共利益的犯罪行为，则必须依法对其行为人从严从重地进行打击惩处。

（三）经济原则

突发公共卫生事件的发生，极易造成社会资源在一定时期内相对紧张。刑法需对全社会有限的资源加以配置，在打击犯罪的过程中尽量利用最小的成本来最大效益地预防犯罪、惩治犯罪。而这样的主张也被称为刑法的经济原则。在突发公共卫生事件中的情节显著轻微且社会危害性不大的，未能造成恶劣的社会危害和后果的行为，尽可能选择警告、批评教育或者罚款等手段进行警示惩戒，没有必要采取相对较重的刑罚。如果涉及侮辱殴打医护人员和防疫人员、借机哄抬物价、贪污挪用防疫物资和资金等情节严重的犯罪行为，必须严厉惩处，有效维护社会公共利益和秩序，最大限度地保护人民群众的利益。

第二节　突发公共卫生事件下的相关犯罪

一、妨害传染病防治罪

（一）妨害传染病防治罪的概念

妨害传染病防治罪，是指违反传染病防治法的相关规定，造成甲类传染病传播或者有传播严重危险的行为。

（二）妨害传染病防治罪的构成要件

妨害传染病防治罪侵害的犯罪客体是国家针对甲类传染病和暂行乙类甲管传染病防治的政策、措施和管理制度。

妨害传染病防治罪的犯罪客观方面是供水单位供应的饮用水不符合国家规定的卫生标准的；拒绝按照疾病预防控制机构提出的卫生要求，对传染病病原体污染的污水、污物、场所和物品进行消毒处理的；准许或者纵容传染病病人、病原携带者和疑似传染病病人从事国务院卫生行政部门规定禁止从事的易使该传染病扩散的工作的；出售、运输疫区中被传染病病原体污染或者可能被传染病病原体污染的物品，未进行消毒处理的；拒绝执行县级以上人民政府、疾病预防控制机构依照传染病防治法提出的预防、控制措施的。

在妨害传染病防治罪中，犯罪的主体包括自然人和单位。

由于刑法没有明文规定本罪的主观方面是故意还是过失，学者们对于本罪的犯罪主观方面的认定存在一定争议。这里认为本罪的主观方面是故意，即行为人在认识因素层面预见自身可能感染传染病毒并致病毒传播，在意志因素层面仍然自由放任危害社会的后果发生。

（三）妨害传染病防治罪的适用分析

我国《刑法》第三百三十条规定的“妨害传染病防治罪”位于分则第六章“妨害社会管理秩序罪”的第五节“危害公共卫生罪”中。妨害传染病防治罪是规制危害公共卫生犯罪的重要罪名之一。近年来妨害传染病防治罪有两次受到广泛关注：一次是2003年初发生的SARS疫情；另一次便是2019年底暴发的新型冠状病毒感染疫情。在司法实务中，妨害传染病防治罪是以保护人民群众合法权益为宗旨，杜绝和限制以危险方法危害公共安全罪的扩张和滥用的强有力的工具。

1.妨害传染病防治罪的认定准则

关于妨害传染病防治罪的认定，“实害结果”与“危险结果”是重要因素，司法实践中二者缺乏科学的认定标准。以上因素为妨害传染病防治罪的科学认定带来一定的难度。

妨害传染病防治罪的后续修订中，需要针对“实害结果”和“危险结果”两个方面给予清晰的认定。其一，“实害结果”方面。在行为人违反传染病防治相关法规的前提下，导致他人被传染，被传染人数应该做具体规定。如情节轻微未造成病毒进一步扩散，也应理性考虑给予从轻处罚。另外，如被感染人擅自与他人接触，或行为人在接受治疗期间恶意感染医护人员等传播行为是否均构成本罪，也应该做出明确的认定标准。其二，“危险结果”方面。如行为人在未做必要防护情况下进入候车大厅、购物中心、娱乐场所等公共场所，这种情形下是否构成传播和“危险结果”，也应进行明确的规定。所以，应该在本罪的修订中明确规定被传染人数量、行为人与被传染人的接触程度等因素，从而使“传播”与“传播严重危险”在认定标准上更科学。

2.妨害传染病防治罪主观责任要素

在妨害传染病防治罪的认定中，行为人主观具有违反防控措施的意图，本罪中强调了主观的“故意”，即行为人对违反传染病防治法的主观心理倾向，可视为行为人持有放任的心态，对本罪所保护的客体受到侵害的结果和事实抱有希望或者放任的意图。但是对其行为造成的危害程度和犯罪结果缺乏清晰的规定。另外，在司法实践中妨害传染病防治罪与以危险方法危害公共安全罪混淆不清，应将两个罪名进行明确的区分，对“违反防控措施”和“危险方法”做出具体规定，科学界定两个罪名。

3.科学调整传染病的类型

根据《传染病防治法》的相关规定，甲类传染病及乙类甲管的传染病都被认定为妨碍传染病防治罪中的法定传染病。针对影响严重的突发型传染病的界定，要在传播速度、传播范围、危害程度，以及感染率和死亡率等几个方面来判定其是否构成该罪。当下我国正值互联网高速发展时期，云计算、大数据、元宇宙等科技产业也日趋成熟，并广泛用于卫生数据统计、医疗数据建设、患者数字建档等方面。在突发公共卫生事件中，也应积极利用此类科技对公共卫生事件中的传染病进行精准的云计算，获得精准的数据统计和分析。

4.合理界定隐瞒病情导致传播的行为

突发公共卫生事件给人们带来异常的恐慌与不安，如某人被确诊为感染者，即使经过治疗已经痊愈，也会遭到周边人群的排斥和疏远，“故意隐瞒病情”往往又并非出于“故意”。在判定他们是否构成妨害传染病防治罪时，要充分考量其真实的心理动机和主观恶性，实现罪、责、刑三者的适应。

5.完善量刑规制

第一，要进一步细化妨害传染病防治罪实害犯与危险犯的法定标准。本罪中的实害犯与危险犯有着巨大的区别，造成甲类或乙类甲管的传染病疫情多人感染并进一步扩散，但并未规定后续被感染者因感染导致重伤或死亡的情形属于本罪的实害犯。而危险犯则是在没有造成大量人群感染病毒的前提下，造成了甲类或乙类甲管的传染病高度扩散的危险，其危险行为客观上造成了传染病感染和发病机率的增高。在对实害犯和危险犯进行区别判定的过程中，还要注意“造成传染病传播”“造成传染病传播危险”的区别，二者混淆会影响传染病防治罪准确认定。

第二，妨害传染病防治罪的刑事处罚应扩大罚金刑的适用范围。司法实践中，妨害传染病防治罪的罚金刑适用范围基本限于单位，并未将自然人包括在内。对于未造成实际传播的危险行为，应首先遵循以罚金刑为主、主刑为辅的原则进行处罚。反之，对于那些已经造成传染病进一步扩散的实害犯，结合情节按照刑法相关规定定罪量刑。尤其是针对本罪实害犯与危险犯，科学适用罚金刑和主刑以最大发挥刑罚作用的同时节约司法资源。

二、以危险方法危害公共安全罪

（一）以危险方法危害公共安全罪的概念

以危险方法危害公共安全罪，是指故意使用放火、决水、爆炸、投放危险物质以外的危险方法危害公共安全的行为。[①]以危险方法危害公共安全罪的犯罪形式、手段较多，因而以“其他危险方法”做概括性的规定。在司法实践中，适用本罪主要包括以下行为：向不特定人群开枪、实施爆炸和私设电网捕鱼、乘客妨害驾驶员正常驾驶的行为、驾车冲撞、驾驶员违规操作或擅离职守、故意传播传染病或者拒绝隔离和接受治疗等。[②]在突发公共事件中，本罪能有效威慑抗拒相关防控措施的行为，但也有扩大解释的弊端。在适用本罪时，司法介入应标准化、精细化，以便能够明确区分“公共安全”与“其他危险方法”的内在关系。

（二）以危险方法危害公共安全罪的构成要件

刑法对以危险方法危害公共安全罪构成要件做了规定，但突发公共卫生事件具有复杂性，要对其中特殊情况进行科学界定。

以危险方法危害公共安全罪所侵犯的客体是社会公共安全， 一般是指不特定多数人的生命、健康和财产及其他公共利益的安全。[③]当然也有学者认为公共安全中的“公共”，以“不特定”作为界定该词的关键要素不够科学，应当以“多数人”为核心进行理解，即多数是“公共”概念的核心。[④]因此应对在突发公共卫生事件之下的“公共安全”进行科学界定。一方面，要对“公共安全”不特定性进行科学认定。因为传染病在病毒传播的方式上是多种多样的，除了大众较为熟知的血液传播、呼吸道传播、消化系统传播、密切接触传播之外，还包括飞沫传播、性传播、母婴传播、飞沫传播、虫媒传播，以及人

①高铭暄，马克昌．刑法学 [M]. 北京：北京大学出版社，2017.

②2003 年 5 月 14 日《控制突发传染病疫情等灾害的刑事案件具体应用法律若干问题的解释》；2009 年 9 月 11 日《关于印发醉酒驾车犯罪法律适用指导意见及相关典型案例的通知》；2013 年 7 月 19 日《关于公安机关处置信访活动中违法犯罪行为适用法律的指导意见》；2017 年 1 月 25 日《关于办理组织、利用邪教组织破坏法律实施刑事案件适用法律若干问题的解释》； 2019 年 1 月 8 日《关于依法惩治妨害公共交通工具安全驾驶违法犯罪行为的指导意见》；2019 年 11 月 14 日《关于依法妥善审理高空抛物、坠物案件的意见》；《2020 年防控意见》等。

③陈明华．刑法学 [M]. 北京：中国政法大学出版社，1999.

④劳东燕．以危险方法危害公共安全罪的解释学研究 [J]. 政治与法律，2013（3）：24-35.

体分泌物、排泄物、呕吐物的传播。所以，想要完全排除一个人是否携带传染病病毒或者有过间接接触史就变得异常困难。另一方面，突发公共卫生事件背景下，对“公共安全”的理解和阐释上，应该重点侧重于“公共”二字。而对公共安全中“公共”的理解，恰如清华大学法学院劳东燕教授所主张的那样，应该侧重于“多数人”的核心意义。换言之，所谓“多数人”意在传染性病毒可能对大多数人集体构成生命与健康的潜在风险。要厘清公共安全和公共卫生安全的内在关系，才能够将本罪的客体“公共安全”和妨害传染病防治罪的客体“公共卫生安全”进行科学界定，以便在司法实践中准确适用。妨害传染病防治罪是妨害社会管理秩序的犯罪，属于法定犯，只需判断形式上是否违反传染病防治的管理制度即可，但是公共安全则不同，是需要进行实质性判断的。①例如，在2020年《关于做好新冠肺炎疫情常态化防控工作的指导意见》中所述，已确诊新冠病毒肺炎病患者或疑似病人拒绝或擅自脱离治疗，并进入公共场所和公共交通工具，足以对不特定人的身体健康和生命安全造成病毒感染的危险，客观行为就体现了危害公共安全的性质。除了公共卫生安全之外，公共安全还包括食品安全、交通安全、信息安全、建筑安全等相关方面。所以，公共卫生安全仅仅是公共安全的一个组成部分。

认定以危险方法危害公共安全罪，准确界定“其他危险方法”是关键。依据刑法相关规定，本罪在危险程度和危害结果上与放火罪、决水罪、爆炸罪和投放危险物质罪是相近的。以危险方法危害公共安全罪同样有着与以上罪名一样严重的危害结果和巨大的波及性，只是在具体的危险方法和手段上有别于“防火”“决水”“爆炸”等手段。以危险方法危害公共安全罪属于危险犯，即相关行为属于一种危险的状态，如不及时制止会产生严重的社会危害性。以侵犯客体产生损害危险程度为标准，危险犯可以分为具体危险犯和抽象危险犯两类。具体危险犯主要强调了“客观现实的危险”，要求危险具有现实转化性和具体性。而抽象危险犯则主要强调了“侵害法益的可能性”，只要求行为具有潜在的危险性质。在对以危险方法危害公共安全罪的具体判定过程中，应谨慎对待“具体危险犯”及“抽象危险犯”的区别，并且在实践中要结合具体的案例来进行判定。在突发公共卫生事件之下，以危险方法危害公共安全罪的客观方面主要体现为是否构成以危险方法危害公共安全罪，必须从行为人所造成的实际影响和结果来进行判定。采用危险方法危害公共安全的罪行在客观上主要表现为：如某些携带传染病病毒的人构成了以危险方法危害公共安全罪，需要产生具有实际意义的传播影响。首先，行为人应具备违反防疫措施的前提条件。如行为人在接受隔离或

①刘紫薇．涉疫情以危险方法危害公共安全罪适用研究[D].呼和浩特：内蒙古大学.2021.

接受治疗期间，没有能够遵守相关规定而造成了病毒的外泄，即使本人仍在隔离点或治疗点范围之内，行为人也应被认定为符合本罪中的“危险方法”。其次，行为人有故意或主动接触其他不特定人群的事实。例如行为人擅自离开隔离点或治疗点进入公共场所，或者行为人明知自身携带传染病病毒而仍旧搭乘公共交通工具，以上行为均具备了故意或主动接触不特定人群的事实。在这样的情况之下，则可以认为行为人已将抽象风险积极转化为具体风险了。

危险方法危害公共安全罪的适用主体为一般主体，即符合刑法规定的刑事责任年龄，并且具备刑事责任能力的自然人。根据2020年12月26日通过的刑法修正案（十一）的规定，年满十六周岁的具有刑事责任能力的自然人，应当负刑事责任。即“如果年满十四周岁，不满十六周岁，实施故意杀人、故意伤害致人重伤或者死亡、强奸、抢劫、贩卖毒品、放火、爆炸、投放危险物质罪的，应当负刑事责任。已满十二周岁，未满十四周岁的自然人，犯故意杀人、故意伤害、致人死亡，或者以特别恶劣手段致人重伤或严重残疾的，情形恶劣，经最高检核准追诉的，需要承担刑事责任。对依照前三款规定追究刑事责任的不满十八周岁的人，应当从轻或者减轻处罚”。在司法实践中，参考2020年《新冠疫情防控犯罪意见》，该罪的犯罪主体主要包括两类主体：一是“已经确诊的某种传染病病例或者某种传染病的病原携带者”；二是“某种传染病的疑似病人”。其中第二种的“病原携带者”，即未出现症状但经检测确诊的无症状感染者，或者可以简单理解为“确诊病例”和“疑似病例”，而“病原携带者”往往指的是疫情中未出现明显症状，但经过医学检测已经具备了该传染病特征的无症状感染者。

以危险方法危害公共安全罪的主观方面是故意，具体包括直接故意和间接故意。在突发公共卫生事件下，行为人大多是间接故意，即明知其所实施的系列行为会危害公共安全，对其行为所造成的危害社会公共安全的后果仍持放任的心理态度。在司法实践中，应杜绝对犯罪行为人过于单一和简单的判定，主张对行为人的行为心理、行为方式、行为手段认知程度和防护措施等进行多方面、多因素的全面判断。如何判定行为人的行为属于“直接故意”还是“间接故意”，取决于行为人是否存在对危险结果的积极追求。如果行为人明确知道个人的行为有可能造成他人感染传染病的，但仍旧积极追求危险结果的发生，则被判定为直接故意。如果行为人主观上并不存在对危险结果的积极追求，但是当发生了危险结果时却持放任态度，则被判定为间接故意。在本罪中判定行为人是否存在主观故意，关键要结合行为人对自身感染状态的认识程度。

（三）以危险方法危害公共安全罪的适用分析

1.“公共安全”范围的界定

（1）“公共安全”指的是关于大多数人、不特定人、不特定多数人的生命健康或重要的公共和私人财产的安全。在突发公共卫生事件之下科学界定“公共”的内涵需要结合“公共”和“安全”两方面。“公共”主要在于“不特定”和“多数”这两个要素之间的关系。关于“不特定”一词主要是针对遭受犯罪行为危害的群体是不特定的人，不仅包括侵害客体的不特定性，还包括遭受危害的客体及其结果是导致感染、导致确诊，还是导致死亡等危害程度上的不特定性。所以，这里所说的“不特定”应该具体包括了“侵害客体”和“危险结果”两个方面上的不特定。中国政法大学曲新久教授曾指出：“所谓‘不特定的人’，是指行为威胁到公众中不确定的一个或者几个人，因而具有社会危险性。至于行为所指向的对象是个别人、少数人还是多数人，危害结果是确定的还是不确定的，均不影响公共安全的认定。”[①] 由此可见，“不特定”除了“人”的因素之外，更关键的是它所带来的“不特定”的危险后果。即便犯罪行为的目标是具体的，只要犯罪行为有可能演变成不明确的危险结果，那么它就有可能威胁到公共安全。

“公共安全”中的“多数”，是一个不确定的数量，即行为人仅是针对某具体目标而实施的危险行为；从结果来看，这种潜在的危险极有可能致使不确定的多数人遭受危险结果，行为人的相关行为被视为对公共安全造成了潜在的危险。清华大学法学院张明楷教授提出：“危害公共安全罪是以危害公众的生命、健康等为内容的犯罪，故应注重行为对‘公众’利益的侵犯；刑法规定危害公共安全罪的目的，是将生命、身体等个人法益抽象为社会利益作为保护对象，所以应重视其社会性。‘公众’与‘社会性’势必要求重视量的多数。”[②]清华大学法学院劳东燕教授也认为“公共”的核心意义应体现在“多数人”上，即“公共安全”中的“公共”，应当以多数人为核心进行理解，即多数是“公共”概念的核心。[③]以危险方法危害公共安全罪，针对的群体为不特定数量的人，在较大范围内构成了对公共安全的危害。“多数”作为衡量危害公共安全犯罪中公共安全的重要准则，强调了“量”的意义。可见，“公共安全”具备社会属性，行为人在实施危害公共安全的行为过程中，其犯罪行为可能是具有一定倾向性的，或者是不具有一定的倾向性，只要是实施结果是不可控、不可预测的，即危害了“公共安全”。

（2）关于“安全”

关于“安全”，在“公共安全”的语境下，一般理解为广大人民群众生

---

①曲新久．论刑法中的“公共安全”[J]. 人民检察，2010（9）：17-23.

②张明楷．刑法学 [M]. 北京：法律出版社，2011.

③劳东燕．以危险方法危害公共安全罪的解释学研究 [J]. 政治与法律，2013（3）：24-35

命、人身及财产的安全。我国刑法中表述为“致人重伤、死亡或者使公私财产遭受重大损失”，这也是我国刑法中的实体性法益。从非实体性的法律利益角度看，“安全”可能涵盖公众在参与各种社会活动时的安全感、社会生活中的和谐秩序等，而此类“安全”不在“公共安全”法益的范畴之内。另外，本罪中的“安全”应特指本罪特定行为之下生命受到的威胁或相关权益受到严重侵害，如果仅仅是某人的利益或财产遭受严重侵犯，则不属于本罪中的“公共安全”。

（3）关于“公共场所”与“公共交通”

通常所说的“公共场所”，是指面向群众展开的系列活动提供或者开放广场、场馆等场馆和设施。例如博物馆、文化广场等市政设施。另外，“公共场所”也包含着国家、地方政府或某些商家，为大众提供的特定服务、便民服务、商业服务的场所，例如车站、机场、超市、商场、酒吧、健身房等开放性的场所。上述公共场所使用率较高、人员密集，尤其是在特殊时期会造成病毒的扩散。

在突发公共卫生事件中，确诊病例或无症状感染者如果进入人员拥挤的公共场所，会加大病毒传播的风险，符合以危险方法危害公共安全罪中规定的“公共场所”的条件。如果行为人是确诊病例或无症状感染者到空旷无人的地方，那么病毒传播的风险就会大大降低，也就不存在对公共安全造成危害的“危险方法”。

除了“公共场所”之外，“公共交通工具”也是容易造成“危险方法”实施的密集人员的载体，与广场、商场等“公共场所”相比，火车、飞机、公交车等“公共交通工具”从空间角度来看较为密闭，乘坐公共交通工具的人员流动大，特殊时期更加速了病毒的扩散。此外，网约车作为共享经济的典型代表，为广大消费者提供了便捷、高效的出行服务。在特殊时期网约车司机会接触到具有不确定性的疑似病例、确诊病例或无症状感染者，因此网约车同样具有传统公共交通工具存在的“危险”传播。

2.科学认定“其他危险方法”

结合刑法中的相关规定，应当科学界定突发公共卫生事件下危害公共安全罪中的“其他危险方法”。

第一，在突发公共卫生事件背景之下，“危险方法”即携带传染病病毒进行传播的行为。一方面，行为人应当具备传播传染病病毒的可能性、可能给他人造成传染病病毒感染的危险性，这是对“其他危险方法”认定的首要条件。行为人如果是传染病的确诊病例或病原携带者，那么其肆意行动会致使公共安全陷入危险状态。另一方面，行为人如果有某流行病史并已经出现了某些临床症状，还选择刻意隐瞒病情或隐瞒个人行程，其行为就具备“以危险方法”传播病原体的行为，同样构成本罪。如果行为人没有隐瞒病症和接触史，个人积极采取防护措施，仅出于就医目的外出，且就医过程中主动避免与他人的接触，则不具备危害公共安全的故意。

第二，结合2020年2月最高人民法院、最高人民检察院、公安部、司法部出台的《关于依法惩治妨害新型冠状病毒感染肺炎疫情防控违法犯罪的意见》的规定，造成病毒传播主要是由于行为人不遵守隔离要求，随意进入公共领域的行为。当行为人所采用的“危险方法”对公共安全进行危害，直接致使传染病毒传播，行为人实施“一次”而无需“多次”便可构成本罪。如某传染病确诊患者没有得到许可便私自从隔离区或治疗中心离开，乘坐公共交通工具或者进入公共区域，从首次“进入”或“乘坐”之时起，“危险方法”已经开始实施。另外，如行为人携带传染病病毒在某一特定场所针对特定人，采用“吐口水”的“危险方法”直接导致病毒继续传播和扩散。即使该行为人在主观意图上没有对公共安全造成危害，但其相关行为间接导致公共安全陷入危险状态，因此该行为人应对此承担相应的刑事责任。

三、妨害公务罪

在突发公共卫生事件的背景之下，准确使用妨害公务罪对于有效打击犯罪、保障防控工作的有序进行尤为重要。

（一）妨害公务罪的概念

妨害公务罪，是指以暴力、威胁方法阻碍国家机关工作人员、人大代表依法执行职务，或是在自然灾害和突发事件中，以暴力、威胁方法阻碍红十字会工作人员依法履行职责，以及故意阻碍国家安全机关、公安机关依法执行国家安全工作任务，虽未使用暴力、威胁方法，但未造成严重后果的行为。[①]

（二）妨害公务罪的构成要件

妨害公务罪侵害的犯罪客体为国家对公共活动和公务活动的管理。犯罪的对象则为各级国家机关相关行政人员，在突发公共卫生事件背景下，“国家机关工作人员”具体分以下三类：一是具有疫情防控行政管理职权的组织中从事公务的人员；二是受国家机关委托代表国家机关行使疫情防控职权的组织中从事公务的人员；三是未列入国家机关人员编制但在国家机关中从事疫情防控公务的人员。[②]

妨害公务罪的客观方面主要表现在如下几点：首先是行为人有针对性地对正在执行公务的国家机关工作人员，采取暴力或威胁的手段阻碍致使其所执行公务

①高铭暄，马克昌．刑法学[M]．北京：北京大学出版社，2016.

②王杰．后疫情时代妨害公务罪适用的反思[J]．湖北经济学院学报（人文社会科学版），2021（5）：108-112.

暂停、中止或产生了其他不可控的严重后果。在突发公共卫生事件之下，通常表现为使用暴力、威胁的手段阻碍防控工作人员的防控工作。其次，如果行为人在行为方式上采取暴力殴打、非法限制人身自由、打砸用于执行公务物品等暴力手段，从而阻碍国家机关工作人员无法依法执行公务甚至对身体造成损害。另外，妨害公务罪还包括一种情形，即行为人采取证据灭失、隐匿或转移赃款赃物等手段，导致国家机关工作人员无法顺利执行公务的行为。

妨害公务罪的犯罪主体为一般主体，即年满十六周岁具有刑事责任能力的自然人。

妨害公务罪的主观上表现为故意。

（三）妨害公务罪的适用分析

我国《刑法》第六章“妨害社会管理秩序罪”第一节“扰乱公共秩序罪”第二百七十七条为“妨害公务罪”，其刑事立法的目的是维护社会秩序，为行政机关工作人员执行公务提供重要保障。突发公共卫生事件背景之下，筛查、隔离、治疗、防控工作在一定程度上会影响人民群众的正常生活，会有个别行为人拒不配合相关的检疫、隔离防控规定，与相关工作人员发生冲突，情节严重的甚至会影响疫情防控工作。

1.科学认定妨害公务罪侵犯的对象

为了精准高效地应对新型冠状病毒疫情，国务院在2020年5月制定和印发了《关于做好新冠肺炎疫情常态化防控工作的指导意见》，其中对突发公共卫生事件期间妨害公务罪中国家机关工作人员的范围明确限定为以下三类人员：“第一类是在依照法律、法规规定行使国家有关疫情防控行政管理职权的组织中从事公务的人员；第二类是在受国家机关委托代表国家机关行使疫情防控职权的组织中从事公务的人员；第三类是虽未列入国家机关人员编制但在国家机关中从事疫情防控公务的人员。”

第一类，以下简称为“法定型疫情防控公务人员”，首先应当是按照法律进行防疫任务的特定机构，其次是在该组织内执行公务活动。根据《传染病防治法》的相关规定，国务院的卫生管理部门负责监督和管理全国的传染病预防和控制工作。县级或更高级别的地方人民政府的卫生管理部门负责监督和管理本行政区内传染病的预防和控制工作。县级或更高级别的人民政府的其他部门应在其职责范围内负责传染病的预防和治疗工作。可见，所有参与县级及以上地方政府各部门防疫工作的人员，都是公共卫生事件防控期间的国家机关工作人员，这类人员通常都享有国家的正式编制，因此在实际操作中没有争议。此外，在《传染病防治法》中也有明确的规定，如果卫生行政部门、其他相关部门、疾病预防控制机构和医疗机构因非法执行行政管理或预防、控制措施，侵犯了单位和个人的合法权益，相关单位和个人有权依法申请行政复议或提起诉讼。由此可见，在紧急状态下，医疗机构和疾病防控机构同样具备依法行使公共卫生应急权，所以，此类工作人员也应视为国家机关工作人员。

第二类，以下简称为“委托型疫情防控公务人员”，涉及乡镇政府、街道办、居委会、村委会，乃至物业公司、民间公益组织、民间救援队、志愿者团队等，以上人员在突发公共卫生事件中均有可能参与到防控任务中，应从以下方面界定。

一是授权实体方面。新型冠状病毒感染期间为了高效防控，“国家机关工作人员”的定义往往是被扩大化的，但是因防控所需的扩大化，并不是无限制、无标准的。这里涉及一个严格的界限，即被委托行使应急权的实体，必须是具有合法疫情防控管理权限的国家机构。“扩大化”并非指扩大到所有国家机关都具备疫情防控的委托权。只有那些拥有疫情防控管理权限的国家机构，才能对防疫工作有深入和全面地了解。这些机构内部拥有技术娴熟和专业知识扎实的员工，他们能从专业的视角来判断哪些组织应被赋予防疫职权。

二是委托协议方面。授权实体与相关防疫机构之间，应具有合乎法律、合乎相关防疫政策的委托协议，并在委托时间、委托内容、委托范围等相关方面做明确具体的规定。例如，江苏省曾明确指出，“乡镇人民政府和街道办事处应当指导居（村）委会做好有关疫情防控工作，居（村）委会应当服从政府统一指挥，落实相关防控措施，协助做好疫情防控宣传教育、健康告知、人员往来情况摸排、人员健康监测等工作，及时收集、登记、核实、报送相关信息”。显然该文件中指出的乡镇政府属于国家的基础行政机构，而街道办事处则是政府的下级机构。在应对疫情的过程中，这两家的核心任务是组织并引导居（村）委会开展防疫工作。我国多数农村地区的村民委员会，相对于城市的街道办事处和居民委员会来说，在管理能力、执行能力方面都有着显著的不足，并且村民委员会和居民委员会均属于群众自治组织，而并非行政部门。因此，在疫情暴发时，乡镇人大代表不仅需要根据自己的职责向上级人大汇报疫情的防控进展，而且还应受到县级及以上各级人民代表大会及其常务委员会的监督。

三是执行任务方面。“委托型疫情防控公务人员”必须执行疫情预防和控制相关的官方任务。对这类人员的认定应结合其是否为疫情防控一线工作者，以及能否作为协助政府做好新冠肺炎防治工作的重要力量两个方面进行分析。在疫情防控期间妨碍公务罪的犯罪对象，不能将所有代表国家进行疫情防控的单位工作人员都划归在内。而那些在被委派的机构中负责常规管理和其他基础服务的员工，他们的身份始终未发生改变。此外，此类人员也不能成为本罪主体范围内的

“非直接责任人员”。依法被界定为疫情防控期间的国家机关工作人员，从所执行任务方面来看，应为从事防疫、检疫和强制隔离等相关公务。

第三类人员，即“编外型疫情防控应急人员”。紧急状态下，为了高效落实防控政策、节约社会资源，行政机关中的部分合同制、劳务派遣的工作人员会参与到防控工作中。

2.“暴力”“威胁”行为的认定

（1）“暴力”的界定

在突发公共卫生事件中，“直接暴力”通常表现为无端的暴力推搡、拳打脚踢等行为，致使公务人员暂停或被迫停止工作。而“间接暴力”通常表现为行为人采取暴力手段对防疫设施、防疫设备实施的暴力破坏行为，如砸坏电脑、推翻办公桌、损坏执法记录仪等行为，使得公务人员暂停或被迫停止相关公务活动。也有学者认为，妨害公务罪中的“暴力”还应当将无形力囊括其中，诸如对公务人员实施的催眠、灌醉、麻醉等行为。[①]

（2）“威胁”的界定

“威胁”在妨害公务罪中包括肢体动作威胁和口头威胁。结合突发公共卫生事件中的相关案例，“威胁”主要表现为以下方式：恶性持械威胁行为、恶性恐吓威胁行为和辱骂毁谤威胁行为。持械威胁行为主要表现为行为人持有棍棒、刀具等带有杀伤力的器械当众对国家机关公务人员进行威胁，从而导致正在执行防控措施的公务人员不得不暂停或放弃所执行的防疫任务。恐吓威胁行为主要表现为行为人采用某些语言或行动对公务人员进行威胁，如扬言自己“什么都不怕”“死都不怕”等言语，或要求对防疫工作人员进行无端的制裁和处理。辱骂毁谤威胁行为则主要表现为行为人以语言输出为主，对国家机关公务人员进行辱骂、侮辱和诽谤的威胁行为。一般来看，语言性质的辱骂和攻击并不能直接带来防疫工作的实质性阻碍和停滞。从突发公共卫生事件的特殊性、紧急性来看，以上行为会给防控工作带来诸多的干扰，如不及时进行刑事规制，会严重影响防控工作的顺利进行。

（3）“暴力”“威胁”行为的程度

对突发公共卫生事件背景下“暴力”“威胁”的程度予以科学认定，才能够准确无误地适用刑罚。“暴力”“威胁”的程度问题，学术界主要有抽象危险犯、具体危险犯和实害犯三种观点。持抽象危险犯观点的学者认为，只要行为人的暴力、威胁行为可能影响公务人员执行公务便可视为达到了妨害公务的事实。持具体危险犯观点的学者则认为，“暴力”“威胁”的程度应达到明显的难以履

①张利兆．析妨害公务罪的暴力、威胁手段[J]．法学，2004（10）：119-123.

行公务，并在执行公务时已面临巨大的困难。持实害犯观点的学者认为，行为人采取的“暴力”“威胁”在程度上已经致使公务人员完全不能继续履行公务。结合当前司法实践及“暴力”“威胁”在不同程度上带给防控工作人员的具体危害性分析，上述观点中“具体危险犯”的观点更为妥当，即行为人首先必须实际进行了“暴力”“威胁”的行为，并且导致了执行防疫工作人员无法正常开展防控工作的结果。如果“暴力”“威胁”程度相对较轻，不足以妨碍防疫人员继续进行防控工作，可以选择其他手段进行警示和教育。

3. 量刑规制

2021年7月1日实施的《关于常见犯罪的量刑指导意见》（试行），对构成妨害公务罪的刑罚做出了具体的规定：构成妨害公务罪的，在二年以下有期徒刑、拘役幅度内确定量刑起点；在量刑起点的基础上，可以根据妨害公务造成的后果、犯罪情节严重程度等其他影响犯罪构成的犯罪事实增加刑罚量，确定基准刑；构成妨害公务罪的，依法单处罚金的，根据妨害公务的手段、危害后果、造成的人身伤害以及财物毁损情况等犯罪情节，综合考虑被告人缴纳罚金的能力，决定罚金数额；构成妨碍公务罪的，综合考虑妨害公务的手段、造成的人身伤害、财物的毁损及社会影响等犯罪事实、量刑情节，以及被告人主观恶性、人身危险性、认罪悔罪表现等因素，决定缓刑的适用。

妨害公务罪是一种常见的侵害社会管理秩序类犯罪，尤其是在突发公共卫生事件之下，为了有效维护公共安全和人民群众的利益，国家公务人员在执行公务的过程中必须维护国家行为的权威性，更要切实保护国家机关执法人员的自身安全和紧急状态下的公众利益。为了更见成效地威慑和警示未来可能出现的妨碍公共卫生的犯罪行为，我们应该适当提高这一罪行的刑罚标准。具体来说，可以将妨害公务罪的刑罚提升至五年或七年有期徒刑，这样可以增强对那些影响或妨碍防疫措施对犯罪行为的震慑，从而更好地保护广大人民群众的利益。

四、传染病防治失职罪

（一）传染病防治失职罪的概念

传染病防治失职罪属于渎职罪之一。我国《刑法》第四百〇九条规定，“从事传染病防治的政府卫生行政部门的工作人员严重不负责任，导致传染病传播或者流行，情节严重的，处三年以下有期徒刑或者拘役”。刑法中的传染病防治失职罪，是针对传染病防治主体实施渎职行为的主要罪名。在突发公共卫生事件背景下，本罪与一般行为人及其所实施的妨碍疫情防控的犯罪行为相比，因其特殊的主体和其所实施的渎职行为，对于防控工作来说具有更大的社会危害性。

（二）传染病防治失职罪的构成要件

传染病防治失职罪所侵犯的客体是传染病及其他各类公共卫生事件防控防治的系列管理制度。传染病引发的疫情不仅会危害人们的身体健康和日常生活，还在不同程度上影响社会秩序。疫情之下社会群众恐惧、焦虑，相关卫生行政机关肩负起防控职责，此时如果相关工作人员不负责、不作为，会严重影响防控工作的顺利进行。

传染病防治失职罪的主体是特定的主体，即参与和从事疫情防控、防治的相关卫生行政部门的公务人员。

传染病防治失职罪在客观方面主要是疫情防控和防治期间卫生行政机关的工作人员的失职行为。传染病防治失职罪是一种只针对犯罪结果的定罪，是否构成传染病防治失职罪，关键在于对客观行为导致的后果是否涉及行政违法。

（三）传染病防治失职罪的完善

1.扩大犯罪主体的范围

在突发公共卫生事件下有效发挥传染病防治失职罪的作用，要扩大本罪犯罪主体范围，具体应当参考现行《传染病防治法》的相关规定。在职务层面上，负责防治传染病的主体主要划分为以下几类：首先是在各级人民政府中从事传染病防控的工作人员，主要领导当地传染病防控工作；第二类是在政府各部门具有传染病防控职责的人员；第三类是在军队中从事传染病防控职责的工作人员；第四类是疾病预防控制机构内从事相关工作的人员；第五类是医疗机构内从事传染病相关工作的人员；第六类是根据《2003年司法解释》相关规定，具有传染病防治职责的准国家机关工作人员。仅有第二类“政府各部门具有传染病防控职责的人员”适用于本罪的主体，另外五类人员如在疫情防控期间涉嫌玩忽职守或滥用职权等行为，并不适用于传染病防治失职罪，而应以玩忽职守罪或者滥用职权罪判定。

2.调整入罪标准

从《传染病防治法》《突发公共卫生事件应急条例》等法律法规来看，在疫情防控、防治期间因某些失职行为导致危险结果产生的相关公务人员，于刑事责任的承担方面可能涉及三个罪名，玩忽职守罪、滥用职权罪和传染病防治失职罪，这三个罪名的犯罪行为均要求实际伤害结果的发生。关于“法律责任”在《传染病防治法》相关章节的表述来看，突发公共卫生事件中的疫情预防的法律责任，可以按照两个层面进行区分：一是“管理型”机构，即具备行政管理权的公共卫生防控防治机构，及其所需承担的预警、防控、监管等相关责任和义务。二是“一般型”机构，即在传染病的预防和治疗过程中，负责一般性质防治工作的机构及其所需遵守的相关职责和义务。其中，“公共卫生安全”和“社会公共利益”两个方面构成了一般防治主体承担传染病防治义务的前提。依据刑法的相关规定，上文中所说的

“管理型”机构在渎职犯罪方面，或将以滥用职权罪、玩忽职守罪、传染病防治失职罪进行判定，而此类罪名中并未涉及“危险犯”。而“一般型”机构，如在实际工作中涉嫌实施了妨碍传染病防治的相关行为，可以从行为方式、行为意图以及危害结果、危害程度方面综合考量，或将被判定为妨害传染病防治、以危险方式危害公共安全、妨害国境卫生检疫等相关罪名。而“危险犯”这一法律术语均在以上三个罪名的具体规定中有所涉及。可见在司法实践当中，将“情节严重”作为认定本罪的标准是不够科学的。因此在后续对传染病防治失职罪修订中，有必要加入关于危险犯的相关条款，将降低该罪的入罪标准。

3. 刑罚配置的进一步完善

首先，应将危险犯增设为基础犯罪，并在第一级别内配置相应的刑罚。在其“造成疫情扩散”“造成传染病传播”“处三年以下有期徒刑”“判处拘役”等关键词上进行具体表述。同时在刑法总则中增加一个独立罪名——传染病防治渎职罪。由于增加了危险犯的设置，传染病的预防和控制渎职犯罪在这种情况下所带来的危害相对较小，因此对该罪的刑罚不宜过高。

其次，第二个级别的犯罪结果应作为刑罚配置的重要参考。即：如果犯罪行为导致传染病的传播或流行，将被判处三年以上但不超过十年的有期徒刑。结合当下城市之间人口流动频繁，若遇突发性公共卫生事件，科学界定失职犯罪的行为后果对杜绝特殊时期的渎职行为意义重大。在刑罚配置上也应适当提高，第二类的刑罚更为适宜，或经综合考量改设为“三至十年有期徒刑”的刑罚。

最后，第三级别的犯罪行为因“造成非常严重的后果”，所以其刑罚配置上应为“处十年以上有期徒刑”。

除上述问题之外，是否附加“罚金刑”也是当前学界关注的问题。从犯罪主体角度来说，公务人员的犯罪如果能用罚金的形式进行处罚，对于群众来说有失公允，势必会造成公务人员用金钱逃避责任的负面影响。传染病防治失职罪不属于职务侵占罪的对象，因此，在传染病的预防和治疗中，渎职的犯罪行为也不应受到罚金刑的处罚。

第三节　突发公共卫生事件下网络谣言的刑法规制

一、网络谣言的概念

谣言是指没有事实根据的消息。网络谣言是指通过网络介质（例如微博、国外网站、网络论坛、社交网站、聊天软件等）传播的没有事实根据的传闻。突发公共卫生事件网络谣言主要是指在网络上编造、散布或传播与突发公共卫生事件相关的、未经核验的虚构消息，主要涉及人民群众急需了解的、与各自利益密切相关的信息。当前信息技术迅猛发展，在每个人都可以发表自己看法的网络环境下，受众范围不断增大，网络谣言问题不断冲击着主流意识形态的安全防线。与其他网络谣言相比较来说，在突发公共卫生事件背景之下，网络谣言大多涉及医疗、健康和疫情防控等敏感内容，更容易吸引大家的眼球，传播更加迅猛，甚至会导致在某个范围的恐慌，扰乱正常管理秩序，造成更为恶劣的社会影响，在特殊时期高效治理突发公共卫生事件网络谣言尤为迫切。

二、突发公共卫生事件下网络谣言的源起

（一）民众动态信息需求

在突发公共卫生事件中，防控动态、防控进展等信息和人们切身利益息息相关，尤其是在特殊时期，公众对信息的更新有特殊的需求。在此前提下各类猜测、演绎、杜撰、编造的信息通过新媒体平台、自媒体平台、社交软件、短视频平台等蜂拥而至。这种类型的谣言关注的是与每个人的生命健康和公共卫生安全紧密相关的信息。如果这些信息不能得到及时的反馈，那么这些谣言可能会被肆意传播，带来极大的负面效应。

（二）动态信息的不对称

突发公共卫生事件下，官方媒体发布的信息因程序、审查审核制度与发布程序等不同因素，时间上存在一定的滞后性。而当下全媒体时代，新媒体、自媒体平台在随机发布、随时发布上有着一定的优势，公众获得的部分动态信息与官方媒体发布的权威消息存在着不对称的因素。同时因为官方媒体的信息发布缺少了与群众的互动性，所以大量互联网用户常会选择非权威性的平台来更深入地关注对某一事件的解读。但这些解读往往是基于个人的观点，并不能保证其专业性，由此造成了大量不真实的信息通过微博、微信等自媒体平台一传再传，越传越“离谱”，从而制造了大量的网络谣言。这类网络谣言与官方媒体的权威发布在接收时间上存在差异，很容易被公众解读为官方有意隐瞒的信息，从而引发部分群众质疑相关行政部门的公信力，无形之中更加速了传播。

（三）网络利益中对流量的盲从

在新媒体时代，从平台到运营再到自媒体人，口口声声喊着“内容为王”，却时时不忘对“流量”的渴望，并绞尽脑汁寻求“流量密码”。在这种情况下，部分平台出于对流量、对利益的追求，便杜撰了吸人眼球的不实“新闻”，进行网络上的炒作与传播，人为地制造某些“捕风捉影”的社会焦点话题进行传播，人为地制作某些“空穴来风”的事关社会事件的谣言进行散布。这些行为事实上

已经否定了“内容为王”，而变成了利用歪曲事实、肆意编造网络谣言来实现对流量的无限追求。

（四）社会焦虑情绪的普遍存在

在当下微博、微信、短视频等多种社交软件、媒体平台中，客观存在着大量的非理性信息，无形中加剧着社会焦虑情绪和谣言的传播。特别是在面对突如其来的公共卫生事件时，人们的焦虑情绪会被放大，他们往往会尝试通过网络空间来寻找缓解个人情绪波动和焦虑的办法。网络空间里不仅有真诚善良的一面，更有虚假、虚拟的一面，如何在网络世界中寻找到心灵的慰藉，一方面需要网络空间的净化；另一方面则需要个人的理性思维、理性选择和理性判断。

三、突发公共卫生事件下网络谣言的危害

突发公共卫生事件下的网络谣言对社会秩序会带来更多的负面效应，会不同程度地影响防控工作。

（一）影响政府公信力

突发公共卫生事件下，网络谣言严重影响有关行政部门的正常工作秩序。政府的相关部门不仅要应对对信息有巨大需求的群众，还需要进行不实信息的处理，这导致系列防控政策难以顺利进行，甚至可能会大大削弱突发公共卫生事件的管理效果。从某种意义上讲，这也意味着政府公信力的受损。除此之外，公众对政府的不信任不仅表现在现实中的不合作和不理解，还表现在网络谣言越来越多且传播速度越来越快，为政府公信力带来较多的负面影响。

（二）引发社会恐慌

网络谣言通过信息传递和人际互动，将原本分散在不同群体之中的人们联系起来，形成一种特殊的“群聚”现象。特殊时期，网络谣言的传播极有可能激起人们的恐慌情绪，导致人们判断力降低，日常生活受到很大影响。在网络谣言的负面效应之下，小事情也有可能演变为公共危机，这不仅损害了公众的权益，同时也削弱了政府和民众应对疫情的能力。

四、突发公共卫生事件中的网络谣言治理思路

（一）依法治理

依法治理是严格遵循依法治国的原则，并依据法律的规定来对网络上的谣言进行管理和控制。在处理突发公共卫生事件中的网络谣言时，司法和执法是两个关键环节，主要会涉及的法律涵盖《刑法》《中华人民共和国民法典》《传染病防治法》《治安管理处罚法》《突发公共卫生事件应急条例》以及相关的司法解释。从司法的角度看，当司法机关处理与网络谣言相关的违法行为时，其主要任

务是明确区分犯罪与非犯罪的边界。特殊时期处理突发网络谣言时，相关部门应根据网络谣言传播的具体内容、当事人的主观意识及造成社会危害的程度等多个因素审慎做出剥夺个人自由的处罚。

网络监管部门应在发现“谣言”苗头后迅速采取措施来阻止其传播，要对已经演变成网络谣言的信息进行及时处理，以防止其大规模传播。此外，还需要采取如封禁和删除账号等强制性措施，以避免网络谣言的蔓延。网络谣言具有突发性和危害性等特点，恶意传播者必须受到法律制裁。在认定造谣和传谣倾向时，需要明确区分其言论对公共秩序造成的潜在威胁。网络执法机构还应该建立有效的沟通协调机制，及时了解广大群众的诉求和意见。除此之外，网络平台也需要进一步完善申诉方式和救济途径，以最大限度保障公民的合法权益。

（二）溯源治理

网络谣言传播的过程通常可分为三个阶段：网络谣言的捏造、网络谣言的传播和网络谣言的爆发。溯源治理是指在信息传播的早期阶段，及时采取有效措施来阻止或消除这些谣言。网络平台是重要源头之一，一方面看，当用户首次进行注册时，网络平台应当采用实名注册，尽可能全面登记用户资料，以确保能够迅速地对传播谣言的用户进行管理；另一方面，网络平台应当不断提升信息技术手段，例如过滤敏感词汇、实时监控和屏蔽相关信息等，切断传播的可能性。此外，平台还应周期性地对网络环境进行全面评估，删除垃圾和不真实的信息，并及时对相关用户发出警告、降低其信誉或封禁账号，以最大限度地减少不实信息的产生可能性。对于严重的情况，可以将其交由公安机关进行处理。同时还需拓宽公众投诉和举报的渠道，能够及时向平台反馈那些可能引导公众舆论的、极端的、明显与科学不符的、断章取义的信息，以更精确地进行事前和事中的治理。

（三）分类治理

在突发的公共卫生事件下，网络谣言的数量和内容相对复杂，需要对其进行分类管理，因为只有针对不同种类的网络谣言进行有针对性的治理，才能达到最优的治理效果。根据传谣者的恶意意图、传播的目标、是否有经济利益、社会后果等因素，我们可以将其分类为“无须治理”“应当治理”和“必须治理”三个级别，并据此确定包括命令删除、道歉、账户注销、行政惩罚、刑罚的治理策略。

五、网络谣言的刑法规制现状

我国刑法中涉及网络谣言的罪名主要涵盖编造、故意传播虚假信息罪，编造、故意传播虚假恐怖信息罪，诽谤罪和寻衅滋事罪。2003年的《最高人民法院、最高人民检察院关于办理妨害预防、控制突发传染病疫情等灾害的刑事案件具体应用法律若干问题的解释》（法释〔2003〕8号）将制造和传播与突发传染病疫情相关的虚假信息的行为认定为制造和故意传播虚假恐怖信息罪。刑事法律对网络谣言的刑事规制加强，有效维护了社会秩序。

在刑法视角下，网络谣言的行为方式具有隐蔽性强、危害后果严重、社会危害性大等特点。特殊时期遏制网络谣言的肆意传播，应充分发挥刑法应有的威慑效果，避免网络谣言给社会带来更大危害。

六、完善突发公共卫生事件下网络谣言刑法规制的对策

（一）健全刑事法律体系，确保司法机关有法可依

1.完善刑法规制网络谣言的罪名体系

首先，需要对网络谣言犯罪进行明确的定义，这是至关重要的第一步。网络谣言犯罪具有其独特性，因此必须根据其具体特点来制定相应的法律条文。在定义过程中，需要对犯罪主体、主观方面、犯罪客体、犯罪客观方面予以清晰规定，使刑法对网络谣言的打击更具针对性，更能有效地维护法律的公正性和准确性，保护公民的合法权益不受网络谣言的侵害。其次，需要区分网络空间和现实空间的差异性。通过出台相关的法律解释，对网络空间进行明确的定义，以确保新增的罪名能够与网络犯罪的特点相吻合，这将有助于更精确地打击网络谣言犯罪，保护网络环境的清朗。再次，必须认真对待司法机关在划分罪与非罪、此罪与彼罪的界限时可能出现的困惑。这种困惑不仅会影响司法的公正性，还可能损害公民的合法权益。因此，在立法过程中，应对相关法律规定进行细致的补充和完善，以明确划分各种罪名的界限，并限制司法人员的自由裁量权。最后，随着网络犯罪手段的不断更新，也应及时更新犯罪构成，将新型网络犯罪特征纳入考虑范围。例如，对于利用“网络水军”等职业网络写手实施的造谣引流、舆情敲诈、有偿删帖等违法犯罪行为，可以考虑设立新的罪名，或者在现有罪名下增设相应的规定，以更好地应对这些新型网络犯罪。

2.适度扩大责任主体的范围

我国现行刑法存在责任主体范围过窄的特点，应当适度扩大责任主体范围。目前我国对于谣言类犯罪的责任主体主要是一般责任主体和个别的“身份犯”。“网络水军”、公关公司等一般都不属于责任主体。我国《民法典》对网络服务提供者的监管权力和义务进行了详细规定，网络服务的提供者是网络平台的管理服务人员，在专业知识方面比常人更有优势，在发现造谣者发布网络谣言后，及时删除谣言，防止谣言的进一步扩散，会减小网络谣言带来的负面影响。若网络服务管理者不履行义务，明知是网络谣言不删除而导致影响进一步扩大，则说明网络服务管理者具有一定的恶意。《民法典》已将网络服务管理者列为责任主体

的范围，现行刑法也应该将网络服务管理者纳入责任主体的范围内，使网络服务管理者承担起应有的义务，让更多的责任方肩负应有的义务。

3.清晰界定刑事规制边界

确定犯罪与违法行为的界限。要明确“虚假信息”内涵，这与认定罪与非罪尤为重要。虚假信息，一是不真实，也就是同实际情况不相符，这需要结合具体的情况来认定；二是对公众来说具有一定的误导性，尤其是在特殊时期易引起他人转发，加快了传播的速度。结合刑法谦抑原则，虚假信息的传播具有较大社会危害性，或严重扰乱公共秩序方可列到刑法规制范围之内。

4.明确“造成公共秩序严重混乱或严重扰乱社会秩序”的认定标准。

由于刑法及司法解释没有明确给予认定，导致了司法实践中认定不一，因此应当细化“造成公共秩序严重混乱”及“严重扰乱社会秩序”的认定标准，为科学确定入罪标准打下基础。完善认定标准时可结合以下情形：一方面可以结合对公共秩序的实际损害，比如相关虚假信息是否对相关行政机关、社会经济组织的正常运行、群众的正常生活等带来较大不利影响等方面判断；另一方面可以结合是否对网络空间秩序造成负面影响，比如从点击、转发次数、评论数量等方面衡量虚假信息所造成的危害程度。

5.健全刑罚体系

一是与网络谣言相关的罪名如涉嫌损害商业信誉、商品声誉罪和诽谤罪、侮辱罪等刑期相对较短，可以结合实际情况适当延长刑期。根据我国刑法的相关规定，诽谤罪的最高法定刑期规定为三年，当网络谣言涉嫌诽谤罪时，即使情节严重，行为至多承担三年的有期徒刑。然而，突发公共卫生事件之下，网络谣言对公共安全产生的负面效应巨大，最高三年的法定刑期几乎无法起到惩罚、惩戒的效果，建议延长刑期。

二是对寻衅滋事罪，非法经营罪，捏造、故意传播虚假信息罪和编造故意传播虚假恐怖信息罪中附加的剥夺政治权利条款。根据我国刑法的相关规定，编造虚假的险情、疫情、灾情、警情，在信息网络或者其他媒体上传播，或者明知是上述虚假信息，故意在信息网络或者其他媒体上传播，严重扰乱社会秩序的，处三年以下有期徒刑、拘役或者管制；造成严重后果的，处三年以上七年以下有期徒刑。在惩治此类犯罪行为时可以增加适用剥夺政治权利，达到惩治的效果。

三是增加关于捏造、故意传播虚假信息罪，编造、故意传播虚假恐怖信息罪以及寻衅滋事罪附加罚金刑。如果在突发公共卫生事件背景之下，捏造、编造、故意传播虚假信息、恐怖信息的行为所造成的社会负面影响难以迅速消除，给相关行政部门、网络平台责任方带来巨大的压力，对行为人的刑罚可增设罚金刑，也可以更有效地打击犯罪。

四是加强行政立法。当前规制网络谣言的法规大多散见于《治安管理处罚法》，应当针对突发公共卫生事件网络谣言进行专项规定，并且着重突出以下方面：一是明确特殊时期网络谣言的具体范围、范围和行政处罚的标准；二是结合“扰乱公共秩序”的具体情形确定处罚种类、具体情节，增强处罚规定的可操作性；三是加大处罚力度，即在现有处罚之上，考虑具体情节、社会危害程度，适当提升处罚幅度，对危害极大的情形，加重处罚。

（二）提升治理法治化的水平

第一，深入推进网络警察执法队伍。公安机关承担净化网络空间的重要职责，网络警察是预防、打击网络谣言违法犯罪的重要力量。一方面，完善网络安全执法机构及其权限设置。当前，我国公安机关网络安全执法部门及其职权范围有限，甚至有的地区未设置专门的网络安全执法机构，网络警察执法权限缺乏清晰的界定，在一定程度上影响网络谣言的刑事规制。因此，各地公安机关应当统一设置专门的网络安全执法机构，明确其执法权限，科学调整内部分工。另一方面，提升网络警察执法素养。

第二，完善常态化的培训机制，培养法治思维，确保始终坚持依法治理。与此同时，完善错案追究制度，增强办案人员责任感，准确、高效处置突发公共卫生事件网络谣言违法犯罪行为。

（三）加强协同治理体系建设

第一，加强与相关行政机关、社会组织的合作。突发公共卫生事件背景之下净化网络空间涉及网信部门、卫生部门等多部门，公安机关应加强与相关部门之间的协同合作，深入推进网络谣言协同治理。同时还应当与人民检察院、人民法院高效配合，确保刑事追诉顺利进行。公安机关还应加强与社会组织的协作。在特殊时期，公安机关应积极与社会组织、新闻媒体、网络社交平台等机构建立网络谣言治理联席会议长效机制，高效发挥协同治理的优势。

第二，完善公众参与网络谣言治理机制。一是畅通公众参与治理的路径，积极鼓励人民群众提供线索的同时也监督司法机关处理网络谣言违法犯罪行为是否公正，完善网络谣言违法犯罪听证制度等。二是建立宣传教育长效机制。公安机关可以组织各行各业工作人员通过微博和公众号等线上方式，以及社区法治宣讲、普法教育、解析典型案例等线下方式共同参与志愿者活动，加入净化网络空间的宣传活动，加强人民群众的法治观点、提升大家的责任担当意识，自觉抵制网络谣言，齐心协力净化网络空间。

（四）优化科技治理路径

第一，强化现代信息技术运用。各地公安机关应充分利用大数据、现代信息技术完善以下系统。一是网络谣言预警系统。突发公共卫生事件下网络谣言的突发性和蔓延性对处置的迅速性与高效性提出了更高要求，这意味着网络谣言预警系统需要更加发达，公安机关可及时根据预警提示按照提前准备的处置预案采取应对举措。为此，应综合利用大数据监测、人工智能等高新技术，研发、构建智能化、高效率的网络谣言监测系统，建立覆盖图文、音频、视频等多种信息的可能性谣言监管数据库，增强实时监测、识别及预警能力。二是网络谣言辟谣系统。一方面应加强网络系统辟谣平台建设，如设置专人管理，加强与公众互动，充分利用大数据精准投放辟谣信息，及时关注公众的舆论方向。另一方面加强与微信、微博、今日头条等新媒体平台合作，增设真相发布平台，针对不同平台观众的特点采取不同的辟谣方式，及时公布公众关注的事态最新进展情况。只有不断更新并完善网络谣言预警、辟谣系统，才能为高效处置各种突发不实信息提供强有力的技术支撑。

第二，培养并储备专业人才。突发公共卫生事件网络谣言的治理应在现有信息化建设的基础上，加大信息技术投入，不断完善网络谣言预警系统、辟谣系统等，为外，公安机关还应从以下几方面着力培养信息技术专门人才，为网络谣言科技治理提供人才保障和智力支持：一是招录、培养信息技术类专业网络警察，打造高水平信息技术网络谣言治理队伍；二是鼓励、推选主要负责网络谣言治理工作的民警到高校深造、学习，提升信息技术专业水平；三是加强培训，如定期开展专题培训、模拟实战等，提高民警信息技术管理、应用等综合能力。

在自媒体发达的网络时代，网络空间成为不法分子恶意编造、散布或传播虚假信息的主要场所，特别是在突发公共卫生事件背景下，会给公共秩序带来较大的负面效应。应当充分利用现代信息技术，着力提升法治化治理水平，完善多方参与的协同治理体系，以更好地维护社会秩序和社会稳定。

第三章　突发公共卫生事件背景下的劳动与社会保障法

第一节　突发公共卫生事件下的劳动关系

一、劳动关系概述

（一）劳动关系的含义

劳动关系，即机关、企事业单位、社会团体和个体经济组织（统称用人单位）与劳动者个人之间，依法签订劳动合同，劳动者接受用人单位的管理，从事用人单位安排的工作，成为用人单位的成员，从用人单位领取报酬和受劳动保护所产生的法律关系。劳动关系与劳动者和用人单位的切身利益密切相关，更事关经济发展与社会和谐。

根据《中华人民共和国劳动合同法》（以下简称《劳动合同法》）第二条第一款的规定，用人单位的主体是企业、个体经济组织、民办非企业单位等经济组织。用人单位的基础特性：首先，它们是合法成立的；其次，它们拥有明确的组织结构和资产。它既包括劳动者和用人单位之间的雇佣关系，也包括劳动者和其他劳动者之间的合作关系。劳动者是达到法定年龄、具备劳动能力，在用人单位的管理下以从事某种社会劳动并获取劳动报酬为主要生活来源的自然人，包括本国人、外国人和无国籍人。

根据我国《中华人民共和国劳动法》（以下简称《劳动法》）的规定：劳动者享有平等就业和选择职业的权利、取得劳动报酬的权利、休息休假的权利、获得劳动安全卫生保护的权利、接受职业技能培训的权利、享受社会保险和福利的权利、提请劳动争议处理的权利以及法律规定的其他劳动权利。用人单位根据相关的法律构建和优化各种规章制度，以确保劳动者积极履行劳动合同中的义务并充分享有劳动权益。劳动者就业，不因民族、种族、性别、宗教信仰不同而受歧视。

（二）法律视角下的劳动关系

一是劳动关系存在隶属关系，主要体现在劳动者在接受了用人单位所提供的就业岗位后，就应接受用人单位的管理制度，其中包括需要承担的岗位职责。二是劳动关系具有一定的人身性质，即劳动者不能与用人单位分开，二者存在密切的联系。三是劳动关系具有经济属性。劳动者提供劳动，获得劳动报酬和相关福利补贴和保障，劳动者对用人单位有着经济依附关系。如今劳动者就业方式呈现多样性，如自由职业者及互联网经济体之下的外卖从业者、网约车司机、直播带货等劳动方式，然而无论劳动形式如何变化，劳动者对用人单位均存在稳定的经济依附关系。四是劳动关系的不均衡性，主要体现在劳动者与用人单位之间，原则上双方是平等的劳动关系。而在实际的劳动生产中用人单位因掌握着资金、岗位等重要资源，所以在劳动者面前更具有话语权。五是劳动关系具有排他性。用人单位通常会引入岗位竞争机制，排他性尤为明显，这对于用人单位来说是有利的，能够更加高效掌握主动权，而对于劳动者来说则是有弊有利的。

（三）调整劳动关系的多样性

1. 政府干预机制

进行劳动关系调整是劳动法律法规的重要内容。通常用人单位在处理劳动关系时展现出相对的优势，这导致劳动关系在本质上存在不平等的情况。当劳动关系出现某些不平衡状态时，政府通过立法、政策调整，为对劳动者的薪酬、休息和休假、社会保障等基本权利提供保护。

首先，关于劳动者工作环境和生命健康的保障方面，各级政府相继出台了相关法律法规明确要求用人单位要保障劳动者的工作环境的安全，尊重劳动者的生命权，杜绝劳动者在危险环境下无安全保障作业，以及改善劳动环境杜绝因劳动环境造成相关的职业病的发生。另外，在劳动时间上也应明确规定工作的持续时间，并确保劳动者享有休息的权利。尤其是部分工作涉及未满十八岁的青少年劳动者和女性劳动者，用人单位更应加强特殊劳动保障，确保每一位劳动者的生命健康与安全生产。其次，通过社会保险制度为劳动者在医疗、养老、工伤、生育、失业等方面提供法定权益和保障措施。社会保险制度是确保劳动者基本生活需求的重要方面，当劳动者不能正常工作时，社会保险起到了至关重要的角色，为劳动者提供必要的救助，确保其合法劳动权益。劳动者与用人单位在签订劳动协议、解除劳动协方面，政府为劳动者提供了法定的程序和法定的制度。当用人单位与劳动者产生了劳动关系，就必须与劳动者订立书面劳动合同。如果因劳动者或者用人单位的特殊原因不能继续履行劳动合同时，在解除劳动合同时亦有法可依，用人单位不可无故单方面解除劳动合同，否则应向劳动者支付赔偿金。

2. 沟通协商机制的建立与应用

和谐的劳动关系建立在劳动者和用人单位之间互信互利、互相尊重的基础之上。当劳动关系出现问题和纠纷，双方应充分沟通和协商。工会和有关行政部门应当以保护劳动者利益为出发点，积极搭建劳动者与用人单位有效沟通的平台。

第一，工会出面与用人单位的协商与沟通。根据我国劳动法与社会保障法的相关规定，当劳动者与用人单位发生劳资纠纷、工伤纠纷等争议时，工会可以代表劳动者出面与用人单位进行有效的协商和沟通。工会出面与用人单位的协商不仅是为劳动者单方面的利益，而是为了寻找到双方利益的均衡点。劳动者可以向工会依法表达个人的诉求，再由工会将劳动者的合法诉求和待解决的问题，与用人单位进行协商解决。要注重协商沟通机制的建设和完善，以保证和谐劳动关系能够得以持续稳定发展。

第二，发挥职工代表大会和职工代表的积极作用。《中华人民共和国工会法》（以下简称《工会法》）明确规定了职工代表大会制度的实行，职工代表大会对于普通劳动者来说是行使民主管理权利的组织。因此，在劳动者与用人单位出现某些纠纷时，也可以通过职工代表大会及职工代表向用人单位反应相关问题，通过积极协商和沟通，促使问题顺利解决。通过职工代表大会来讨论解决劳动关系的纠纷。

二、劳动法律法规对劳动关系的调整

中华人民共和国成立后，党和国家高度重视保障劳动者的合法权益。1951年2月26日，“为了保护劳动者职员的健康，减轻其生活中的困难，特依据目前经济条件”，党和国家制定并发布了《中华人民共和国劳动保险条例》。1956年，相关部门发布《工厂安全卫生规程》《建筑安装工程安全技术规程》《劳动者职员伤亡事故报告规程》等相关劳动保护法规，指出：“改善劳动条件，保护劳动者在生产劳动中的安全健康，是我们国家的一项重要政策。”改革开放后，在经济体制改革的进程中，用人单位与劳动者之间的新问题日益增多。为了有效保护广大劳动者的权益和企业的健康发展，我国相继制订了相关法律法规。1994年7月，全国人大第八次会议通过《劳动法》，该法于1995年1月1日开始实施，并于2009年8月、2018年12月两次修订。《劳动法》的实施，为日后劳动合同制度的确立奠定了法律基础。随后陆续出台了《劳动保险条例》《劳动保障监察条例》《劳动争议调解仲裁法》《劳动合同法》等相关法律法规。

劳动关系与劳动保护之间存在着紧密的联系。如工伤、职业病等引起的劳动者和用人单位的纠纷事件频频发生，给劳动关系造成了影响。所以，为了劳动者的安全和卫生保护还制定了其他系列的规定。2003年4月27日，国务院发布《工伤保险条例》。2004年11月，国务院颁布了《劳动保障监察条例》。于此同时，为了保护女性劳动者发布了《女职工劳动保护特别规定》，并于2012年4月28日起施行。此外还有《工厂安全卫生规程》《关于加强防尘防毒工作的规定》《关于防止厂矿企业中粉尘危害的决定》《工业企业设计卫生标准》《工业企业噪声卫生标准》《防暑降温暂行办法》《关于防治尘肺病条例》等相关的法规。

习近平总书记曾指出，努力构建中国特色和谐劳动关系，是坚持中国特色社会主义道路、贯彻中国特色社会主义理论体系、完善中国特色社会主义制度的重要组成部分，其经济、政治和社会意义十分重大而深远。[①]习近平总书记在这一重要论断中为新时代中国特色社会主义如何构建和谐的劳动关系指明了方向，其中的意义深远值得我们深刻学习。2015年4月之初，《中共中央国务院关于构建和谐劳动关系的意见》（以下简称《意见》）公布，该《意见》是一个具有里程碑意义的重要指导性文件，也被视为新时代劳动关系工作的指导性文档。《意见》第三条“依法保障职工基本权益”中分别对“切实保障职工取得劳动报酬的权利”“切实保障职工休息休假的权利”“切实保障职工获得劳动安全卫生保护的权利”“切实保障职工享受社会保险和接受职业技能培训的权利”做了具体的意见；第四条“健全劳动关系协调机制”中主要强调了“全面实行劳动合同制度”“推行集体协商和集体合同制度”“健全协调劳动关系三方机制”三方面内容；第六条则从“健全劳动关系矛盾调处机制”角度提出了“健全劳动保障监察制度”“健全劳动争议调解仲裁机制”“完善劳动关系群体性事件预防和应急处置机制”三方面的具体意见；第七条“营造构建和谐劳动关系的良好环境”中主要提出有关针对职工的人文关怀、教育引导，以及针对企业的履行社会职责、优化环境、构建和谐的劳动关系的法治保障。

随着社会科技与经济的不断发展，在智能化、数字化和信息化的背景下，新的就业模式的劳动者群体也随之出现。为了保障新型劳动者群体的合法劳动权益，2021年7月，人力资源社会保障部、国家发展和改革委员会等多个部门联合发布《关于维护新就业形态劳动者劳动保障权益的指导意见》（以下简称《意见》）。该《意见》将当下新业态劳动者的具体范畴归纳为“依托互联网平台实现就业的网约配送员、网约车驾驶员、货车司机、互联网营销师等劳动者；所指企业是指互联网平台企业与其采取合作用工方式的企业”。《意见》主要针对四个方面做出具体的规定：“明确企业主体责任，支持多形式依法规范用工；健全兜底保障制度，维护不完全劳动关系劳动者基本权益；提升公共服务效能，优化新业态劳动者权益保障服务；建立健全协作机制，合力保障新业态劳动者劳动权益。”[②]值得注意的是《意见》中第二条“健全兜底保障制度，维护不完全劳动

①读本编写组．十八大报告辅导读本[M]. 北京：人民出版社，2012.

②同上．

关系劳动者基本权益”，分别从以下几个方面进行了具体的规定，即“落实公平就业制度，消除就业歧视”“建立工资支付保障制度”“科学合理确定新业态劳动者工作量和劳动强度，完善平台订单分派机制和新业态劳动者休息制度，切实保障劳动者身心健康和公共安全”“健全并落实劳动安全卫生责任制”“完善基本养老保险、医疗保险相关政策”“强化职业伤害保障”“应保障新业态劳动者民主协商权利”。另外，《意见》中第四条“建立健全协作机制，合力保障新业态劳动者劳动权益”，分别从“加强协同治理”“开展行业集体协商”“强化矛盾调处”“加大劳动保障监察力度”“营造良好氛围”几个方面做了科学的规定。

三、突发公共卫生事件下劳动关系调整的意义

在突发公共卫生事件背景之下，劳动者和用人单位都会受到不同程度的影响。劳动者可能无法正常提供劳动甚至面临失去工作；而用人单位特别是小微民营企业极有可能因无法正常运转而面临破产的风险，各种隐藏的因素有可能进一步加剧劳资关系的紧张。因此在特殊时期，适时地调整劳动关系具有积极的现实意义。

（一）稳定劳动关系

在突发公共卫生事件之下，劳动关系双方均面临着多方面的压力。从劳动者角度来看，首先就是面临失业的风险。防控措施之下，会不同程度影响服务业、旅游业等与消费和投资密切相关的领域，劳动力锐减。特殊时期无法正常运营导致没有稳定收入，员工的工资、房租等费用给用人单位带来了不小的经济压力甚至导致被迫裁员，员工失业的风险随之增加。再者，劳动者所获得的收入也面临减少的可能。在实施防控措施的过程中，很多劳动者不能正常提供劳动，极有可能会面对收入降低的困境。

从用人单位的角度来看，在特定的防控时期，市场的供应和需求都在下滑，利润也在缩减，经营和收益面临巨大的危机，劳资双方的矛盾日益突出，劳动关系随之紧张。因此特殊时期更要及时、科学对劳动关系进行调整，以维护劳动关系的和谐稳定，共同应对危机。

（二）共同应对风险

特殊时期企业经营困难、经济效益下滑是普遍问题，在此情况之下，不少用人单位采取裁员的方式节约成本，会造成大量劳动者的失业，劳动关系会更加紧张。有关行政部门应当根据失业预警机制和失业动态信息报告，及时采取相关措施、制订倾斜性政策调整劳动关系，帮助用人单位走出困境，最大限度帮助劳动者减轻生活压力。

四、突发公共卫生事件下协调劳动关系的基本原则

（一）依法依规原则

依法依规，即坚持依法防控，运用法治思维和法治方法统筹推进各项防控工作。突发公共卫生事件下，有关部门相继出台系列劳动和社会保障政策，内容涉及维护劳动者合法权益、保障用人单位在特殊时期顺利进行生产经营，保障经济平稳运行。按照依法依规原则，每一份防控文件均通过合法性审查。法治是和谐的劳动关系的坚实基础，尤其是特殊时期，劳动关系不稳定的状态之下，依法防控可以帮助劳动者维护其合法权益，协助企业走出困境，让防控更加科学。

（二）灵活适度调整原则

特殊时期我国防控机制和公共卫生应急管理体系面临巨大压力与挑战。在此背景之下，劳动与社会保障政策的制订要结合现实需要灵活适度调整，尽可能保持劳动者的权益和企业效益的平衡。

第一，“灵活适度”在特殊情况特殊对待。“适度”意味着实行倾斜政策应符合法律规定，合理并灵活适用扩张解释、目的解释。一是给予一线防控的医务人员政策倾斜。如通过工伤保险为前线医务人员和参与防控各个环节的医务人员提供职业伤害风险保障。二是通过基本医疗保障制度和临时特殊政策，保障患者得到及时有效的治疗。三是降低门槛，特别是放宽中小微企业失业保险、稳岗政策助力企业特殊时期复工稳岗。

第二，“灵活适度”倡导劳资双方通过协商就休假、工资报酬、社保福利等事项作出特殊调整，使劳动合同能继续履行。特殊时期，企业和劳动者的利益均会不同程度受到影响，“灵活适度”的用工方式能助力劳资双方的共同努力、共担责任，共同维护劳动关系的持续稳定。

（三）协商求同原则

协商求同是处理劳动关系的重要方式。特殊时期用人单位和劳动者面对困难分歧应积极协商，尽可能使双方满意。协商求同的原则，应充分发挥工会的职责和作用，通过政府、企业、工会三方协调，在平等互利的前提下协商解决特殊时期的劳动争议。

工会是职工自愿结合的劳动者阶级的群众组织。除了维护职工合法权益、竭诚服务职工群众是工会的基本职责。工会要积极发挥作用，建立健全企业内部劳资沟通协商机制，通过集体协商解决特殊时期的劳动争议，鼓励通过协商灵活安排工作时间、调整劳动报酬等事项，指导用工管理，妥善处理相关劳动纠纷。

（四）坚持全面平等的保护

劳动关系与劳动者和用人单位的切身利益相互交织，全面保护是一种双重保

护机制，它旨在确保劳动者和用人单位双方的权益得到充分保。在劳动关系的建立和运行过程中，无论是法定权益、约定权益，在劳动关系运行中都要被依法保护。平等保护，即无论劳动者还是用人单位，权利受到同等的保障。在劳动者权益保护与用人单位权益保护之间出现矛盾，应调整劳动关系，优先给予劳动者保护措施，特别是女职工、残疾劳动者等特殊群体，更应当给予特殊保护。

第二节　突发公共卫生事件下劳动法的问题与应对

一、突发公共卫生事件下劳动者的劳动就业权

（一）与劳动就业权相关的法律规定

劳动就业权是指具有劳动权利能力与劳动行为能力，并且有劳动愿望的劳动者依法从事有劳动报酬或经营收入的劳动的权利。根据《宪法》《劳动法》《社会保障法》的相关规定，劳动就业权涵盖平等就业权利、自由选择就业权利、获取劳动报酬权利、劳动环境安全权利、劳动卫生保护权利等。

第一，针对劳动就业权保护的法律法规。与劳动者就业权保护密切相关的主要法律有《中华人民共和国劳动法》《中华人民共和国劳动合同法》《中华人民共和国就业促进法》《中华人民共和国社会保险法》以及《中华人民共和国劳动争议调解仲裁法》等。《劳动法》是调整劳动关系的基本法。其次是《劳动合同法》，《劳动合同法》是调整劳动合同订立、履行、变更、解除与终止过程中发生的社会关系的法律，是劳动法的重要组成部分。在劳动法体系中，《劳动法》是基本法，全面规范劳动关系，其位阶高于作为单项劳动法律的《劳动合同法》。但是由于《劳动合同法》与《劳动法》都是由全国人大制定的，属于同一位阶，按照新法优于旧法的原理，《劳动合同法》的制订是依据并符合《劳动法》的基本精神和立法目的，同时有选择地对《劳动法》进行了突破性的规定。介于两者之间是特别法和一般法的关系，所以在涉及劳动合同纠纷的法律适用问题上，应当按照特别法优于一般法、新法优于旧法的原则，优先适用《劳动合同法》，《劳动合同法》没有规定的，适用《劳动法》及相关的司法解释。[①] 为了促进每位公民的就业，促进经济发展与扩大就业相协调，促进社会和谐稳定，我国又出台了《就业促进法》，进一步对公平就业作出了详细的阐释和规定。

第二，涉及劳动就业权保护的条例规章。主要有《失业保险条例》《劳务

①王琳 . 劳动合同法 [M]. 北京：中国人民大学出版社，2022.

派遣暂行规定》《残疾人就业条例》《就业服务与就业管理规定》等。此类条例规章具有较强的针对性，往往是针对特定劳动群体或者某些特定职业群体的劳动权益予以保护。此外，在我国各级行政机关也发布了相关文件，对于维护劳动关系、保障劳动者权益具有积极的促进作用。

第三，与劳动就业权保护相关的地方性法律、法规。有一些属于劳动行政机关直接出台的规范性文件，还有各级人民政府或有关部门颁布的地方性法规。例如《河北省人力资源市场条例》便是属于这一类别的地方性法规，该条例经河北省人大常委会通过，并于2023年1月1日起开始施行。涉及劳动关系的地方性法规，例如《四川省工伤保险条例》《广东省劳动保障监察条例》等。某个地级市也有此类的法规，例如《厦门市劳动安全卫生条例》《南京市工伤保险实施办法》等。

（二）积极完善劳动就业权的法律保障

1. 相关法律制度方面的调整

（1）突发公共卫生事件中的特殊情形纳入相关规定

我国目前的劳动就业权保护法律体系中，没有专门为应对突发公共卫生事件这一特殊阶段的劳动关系稳定而出台的法律。因此，应当将这一特殊情况纳入后期修订的相关法律条款中，确保劳动者和用人单位在特殊时期出现劳动纠纷时有法可依。

2003年，劳动和社会保障部发布《不得解雇转移或遣送农民工》的紧急通知，该通知要求“要改善农民工生产生活条件，使用农民工的单位，必须为农民工提供必要的劳动保护条件和采取必要的防护措施；要保持工作场所和住所的良好通风，做好消毒工作；要尽力改善农民工的居住条件，对过于集中居住的，要尽快采取措施适当分散居住；不得集中遣散农民工，并要保障其基本生活；发现非典病人或疑似病人，要立即隔离并送医疗机构诊治，任何单位和个人不得将患者或疑似患者的农民工解雇、转移或遣送”。在这份紧急通知中“不得集中遣散农民工”“保障其基本生活”“不得将患者或疑似患者的农民工解雇、转移或遣送”等涉及特殊时期劳动关系的重点语句，若干年后的今天，仍具有重大的意义。此外，各地市也针对特殊时期劳动关系的保护发布了系列文件，例如上海市政府发布的《关于进一步做好本市“非典”防治期间社会保障工作的通知》《关于降低非典型肺炎对本市部分行业影响的若干政策》等。

2020年1月24日，在新型冠状病毒肺炎流行之时，人力资源社会保障部办公厅发布了《关于妥善处理新型冠状病毒感染的肺炎疫情防控期间劳动关系问题的通知》。其中第一条规定：“对新型冠状病毒感染的肺炎患者、疑似病人、密切接触者在其隔离治疗期间或医学观察期间以及因政府实施隔离措施或采取其他紧急措施导致不能提供正常劳动的企业职工，企业应当支付职工在此期间的工作报酬，并不得依据劳动合同法第四十条、四十一条与职工解除劳动合同。在此期间，劳动合同到期的，分别顺延至职工医疗期期满、医学观察期期满、隔离期期满或者政府采取的紧急措施结束。”该条明确规定了在突发公共卫生事件中，劳动者因疫情原因不能到岗参加日常工作的情况下，用人单位不得依据《劳动合同法》第四十条、第四十一条解除劳动合同。仅此一点便能够给广大劳动者，在疫情与工作难以抉择的困境中吃下了“定心丸”，也为特殊背景下的劳动关系的稳定奠定了重要基础。

2.《劳动合同法》第三章增加“劳动合同中止”条款

劳动合同中止是劳动合同履行的特殊形态，是指劳动合同当事人依据法律法规的规定或者双方约定，暂停履行劳动合同全部或者部分内容，待该事由消除后继续履行的情形。当劳动合同处于暂时停止的状态下，用人单位和劳动者都会暂时不履行劳动合同中所列明的权利义务。在特殊状况消失之后，两方仍将继续执行之前的劳动合同条款。这种独特的劳动关系调整方式不仅可以在紧急情况下保持劳动关系的稳定性，对于广大劳动者来说也可以有效将失业风险降到最低。对于用人单位来说也能够有效避免“用工荒”的出现。因此，《劳动合同法》后续修订中，应当将“劳动合同中止”补充到第三章“劳动合同的履行和变更”中。

与此同时，为了应对突发公共卫生事件中的其他劳动纠纷，《劳动合同法实施条例》中也有一些有待进一步进行修订和完善的内容。如具体的劳动合同终止条件、起始时间，以及劳动合同终止时劳动者与用人单位的法律责任问题。此外，对于劳动者来说，特殊时期在双方终了劳动合同后，个人和家庭的基本生活需求应得到满足，针对社会补偿问题也应做出具体规定。

（三）完善失业保险劳动法律制度

1.扩大失业保险覆盖范围

在失业保险覆盖的研究过程中，“社保满一年”在突发公共卫生事件背景之下不够科学。“社保满一年”是指从缴纳社保的起始时间开始，在存在完整社保缴纳记录的情况下完成了缴费12个月。在正常情况下，一般劳动者的参保缴费期限应保持在“满1年以上”，而对于农民工和刚走出大学校门的应届毕业生而言，“社保满一年”的规定不科学。为了确保特殊群体也能享受到失业保险制度的保障，有必要将“社保满一年”适当降低至“满6个月”，还需明确这一期间内用人单位是否已建立养老保险关系。“满6个月”这样的时间限制可以设定为“已有或曾有参保记录且已缴纳保费”。这意味着无需时间限制，只要有过参保记录并已缴纳保费即可。

2. 保险补贴受众群体的适当扩大

在提供普通失业保险金的前提下，在特殊时期，应为以下几类特殊劳动者提供特定的保险补助：首先，年纪较大的失业者。针对大龄失业者的情况，不少省市也出台了相关的失业补助政策，但是具体执行标准也会因各地居民平均生活水平和工资标准而出现差距。其次，面临失业的残障人士。目前我国有一定数量的失业残疾人，他们的生活和工作存在困难。可以依据《残疾人就业条例》的相关规定制订特殊的补助方案并将其纳入社会保障体系之中。再次，针对处于失业状态下的农民工，需要有专项补贴制度。现行的《失业保险条例》中有为失业的农民工设定的补助措施，这为其进一步的完善提供了基础。除此之外，还应为因突发公共卫生事件而失业的工人提供特定的补助方案。根据我国现行法律规定，受疫情或其他自然灾害影响不能正常工作的劳动者，可以享受到与一般情形下相同的失业保障待遇。具体可以分为两类：第一个是由于隔离、交通管制等行政强制手段而无法正常工作的劳动者；第二个是因为感染传染病而导致失业的劳动者。其中后者又包括由于职业而感染传染病被强制终止劳动合同的劳动者、丧失劳动力能力而失业的劳动者、因医疗救治需要而被迫中断工作的劳动者。为了更有效地解决特殊时期特殊劳动者的失业问题，应当为以上失业者设立专门的补助方案。

3. 简化申领流程

1998年我国国务院通过《失业保险条例》，该条例的第十四条规定了可以领取失业保险金的失业人员的条件；该条例十六条规定了具体申领程序进行。当前行政服务提倡简化流程，目的在于让人民群众通过政务服务这个窗口，体验政务服务的高效率。《失业保险条例》第十六条规定了申领程序和需提供的证明，对于文化程度不高、法律知识有限的普通劳动者来说很被动，尤其是在落实防控措施的特殊时期，失业者对失业保险金的需求比正常时期更加迫切。2020年5月人力资源和社会保障部、财政部联合发布了《关于扩大失业保险保障范围的通知》，其中对上述问题也做了相关的规定，为后续修订《失业保险条例》提供有效的参考，可附加说明：因突发公共卫生事件或其他意外事件造成的失业者，短期内无法取得相关证明材料时，应简化申请手续和证明材料，可改用身份证、社保卡直接申请并领取。

4. 新就业形态劳动者的法律保障

当前信息通信技术快速革新，涌现出大批以互联网平台为依托的灵活就业群体。从劳动关系的角度来看，新型就业形式呈现出了多样化、复杂化的劳动关系。例如互联网经济和共享经济之下的网约车司机、外卖员，短视频平台和直播平台的主播等，新型就业形式在劳动关系的认定方面比较复杂，特别是在特殊时期劳资双方遇到劳动纠纷，维权法律依据相对薄弱。因此，应根据突发公共卫生事件的复杂性完善新就业形态劳动者法律制度保障。

第一，在相关法律法规中补充新就业形态劳动者劳动保护的条款。为了保护新就业形态劳动者，国家和地方相继出台了不少规范性文件，为灵活就业模式下的劳动者维权提供基本依据。但是在法律制度上仍需要进一步完善，在《劳动合同法》《就业促进法》等法律法规的后续修订中，将新就业形态劳动者的权益纳入到法律保护体系之中。

第二，需要对灵活就业的具体方式引入规范化、标准化管理制度。以当下共享经济带来的多样灵活的新型就业方式来看，共享经济之下较多的劳动者并不从事全职工作，他们与用人单位之间的雇佣关系也缺乏稳定性，这极有可能导致合法劳动权益受损。为了有效应对此类问题，需要对灵活就业方式引入规范化、标准化管理制度，结合现有的劳动法律保护体系，完善社会保障体系，最大限度维护劳动者与平台双方的合法权益的平衡，建立稳定的劳资关系。

2020年9月，人力资源社会保障部办公厅发布了《关于做好共享用工指导和服务的通知》，第六条中围绕“维护好劳动者在共享用工期间的合法权益”进行了相关的规定。但是从整体而言，法律支撑仍需加强。因此，基于该通知的内容，结合共享用工的发展态势，应当制订更具有针对性的法规，当前许多学者积极开展相关的研究并提出了建议。针对共享经济模式下的就业，有学者认为应加强社会保障体系的建设：一方面，要优化共享经济就业模式、进一步细化社会保障制度，构建以养老、医疗、失业、最低生活保障为主要内容的社会保障体系，要求共享经济企业为员工办理社会保险。另一方面，要利用税收优惠政策、引入失业保险、推动职业年金和福利等举措，加强保障效能，保护共享经济中的劳动者的合法权益。①

第三，细化相关规定。其一，应该在法律框架之内，厘清数字经济体系之下的共享经济、在线娱乐等从业者与互联网平台、直播平台之间的法律关系，明确共享用工协议中的相关条款，这包括协议的签署、执行以及协议中必须涵盖的核心内容，为出现劳动纠纷提供法律依据。其二，补充突发公共卫生事件下适用的特别条款，为解决特殊时期的劳动者就业难题提供法律支持。

二、突发公共卫生事件下最低工资保障制度

（一）最低工资保障制度概述

党的二十大报告提出，中国式现代化是全体人民共同富裕的现代化，共同富

①宣懿楠．共享经济与就业何以良性互动[J]．人民论坛，2018（31）：50-51.

裕是中国特色社会主义的本质要求，而分配制度则是推动这种共同富裕的核心机制。作为调节初次收入分配的最低工资制度，是用人单位为劳动者支付劳动报酬的最低标准。最低工资保障制度旨在确保在法定工作时间内，劳动者能够提供正常的劳动，保障劳动者及其家庭成员在生活、教育等基本生活中所需的最低限额的收入，最低工资制度在维护社会稳定和秩序方面起到了至关重要的作用。最低工资保障制度的特征具体体现在如下几个方面。

第一，法律强制性。最低工资保障是我国劳动者权益保障体系的重要组成部分。2003年12月30日，我国劳动和社会保障部颁布《最低工资规定》，并于2004年3月1日起实施。劳动者付出了劳动，应当获得相应的劳动报酬，这是法律赋予劳动者的基本权利。

第二，社会保障性。我国经济社会发展成就斐然，无论是城市居民还是农村的居民，他们的收入都有了巨大的变化，但仍有一些特殊群体需要依赖最低工资维持基本生活需求。最低工资制度为劳动者提供了最低限度的生活保障。

第三，量化标准性。在我国最低工资的制度可以分为两大类：一类是以月为单位的工资发放。另一类则是以小时为单位的劳酬结算。但是从全国范围来看，不同的地区经济发展水平不同，居民日常消费水平存在着一定的差距，因此最低工资标准也呈现出不同地区不同标准的状况。用人单位严格按照本地所发布的最低工资标准的同时，需要根据企业生产规模和经营状况，以及劳动者的劳动强度和劳动时间来制定具体工资基准的执行标准和具体额度，劳动者实际获得的劳动报酬应超过或等于这个执行标准。

（二）最低工资保障制度的意义

最低工资保障制度是我国社会保障制度的重要组成部分，如遇突发公共卫生事件，用人单位因多重因素，延迟或拒绝按时支付劳动者劳动报酬，劳动者的合法权益会受到很大影响，最低工资制度具有重大的现实意义。一方面，作为一项社会保障制度，最低工资法律制度是维护劳动者合法权益、维护社会和谐稳定的重要手段。劳动者因其年龄、性别、教育背景和社会经验的差异，在工作能力和收入方面存在显著的差距，这种差距可能会影响社会的稳定。最低工资保障制度为劳动者在获得合理报酬、维护合法劳动权益方面提供了坚实的保障。另一方面，突发公共卫生事件之下，很多企业的生产、经营活动受到不同程度的影响，劳动者经济收入随之受到很大影响。在此背景之下，最低工资保障制度有利于劳动力市场的稳定，促进劳资关系的和谐。

（三）突发公共卫生事件下完善最低工资保障制度的路径

1. 完善最低工资制度法律保障体系

（1）提高最低工资的立法位阶

很多国家将最低工资写入宪法，最低工资权成为劳动者的一项基本权利，有的国家如澳大利亚《2007年最低工资决定》、英国《国民最低工资法》等通过专门的法律，为劳动者的合法权益提供法律支撑。我国各地的最低工资制度大多是通过部门规章和地方政府规章发布，二者等级相同，如果针对最低工资的某一规定矛盾，会导致法律适用出现问题，影响执行进度。因此需要提高最低工资制度的立法等级，可参考其他国家的立法，将最低工资写入宪法，以最高效力等级的保障劳动者获得劳动报酬权。同时，全国人大制订《最低工资法》，同时出台配套实施细则，明确规定最低工资制度的包括的范围、标准和具体程序等事项，明确法律责任。综上，提升最低工资制度的法律地位和权威性，增强实效性，“有法可依”的同时“执法必严，违法必究”，高效落实劳动者的劳动保障。

（2）健全最低工资决策机制

我国当前最低工资制度的决策机制是“三方协商、政府主导”，需要结合劳动司法实践进一步完善。可以设立专门的委员会，由用人单位专门组织，邀请相关专家和学者、工会代表、企业代表、劳动者代表，包括工会代表等加入，有针对性地对最低工资保障制度进行研判，结合当地整体人力资源状况、当地社会经济发展整体水平、经济增长水平、居民消费水平等因素，提出健全最低工资制度的建议，为地方政府决策提供参考。

（3）科学调整最低工资标准

如果最低工资标准普遍较低，会带来一系列不利影响。首先，如果将最低工资标准设置过低，劳动者难以正常维持基本生活开销，那么最低工资制度会失去社会保障的意义。其次，最低工资保障制度是调整收入分配、维护社会公平正义的重要手段，如果最低工资标准不科学，调节作用会受到影响。应科学调整最低工资标准，有效调节和控制最低工资与平均工资之间的比例，这样可以满足劳动者的基本生活需求。对于企业而言，有助于减少劳动力的流失，并为企业创造更高的经济回报。合理确定最低工资标准应提高最低工资标准与职工平均工资的比重，使其达到40%以上，制定出符合实际并且也符合国际惯例的标准，满足劳动者的基本生存需要，这样可以减少企业劳动力的流失，以保证企业的正常运转。当前，社会保险、医疗保险、养老保险、住房公积金等是否也应该纳入最低工资制度中，尚存一定争议。从广大劳动者的角度来看，最低工资的范围是不应该包括社会保险、医疗保险、养老保险、住房公积金等在内的。每一位劳动者的身后都肩负家庭的责任，社会保险对于劳动者来说是极为重要的，应当将社会保险的相关费用从最低工资中排除出去，这样一来也就意味着劳动者的最低工资标准得到了相应提高，从而更好地保护了弱势群体。

2. 完善特殊时期最低工资社会化分担机制

很多企业特别是中小微企业遇到突发公共卫生事件时，生产经营会遇到前所未有的挑战，无法支付劳动者最低工资，加大企业复工复产压力，引发失业率上升，由此会带来更多的社会问题，需要科学设置特殊时期的最低工资分担机制极其重要。

（1）科学界定风险承受力

当面临相同的最低工资标准时，由于大中型企业具备完善的组织管理结构和强劲的资金支持，经济承受力和资本替代劳动的能力更强。因此虽然劳动力成本加大，但是大中企业具有抵御各种不利影响的能力。然而在经济等特殊因素的制约下，中小微企业风险化解能力极为有限，承受着巨大的生产和经营的压力，甚至有一些中小型企业已陷入困境。在客观因素影响下，劳动者不得不延迟复工，如果仍旧要求中小企业继续支付工资，会进一步加大他们的生存压力，大量劳动者更会面临失业的风险，为经济发展和社会稳定带来负面效益。因此，为了避免上述问题的出现，特殊时期要充分结合支付最低工资的责任方的风险承受能力，特别是对中小企业来说，相关行政机关应出台适当的政策来减轻他们的压力。

（2）完善社会化分担途径

第一，当前保险制度是保障低收入者和弱势群体基本生活的重要组成部分。而在突发公共卫生事件下，劳动者和用人单位双方在客观因素下均受到了巨大的压力和挑战，工资支付可以由企业和社会化救济机构共同承担，具体包括两种情况：第一种是当劳动者因医学隔离而所属企业出现亏损，无需缴纳税款时，可以通过社会保险基金来补贴持续亏损的企业，以共同分担工资支付；第二种是由于防控措施导致劳动合同无法履行时，可以通过社会保险基金来分担工资支付，从而缓解劳动者和企业之间的利益分配冲突。

第二，许多国家通过设立社会保险基金，缓解特殊时期的困境。例如，1935年美国发布的《社会保障法案》中的联邦社保基金；韩国的社会保障制度也以社会保险为主，实行国家统筹的模式，其中社会保障资金由政府、企业和个人共同承担。通过查阅2022年社会保险基金预算收支情况显示，全国社会保险基金预算收入101 522.98亿元，为预算的101.2%，增长4.8%。全国社会保险基金预算支出91 453.11亿元，完成预算的99%，增长5.5%。当年收支结余10 069.87亿元，年末滚存结余114 789.46亿元。[①]社会保险基金的社会化分担不仅确保了劳动者的基本生存权利，还避免了对企业和政府财政造成过度的负担，从而有效地维护了社会的公共利益。特殊时期，以社会分担的方式解决劳动者的工资支付符合相关法

①新华社．关于2022年中央和地方预算执行情况与2023年中央和地方预算草案的报告[N]. 光明日报，2023-03-06（9）.

律规定的。从国际视野来看相关国家的应对措施。2020年3月，美国国会通过了《新冠肺炎救助、救济与经济保障法案》，以解决疫情之下劳动者的收入问题。该法案中明确提出将失业保险金在原基础之上每月再增加六百美元，同时鼓励因疫情原因没有参加正常工作的劳动者重新进入失业状态。如此一来，当企业恢复正常的生产和经营之后，他们就可以在不需要考虑招聘和入职管理问题的情况下继续运营。1993年4月，我国发布了《国有企业职工待业保险规定》。而后在1999年1月发布并实施《失业保险条例》，同时《国有企业职工待业保险规定》废止。2014年11月，人力资源社会保障部、财政部、工信部、发改委共同发布了《关于失业保险支持企业稳定岗位有关问题的通知》。此外，以新型冠状病毒疫情期间为例，国家也相继发布了相关法律法规，如人力资源和社会保障部发布的《关于妥善处理新型冠状病毒感染的肺炎疫情防控期间劳动关系问题的通知》，以及与全国总工会、中国企业联合会、全国工商联联合发布的《关于做好新型冠状病毒感染肺炎疫情防控期间稳定劳动关系支持企业复工复产的意见》。

第三，失业保险的返还是最符合我国国情和当前法律体系的实效性的分担途径。因此，在《失业保险条例》的后续修订中要继续完善：一是清晰定位失业保险的功能，依据保障失业人员的基本生活与促进就业为基础，补充预防失业条款，完善失业保险制度，为失业保险分担工资支付奠定基础。二是完善失业保险基金的支出用途，将稳岗补贴正式列入失业保险金的支出用途，明确规定在重大疫情防控中，失业保险基金应当通过失业保险费的返还分担工资支付以稳定劳动者的就业岗位，避免给予企业过重的负担，预防和减少企业的裁员；三是明确规定稳岗补贴，可在第三章明确规定稳岗补贴的内涵、适用范围等，由失业保险基金通过稳岗补贴的形式分担工资支付，在程序上仍由企业先行给付工资，后由企业作为申请人申请补贴。稳岗补贴的具体补助额度与标准可由各地方政府参考当地失业保险金收支情况进行规定。

综上所述，结合我国应对突发公共卫生事件的实际情况，特殊防控时期工资支付机制分以下三情况：其一，当企业受疫情影响自主决定停工时，由企业参照现行的《工资规定》第十二条独立支付工资，以一个月为一个工资支付周期，一个月以内由企业支付约定的工资，超过一个月且未给付劳动的，按照最低工资标准的60%发放生活费。其二，劳动者因患病、疑似或密切接触而被进行医学隔离的，若企业可正常盈利并缴纳企业所得税的，应当由企业与政府税收共同分担工资支付，其中政府税收的分担作用主要通过对实际支付了工作报酬的企业进行税收减免实现，减免额度与企业支付的工作报酬成正比，且政府税收减免的限度与企业的类型与规模相关。其三，政府责令企业停工停产、封锁疫区、大范围管制交通致不能履行劳动合同的以及劳动者被医学隔离且企业亏损无需缴税的，应当由企业与社会化救济共同分担工资支付，由企业向劳动者支付不少于最低工资标准60%的生活保障，而后企业可申请失业保险金的补助，依靠失业保险基金返还，向企业发放稳岗补贴进行社会化分担①。通过以上分析，可为应对突发公共卫生事件背景下的工资分担问题。

3.完善特殊时期的劳动收入补偿机制

2020年2月，人力资源社会保障部、财政部、税务总局共同出台了《关于阶段性减免企业社会保险费的通知》，目的在于缓解和减轻特殊时期企业所遭受的生产经营等多重压力，使这些企业能够在特殊情形之下维持生产经营，稳定劳资双方的关系，保障社会的稳定。结合2020年初至2022年期间的现实状况，该举措很大程度上缓解和减轻了企业在特殊时期的压力和困境。特殊时期较多的劳动者的收入不稳定，薪资也大幅度减少，应完善针对劳动者的收入补偿机制，最大程度地帮助普通劳动者应对基本生活问题、工资问题和失业问题。可以参照北京市政府采取的临时专项补贴政策，对于不是因为被隔离的劳动者，不能正常工作的，可以由其所在的企业单位提供生活补助，而单位在给劳动者发放生活补助之后，可以按照人数向政府相关部门申请临时的专项补贴。该专项补助具有很强的针对性，是对疫情期间职工进行工资支付与补偿的一次有益尝试。

4.监管机制的不断完善

（1）加强行政机关的监管力度

可以从以下两个方面入手：一是完善劳动监管体系，严肃处理企业违法行为，确保劳动保障监察能够充分发挥其应有的功能。各级劳动保障监察部门应当高度重视各地企业中违反、违背最低工资保障制度的相关行为，一旦发现应立即纠正，并要求其限期整改。劳动监察部门在特殊时期对劳动力市场特别是工资支付状况予以监控和及时检查。二是完善追责机制，以督促劳动监察部门严格执法，更好发挥最低工资制度的优势和作用。

（2）加强企业对社会的责任感

在执行最低工资保障制度的过程中，用人单位应起到核心作用。尤其是在突发公共卫生事件背景下，企业和劳动者双方都陷入不同程度的困境，用人单位作为社会经营主体，更加应该具有社会责任感，积极肩负起社会责任，克服困难多措并举，及时支付劳动者最低工资，调动劳动者工作的积极性的同时促进单位自身的长远发展，进一步促进劳资关系和谐。

（3）发挥工会的有效监督

①郎祎祎.重大疫情防控中工资支付分担机制研究[J].沈阳：辽宁大学，2022.

2023年9月，《习近平关于工人阶级和工会工作论述摘编》出版发行，书中从8个专题摘编了习总书记关于工人阶级和工会工作的重要论述。其中涉及“维护职工合法权益、竭诚服务职工群众是工会的初心所在、使命所系，揭示了工会组织的安身立命之本”，另外也谈到“职工群众的呼声，就是工会工作的方向。各级工会要坚持以职工为中心的工作导向，认真履行好维护职工合法权益、竭诚服务职工群众的基本职责，尤其是做好新就业形态劳动者等重点群体维权服务工作”。工会组织应当充分发挥最低工资制度的监督作用，即工会要始终保持独立性。工会组织只有真正做到独立，不被社会和用人单位力量左右，才能在集体协商的过程中真正为劳动者争取权益，才能切实地发挥自身职能。具体来说可以通过保持工会人事和财务上的独立来实现工会的独立，人事上采取由劳动者自行发起成立工会，工会的领导干部不要让用人单位委派或者任命，而应该由工会的全体会员在遵循民主集中制原则的基础上，通过民主选举产生、任命或者罢免。财务上工会的经费将用人单位划拨的这部分经费去除，使用会员交的会费或者国家财政补贴来维持工会的正常运转，在最大程度上切断与用人单位财务上的联系，保持财务独立。让工会在人事上脱离用人单位的行政管理系统，在财务上也独立于用人单位，在最低工资制度标准执行上真正做到将劳动者利益放在首位，做劳动者的代言人，直接服务于劳动者，与资方进行平等对话，切实履行好监督职能，更好地维护劳动者合法工资权益。无论是工会组织还是企业、劳动者都能够依照我国《工会法》的相关规定履行各自的职责和义务。当前应不断加大对工会组织建设的支持力度，以增强工会组织的整体实力。另外，工会组织应积极面向新时代新型劳动就业形态，将新型劳动者、灵活就业者、互联网经济就业者均纳入传统劳动者的概念之中，让这些劳动者也能够依法拥有参加和组织工会的权利。新时代的工会组织应该在维护传统劳动关系的同时，兼顾新型劳动关系、新型劳资关系，并且保持严格的独立性，始终不受企业和经济平台的影响，这样才能为各类劳动者维护他们的合法权益，并有效地履行其职责。

第三节　突发公共卫生事件下社会保障法的问题与应对

一、构建突发公共卫生事件下的社会补偿制度

现代国家承担着通过积极作为推进公共福祉的职能。为了保障人民群众的生命安全和身体健康，建立突发公共卫生事件的社会补偿制度尤为重要，这是完善国家应对突发公共卫生事件防控体系的重要内容，也是健全国家公共卫生应急管

理机制的重要方面。

（一）社会补偿的概述

1. 社会补偿的含义

社会补偿主要包括社会补偿制度和社会补偿权利。其理论根源均来自德国，后被日本法学界所接受。社会补偿制度是建立在社会连带关系理论上的，它针对战争、突发事件等特殊情况对个人造成的伤害，在传统的侵权赔偿和其他社会保障机制无法提供救助的情况下，由社会共同体共同承担风险、补偿损失，以确保受害者不会因为这些特定因素导致的损害而影响其基本生活。

2. 法律视角下社会补偿的特征

社会补偿制度是一种社会保障机制，其目的是预防因战争、突发事件或其他应由国家承担责任的因素导致的个人损害。当受害者无法通过侵权赔偿或其他社会保障措施获得救助时，国家和社会会为受害者提供特定的损害补偿，以确保他们的基本生活。社会补偿机制不仅可以预防和分摊风险，还能及时补偿受害者的损失，以便让受害者能够维持基本的生活，并能够最大限度地应对其他不确定因素的风险损害。当下我国社会保障制度框架内，针对突发公共卫生事件的预防、损失分担和社会补偿等机制依然具有很大的发展空间。所以，在突发公共卫生事件中引入社会补偿制度，其核心目的是能够让广大劳动者在遭遇突发事件中得到多层次的保障。从遭遇突发传染病的受害者角度来看，他们很难及时通过社会保险、最低工资以及其他社会救助的途径来获得相应的救助。这样的情况之下，应该积极推动全社会的力量来为这部分特殊群体进行一定的损失分担，并运用相应的社会补偿来使他们获得基本生活的保障。当前结合国际其他国家的理论研究和实践情况来看，社会补偿制度主要应涵盖如下几个方面的内容。

一是在突发公共卫生事件中引入社会补偿应具备一定的前提条件。即在突发的公共卫生事件中，受害者因为特定的原因需要得到补偿。二是社会补偿务必要具备法律依据。社会补偿属于国家制度，所以应该在法律框架之内给予受害者照顾和保护，让他们维持基本生活的权益。三是关于社会补偿制度的社会属性问题。补偿对象具有社会普遍性，也就是说只要符合前提条件的社会成员均有资格获得社会补偿权益。另外从补偿金来源的角度看也具备着广泛的社会属性，除了以政府主导的税务分担之外，社会补偿所需的资金可以依托慈善基金、社会捐助等形式来完成补偿金的积累。

（二）突发公共卫生事件背景下社会补偿制度的理论基础

1. 理论基础

突发公共卫生事件可能对公众的生命健康和基本生活安全带来不同程度的影响，为了积极应对，必须基于社会分担的基础理论来健全社会补偿制度。社会补偿制度的目标是确保受害者的生命健康和基本生活安全，因此应通过社会补偿基金的方式，利用社会的整体力量来预防和分担因特定原因导致的特定社会成员的损失。作为一种特殊形式的社会救助制度，社会补偿制度通过一定方式使遭受重大损害的个体获得必要的经济补助，以维持其基本生活。

2. 宪法基础

我国宪法第十四条第四款规定："国家建立健全同经济发展水平相适应的社会保障制度。"第四十五条规定："中华人民共和国公民在年老、疾病或者丧失劳动能力的情况下，有从国家和社会获得物质帮助的权利。国家发展为公民享受这些权利所需要的社会保险、社会救济和医疗卫生事业。国家和社会保障残废军人的生活，抚恤烈士家属，优待军人家属。国家和社会帮助安排盲、聋、哑和其他有残疾的公民的劳动、生活和教育。"由于构建突发公共卫生事件下的社会补偿是我国发展医疗卫生事业的一部分，是我国社会保障制度的重要组成部分，宪法第十四和第四十五条自然构成社会补偿的宪法基础。在突发公共卫生事件背景下，政府根据其经济发展状况和风险应对的实际需求，为特殊群体提供适当的基本生活补偿，并尽最基本的国家责任来确保人民的生活安全。

（三）社会补偿机制在突发公共卫生事件中的价值

1. 应对风险的重要手段

我国城乡人口流动日益频繁，突发公共卫生事件对城乡居民的生命健康、生命安全造成严重威胁。基于突发公共卫生事件的突发性、紧急性，健全预防机制和保障机制显得尤为重要。突发公共卫生事件所造成的后果难以估量，应通过法律途径进行救济难度较大。因此预防为主，预防为先更加重要，完整、有效的补偿机制能够迅速地为受害者提供救助，帮助受害者迅速地恢复。社会补偿、社会保险和社会救助构成了多层次的保障体系，促进社会的和谐发展。

2. 社会保障体系的有力补充

社会补偿制度是由整个社会共同承担风险的机制，即通过国家的财政援助陷入困境的特殊群体，这也是社会保障制度在面对意外风险时的重要应对策略。在突发的公共卫生事件中，受害者所遭受的损害不仅要获得同情或慈善救助，他们还有获得补偿的权利，这具有社会法上的请求权属性。在特殊时期造成的个人损失的，社会补偿以其特有的法律属性与制度功能构成对社会保障制度的重要补充，扩大了社会保障的范围。

（四）突发公共卫生事件背景下社会补偿制度策略

1. 立法推进社会补偿制度的实现

（1）保障性立法

以立法方式健全社会补偿制度，其中最为核心的目标是能够为那些遭受突发公共卫生事件的公民提供一份基本的生存保障，完善疫情防控措施下劳动者的合理收入损失补偿机制，实现社会保障规范化、体系化。纵观世界诸多国家，“财富—分配”社会理论是解释社会危机的重要思想。在我国法律视角之下，社会补偿弥补社会保障的缺陷，并补充国家在赔偿和补偿制度上的不足之处。突发公共卫生事件的发生通常伴随着不同程度的人身损害和财产损失，因而需要进行保障性的补偿。社会补偿制度旨在应对现代社会所带来的各种社会风险，充分发挥公共力量在救助个人方面的积极作用。

（2）基于风险结果的国家责任

国家责任是国家政治制度的重要组成部分，其中最为基本、最为核心的内涵便是维护社会的公平与正义。新时代中国特色社会主义正是以社会的公平和正义为核心价值，以广大人民的根本利益为最终追求。“以人民为中心”是习近平新时代中国特色社会主义思想中最为核心的内容。从国家责任的视域来看“以人民为中心”，“使人民获得感、幸福感、安全感更加充实、更有保障、更可持续”，正是新时代中国特色社会主义国家的责任和使命，宪法第四十五条充分体现了国家对社会保障的责任。基于社会补偿制度来看国家责任，可以划分以下两个方面，即“间接性和普遍性”。间接性是指行政行为与损害结果之间的关系，国家应该对特定危险导致的损害结果给予制度保护，因为获得社会补偿的权利与这种危险导致的损害情况有关。普遍性是指社会补偿涉及的危险是不可控制的，造成的损害人数也是不可预测的，一旦发生重大损失，受害人都是普遍的，不存在与特定国家行为致害对应的特殊受害人。在突发公共卫生事件中的广大城乡居民和普通的劳动者，他们作为单一的个体是难以应对突如其来的传染病或者疫情的。国家为了保护全社会的公共利益，不应该局限于以往针对个体的被动赔偿损失方式，而是应从社会公平和正义的角度出发，在全社会的范围内积极构建起有效的分担机制，弥补国家赔偿、民事侵权损害赔偿触及不到的空缺。

（3）社会补偿的辅助性原则

突发公共卫生事件下的社会补偿制度中的辅助性原则，在于寻求受害者的补偿需求与政府财务支付能力的平衡。从责任原因来看，法律上的损害赔偿或补偿包含两类：一是侵权行为所致的损害赔偿或补偿，既包含个人行为也包含国家行为；二是基于法律规定的特定事由所致的赔偿或补偿，并以此形成民事责任、传统国家责任与共同体责任三种责任类型。如果把责任的根源看作是一个同心圆，那么它的核心就是由侵权行为引发的赔偿和补偿责任，这包括民事侵权损害赔偿责任和国家赔偿、补偿责任。相邻的圆环是由作为社会补偿权基础的共同体责任组成的，而这个共同体责任的圆环又被责任自负的圆环所包围，这就要求共同体责任必须承认和尊重责任自负的法律秩序。在此意义上，共同体责任具有明显的辅助性原则。这表明，共同体的责任不能简单地应对普遍的社会生活风险，原则上不能随意地通过社会补偿将风险社会化，也就是说，如果不是基于公共利益，国家不能将财政资金用于支付补偿金。在社会利益多元化的时代，国家对公民的补偿责任不仅限于对损害结果进行补偿，还包括对于损失产生原因的调查和分析等内容。由此，我们也可以认为国家补偿的责任范围，相较于辅助性原则的本质要求是趋于一致的。在公共产品供给中，社会补偿给付具有明显的排他性特征，但它不必然排斥私人利益。另外，社会补偿给付主要是单向的行政给付，因此必须仔细评估财政支付的实际质量与实际效果。在劳动司法实践中，社会补偿的给付资金主要来源于政府预算和社会捐赠，这样便表明了社会补偿是有针对性和特定性的，即对特定的生命、健康及基本生活损失上的补偿。

2.社会补偿中的法律主体关系

（1）社会补偿的对象

社会补偿具有广泛性，即每位公民都享有获得社会补偿的权利。那些因突发公共卫生事件而遭受损害，从而导致健康、基本生活受损甚至失去生命的自然人和遗属，都有权利获得相应的社会赔偿。根据因突发公共卫生事件导致的损害原因来对补偿对象进行分类，具体包括以下几个方面：首先，最为普遍的一类便是因感染病毒导致的直接和间接的受害者。针对这一群体可以为他们直接提供相关医疗费用的赔偿，而对于那些被隔离等防控措施的疑似病例，则可以采取提供防疫补偿的措施。其次，是在防控期间因具体防控工作被感染遭受重大损害甚至失去生命的特定群体，例如参与防疫工作的医务人员、防疫志愿者、疫苗临床试验志愿者等。对于这一群体一方面是在工伤保险和其他损害赔偿措施范畴内进行补偿，另一方面则对受害者及其家属、遗属给予相应的优待和抚恤补偿。值得提出的是参与疫苗临床试验的志愿者，一旦因疫苗接种试验导致死亡或健康造成损害，应当为受害者或家属遗属提供适当的损害赔偿。最后一类，则是从社会伦理道德的角度考量的补偿对象。这一类别的群体主要是指在突发公共卫生事件中，参与疫情防控的防疫工作人员、疫情防治的医疗工作者和疫情防控期间涌现出的防疫志愿者，应当给予相应的防疫奖励补偿。

（2）社会补偿的机构

社会补偿的主体是政府或其授权的组织机构，社会补偿制度的核心是行政给付。根据《中共中央关于深化党和国家机构改革的决定》《深化党和国家机构改革方案》《国务院机构改革方案》的规定，国家卫生健康委员会负责组织落实疾病预防控制规划、国家免疫规划，以及严重危害人民健康的公共卫生问题的干预措施，制定检疫传染病和监测传染病目录，负责卫生应急工作，组织指导突发公共卫生事件的预防控制和各类突发公共事件的医疗卫生救援。结合上述职能，国家卫生健康委员会可作为突发公共卫生事件社会补偿的主管行政部门。对于执行社会补偿政策的具体标准、申请程序、审核方式、具体给付等相关工作，可由该委员会内部设立具体负责社会补偿的部门，对符合申请社会补偿条件的人员，由该部门做出相应决定。

3. 健全社会补偿给付机制

社会补偿制度是否平稳有效运转，很大程度上取决于社会补偿支付的具体执行是否科学合理，主要包括社会补偿方法、标准及与社会补偿基金相关的问题。

首先是在补偿方法上，根据现行支付系统而言，主要有包括了现金给付、实物给付和服务给付三种方式。其中现金给付又包括一次性金钱给付和持续性金钱给付两种形式。一次性支付的资金包括医疗救助金、治疗开销、收入损失补贴、日常生活护理费、因伤残或死亡获得的补贴，以及遗属的抚恤金等。持续性金钱给付可包含按特定周期领取伤残补贴、传染病后遗症患者的诊疗救治费用及基本生活补贴等。实物给付指的是为传染病预防提供必要的医疗卫生物资和所需的医疗卫生用品。最后一种，服务给付是指提供各类诊疗康复服务及维持基本生活所必需的其他服务。

其次，在补偿标准上，当个人遭受突发传染病而受到损害时，国家通过履行照顾义务，依据突发传染病的等级与受害人需求科学确定补偿给付标准，一方面要以能够维持受害人基本生活、保持生命健康安全为标准，另一方面补偿标准还需要符合我国经济社会发展水平，以公平、可持续的适当给付为原则。①

最后是科学设置社会补偿基金。作为公共事务的重要组成部分，突发公共卫生事件的社会补偿制度中的社会补偿基金可被纳入国家的财政预算中。此外，来自全社会的力量比如各类基金会、慈善机构的捐款和孳息也是社会补偿的重要补充。在突发公共卫生事件之下，在防控、防治工作中，患者、疑似患者所产生的医疗开销可由社会补偿基金统一支出，其他社保基金支出范围不用再做临时调整，以确保社会保险基金的精算平衡与资金安全，高效发挥社会保障制度的优势。

二、感染传染病工伤认定的问题

（一）感染传染病认定工伤的必要性和正当性

1. 必要性

从社会稳定角度进行分析，作为工伤保险体系中的重要部分，针对传染性、

①林嘉，张韵．突发公共卫生事件社会补偿制度的构建[J]. 中国人民大学学报，2020，34（5）：110–120.

急性、流行性和高危害性的传染病，其工伤鉴定机制是否全面、科学在某种程度上对于推动社会的稳定与和谐至关重要。当前我国的工伤保险制度不仅肩负社会责任的分担和转移，也是调节劳动关系的重要手段。如果劳动者由于工作的原因，感染了传染性疾病，导致他们无法支付医疗开销并丧失了工作能力，这不仅会对他们的身体造成重大伤害，还会给他们的心理带来深重的创伤，系列打击很容易激发劳动者对社会的不满，由此会对社会产生不利影响。如果劳动者所患的传染病具备了工伤的条件和认定标准，那么经过工伤鉴定后则可以获得工伤保险的赔付。当社会保障机构有能力帮助用人单位为劳动者肩负起相应的责任，这样可以确保造成经济损失的责任方由全社会共同承担，在特殊时期最大限度促进社会的稳定与和谐。工伤保险旨在通过社会责任的形式来保障劳动者的人身安全，这体现了共渡难关、风雨同舟的核心思想。

无论是从理论还是实践的角度来看，工伤认定都是一个技术性的问题，必须严格依照科学的标准才能规范实施。然而在劳动司法实践中，由于劳动者、工伤认定的行政部门和法院对工伤认定的理解尚存一定的差距，会产生一些争议而引发劳动纠纷。尤其是在突发公共卫生事件背景之下，构建科学有力的社会保障机制，健全工伤认定制度尤为迫切。宪法作为国家的根本大法，第四十二条明确规定保障劳动者的权益。因此从保护劳动者合法权益重要性的角度看，工伤保险是为了帮助劳动者因工作受伤而获得合法赔偿而设立的，重点是补偿劳动者因工作患病而遭受的损失。运用工伤保险的社会保障功能来保护劳动者的合法权益至关重要。

2. 正当性

对因工作感染传染病认定工伤的合法性予以分析，社会法源于大陆法系，是在社会经济水平迅速上升之后应运而生的，目的是满足社会发展中处于弱势群体的基本生活和发展需求，这一切都是基于社会正义和人权保护的核心理念来实现的。社会法更倾向于公共权利介入保护社会中的弱势群体的权利，促进社会的健康发展，其核心理念是均衡社会各个群体之间利益，其中包括提供相关的法律保障。

在突发公共卫生事件背景之下，很多普通劳动者因传染病身体受到不同程度的损害，很有可能导致其在一段时期内失去赖以生存的工作，随之会影响整个家庭的基本生活。在特殊时期帮助此类弱势群体走出困境，转化为全社会的共同分担，最大限度保障他们的基本的生存权、就业权和社会补偿权，对促进社会和谐发展至关重要。当前，因突发公共卫生事件感染而被认定为工伤，仍存在着诸多的理论上的争议和执行上的困难，因此必须由法律予以保障，应健全《中华人民共和国社会保险法》的传染病工伤认定部分，给予必要合理的保障性补偿。

（二）感染传染病认定工伤的合理性

根据我国当前的劳动法律法规，工伤是指劳动者在履行其工作职责时遭遇的突发伤害事件。如劳动者在从事某项工作的过程中而被感染传染性病毒，身体健康受到损害、失去劳动能力甚至丧失生命。为了高效妥善处理这些问题，在符合工伤原则前提下，有必要适度扩大传染病的工伤认定范围。工伤保险制度作为社会法的重要组成部分，其重要职能是为普通劳动者、低收入的弱势劳动者的生命健康和基本生活提供保护和保障，给予在突发公共卫生事件中因工受到损害的劳动者及其家属合理的保障，也正是新时代中国特色社会主义国家社会公平和正义的深入践行，更符合立法的价值导向和社会的期待。

在社会公平和正义视域之下，在劳动、保险、工伤三方面法律体系内构建传染病工伤立法，对实现公平、提高工作效率、推进社会和谐发展均起到积极作用。工伤保险为那些因工被感染传染性疾病的劳动者提供了必要的经济赔偿，获取必要的治疗和基本的生活保障，有助于劳动者痊愈后继续工作创造价值，这一点对于整个社会的和谐与稳定都具有深远的意义。

（三）健全感染传染病认定工伤的法律应对

针对突发公共卫生事件的突发性和危害性，我国相关行政部门陆续制定了相关的政策。例如，2003年5月，原劳动和社会保障部会同人事部、财政部、卫生部联合印发了《关于因履行工作职责感染传染性非典型肺炎工作人员有关待遇问题的通知》；2015年1月，国务院办公厅印发《关于加强传染病防治人员安全防护的意见》；2017年2月，国务院办公厅印发《国务院办公厅关于印发“十三五”全国结核病防治规划的通知》；2020年1月，人社部、财政部、国家卫健委联合印发《关于因履行工作职责感染新型冠状病毒肺炎的医护及相关工作人员有关保障问题的通知》。上述政策对后续健全工伤保险制度立法工作具有指引作用，充分体现了党和政府高度重视传染病防治工作，把保障人民健康放在优先发展的战略位置的实干精神，以人民为中心的发展理念和求真务实的情怀。

1.清晰界定传染病工伤认定的范围

（1）增加传染病种类

我国当前《职业病分类和目录》中的疾病难以满足现实保障劳动者权益保护的需求，需要进一步调整并增加职业性传染病的种类，将其纳入法律保护的范围，可将《传染病防治法》中部分的传染病种类，根据实际情况纳入职业病分类目录。而在具体修订过程中，也可以有选择性地参考一些其他国家的经验。在参考具体职业病时，可以适当地增加职业病的覆盖面，并在范围上扩大职业性传染病的种类。中国疾病预防控制中心由国家卫生健康委划转国家疾控局管理，为国家疾控局直属事业单位。其肩负的职责共有九个方面的内容，其中与本研究有着直接关联的包括：开展疾病预防控制、突发公共卫生事件应急、突发公共卫生事件和疑似预防接种异常反应监测及国民健康状况监测与评价、开展重大公共卫生问题的调查与危害风险评估、研究制定重大公共卫生问题的干预措施和国家免疫规划并组织实施。所以，当前我国传染病工伤认定的范围，在增加传染病种类的工作进程中，应该进一步咨询和参考国家疾病预防控制中心的权威建议，根据社会发展的实际情况，周期性地更新职业病目录，扩大工伤保险的覆盖范围普惠更多劳动者。

（2）扩大保障对象范围

首先是医务人员，由于医疗行业的特殊性和必需性，与其他行业相比被传染病感染的风险较大，是感染传染病的高风险行业。为了确保医护和相关工作人员在未来传染病工伤认定的法律应用中能够顺利进行工伤认定申请，应当将他们纳入特殊的传染病工伤认定申请主体，并将其纳入工伤保险条例。其次，在特定的时间段中的特殊职业工作者也应当适时地被纳入扩大保障的覆盖范围内。例如特殊时期参与防控工作的警务人员、社区工作人员和后勤支持人员、参与志愿者等。具体的评估准则应基于相关工作是否与传染病疫情的防控工作有直接的联系来确定。综上，这些因工作原因有较大被传染风险的工作人员应该被给予法律上的特殊保护。

2. 健全工伤认定的配套制度

（1）调整并优化工伤认定方式

工伤的科学界定对于劳动者因工受到伤害后依法获取经济赔偿至关重要。在我国工伤认定通常由社会保险行政部门作出，其中的内设机构庞杂且职权相对分散，工伤认定职能仅为其中一小部分，具体工伤认定过程中存在内设工伤认定机构与其他内设机构之间职能的交叉，大大降低了其权威性，导致行政资源的浪费，降低了工伤认定这一行政行为的效能。可以整合现有的具有独立性的工伤认定主体，也可尝试将现有社会保险行政部门的内设工伤认定机构分离出来，整合后赋予行政职能，以破解当前工伤认定工作中的多头管理、行政效率低下的困境。与此同时，进一步优化解决劳动者伤害事故的流程，增强科学性与规范性，最大限度提升保障劳动者的合法权益的效能，实现我国工伤保险的立法目的。

在劳动司法实践之中，行政部门和人民法院对“工伤认定”存在差异。人民法院认定范围相对较大，直接或间接发生的伤害和急性中毒事故通常包括在认定工伤的范围内；行政部门对“工伤认定”倾向于具有突发性、有害性的“产业事故”，因传染病而感染通常不包含在内。我国工伤认定行政部门对于“事故”采取狭义解释，将感染传染疾病排除外，有很大一部分因工感染传染病的劳动者无法被认定工伤。因此应当准确适用工伤保险的立法目的，即工作只需是导致伤害客观发生的推动因素，二者具有因果关系工伤即可成立。在工伤认定过程中，无论是行政部门还是司法部门，都应当适用统一认定标准，将劳动者的工作时间、地点、原因等因素综合判断以增强其法律效力。

（2）健全工伤认定的救济途径

工伤认定程序是劳动者申请工伤认定的合法途径与必经环节，该程序是否科学、合理、便捷，与劳动者的切身利益密切相关，也事关人民群众对相关行政部门的公信力的考量。第一，当前的工伤认定程序烦琐，往往会在时间、金钱等方面浪费当事人大量的精力，也难以得到满意的结果。当前，根据《工伤保险条例》第十七条的规定，用人单位为其职工申请工伤认定的顺序要先于职工本人或其直系亲属和工会组织，然而在劳动司法实践中不少的用人单位为了规避风险，故意拉长时间，甚至销毁相关证据，致使劳动者难以在因工受伤后及时被认定工伤，侵害其获得救济的权利。劳动者是工伤认定的直接利害关系人和工伤保险赔偿的直接受益主体，应当直接赋予劳动者本人申请工伤认定的合法权利，取消用人单位的优先权。第二，对于劳动者与用人单位之间劳动关系的确认，可授权工伤认定部门在工伤认定时对劳动关系和工伤同时进行确认。在劳动司法实践中个别用人单位为了规避责任拒绝确定与劳动者之间存在劳动关系，劳动者不得不向劳动仲裁机构提出申请，通过劳动仲裁结果来向工伤认定部门证明其与用人单位之间的劳动关系。这一程序过于冗长烦琐，拉长了工伤认定及获得工伤保险金的战线，从当事人角度来说不仅浪费救治时间还加重了个人的医疗负担。因此，通过授权工伤认定部门对劳动关系和工伤的同时确认，如果当事人对工伤认定结论持有不同看法，可对工伤认定或劳动关系的认定进行复议。若对复议结果仍不服，当事人可以向法院提起工伤认定诉讼，通过法院的判决认定的最终结果。提升行政效率的同时还能够帮助劳动者节省时间、人力和精力。

此外，应科学调整工伤认定申请程序的时限。具体结合《最高人民法院关于审理工伤保险行政案件若干问题的规定》第七条，引入时效的中止、中断。劳动者因客观原因无法行使权利则引发工伤认定的中止，因主观原因则导致工伤认定的中断。完善工伤认定申请程序的时限规定，能够针对性地解决劳动者因个人意志以外的因素而无法按时申请工伤的难处，亦高度契合工伤认定的立法精神与目标。可以在工伤认定中引入听证制度，设立听证程序。听证程序是指在行政机关作出行政决定之前，给案件的利害关系人提供发表意见、提出证据的机会，对相关事项相互质证并阐述自己的观点，听取各方利害关系人意见和建议的法定程序。建立工伤认定立法中的听证程序，有助于工伤认定的公正性与透明性。在听证程序中，工伤认定的双方可以在行政部门面前表达各自诉求，针对对方的主张充分行使申辩的权利。在相互质证的过程中，有利于工伤认定部门厘清事实，做出科学公正的工伤认定结论。听证程序中制作听证笔录作为后续工伤认定工作的重要依据。综上所述，在工伤认定中设立听证程序，有助于复杂、疑难案件能够得到公正的解决，能推进严格规范、公正文明执法，确保行政执法围绕保障和促进社会公平正义，坚持依法治国、依法执政、依法行政共同推进，坚持法治国家、法治政府、法治社会一体建设。

第四章　突发公共卫生事件下的行政法规制

第一节　突发公共卫生事件下行政应急法治建设

一、行政应急概述

1989年5月27日，《人民日报》在关于处理核事故的文章中首次使用“行政应急”一词。行政应急属行政事务之一。行政事务分为正常社会状态下的行政事务及非正常社会状态或紧急状态下的行政事务，行政应急则属于后者，即紧急状态下的行政事务。行政应急主要指的是国家行政机关依照宪法和法律规定行使应急权，对可能发生或已经发生的公共危机进行预测、监督、控制和协调处理，以期有效地预防、处理和消除危机的制度。如发生战争、暴乱、自然灾害、突发公共卫生事件及各类恐怖活动等严重危及国家、社会公共安全，损害公民合法权益的事项，国家行政机关依据宪法和相关的法律规定应予以应急处置。

（一）行政应急概念

1. 行政应急主体

行政应急主体是指行使应急权的机构和组织，一般为国家行政机关和行政应急法律法规所授权的单位和组织。根据《中华人民共和国突发事件应对法》第十七条及第十八条规定：县级人民政府对本行政区域内突发事件的应对工作负责；涉及两个以上行政区域的，由有关行政区域共同的上一级人民政府负责，或者由各有关行政区域的上一级人民政府共同负责。

根据《突发公共卫生事件应急条例（2011年修订本）》第四条规定，“突发事件发生后，省、自治区、直辖市人民政府成立地方突发事件应急处理指挥部，省、自治区、直辖市人民政府主要领导人担任总指挥，负责领导、指挥本行政区域内突发事件应急处理工作。县级以上地方人民政府卫生行政主管部门，具体负责组织突发事件的调查、控制和医疗救治工作。县级以上地方人民政府有关部门，在各自的职责范围内做好突发事件应急处理的有关工作”。可见在突发公共卫生事件之下，行政应急行为中的基层行政应急主体应为县级以上地方人民政府，同时依据事件的危害程度，如果涉及两个以上行政区域，行政应急主体则升级为“上一级人民政府”。但在重大突发卫生事件中，因涉及更高的医学技术和防治难度，行政应急主体则由省、自治区、直辖市人民政府及主要领导人，以及县级以上地方人民政府等有关部门组成。

例如，2003年SARS病毒疫情期间，2003年4月20日，国务院于成立了防治“非典”指挥部，指挥部由党中央、国务院、军队系统和北京市的30多个部门和单位的人员组成，下设10个工作组和办公室，国务院副总理担任总指挥，统一领导全国“非典”防治工作，卫生部常务副部长为防治组组长、质检总局局长为卫生检疫组组长、科技部部长为科技攻关组组长、发展改革委主任为后勤保障组组长、农业部副部长为农村组组长、中宣部常务副部长为宣传组组长、公安部常务副部长为社会治安组组长、外交部副部长为外事组组长、教育部部长为教育组组长、北京市代市长为北京组组长、国务院副秘书长为办公室主任。北京市委书记任北京市防治工作组长。统一调配在京地区的医疗资源。统一管理“非典”疫情的防治工作与信息发布工作。实践证明这种主体形式是行之有效的。

2. 行政应急对象

行政应急对象是指行政应急主体在行使应急权过程中针对的客体，一般指危及国家、社会、人民安全的各类突发公共事件。按照《中华人民共和国突发事件应对法》第三条规定：“突发事件，是指突然发生，造成或者可能造成严重社会危害，需要采取应急处置措施予以应对的自然灾害、事故灾难、公共卫生事件和社会安全事件。”其中自然灾害、事故灾难、公共卫生事件、社会安全事件均为行政应急对象。另据《突发公共卫生事件应急条例（2011年修订本）》第二条规定，突发公共卫生事件的行政应急对象，“是指突然发生，造成或者可能造成社会公众健康严重损害的重大传染病疫情、群体性不明原因疾病、重大食物和职业中毒以及其他严重影响公众健康的事件”。可见，具体到突发公共卫生事件中的行政应急对象则为重大传染病疫情、重大食物和职业中毒、群体性不明原因疾病和其他严重影响公众健康的事件。如前文所述，新中国成立后，我国发生的各类突发公共卫生事件，如1988流行的甲肝疫情、2003年流行的SARS病毒疫情、2019年12月以来发生的新型冠状病毒疫情等，均属于行政应急对象。

另外，行政应急过程是指行政应急主体运用行政紧急权时所必须遵循的步骤，是实现法律规定的权利和义务的必要条件。行政应急过程可以分为两类：一类是行政应急主体制定和发布的紧急性行政法规和其他具有普遍约束力的规范性文件的抽象行政行为所遵循的行政应急过程；另一类是行政应急主体作出的能实际影响相对一方权利、义务的作为或不作为的紧急性具体行政行为所遵循的行政应急过程。

3.行政应急过程

行政应急过程从宏观上说一般分为对突发事件的预防与应急准备、对突发事件的监测与预警、对突发事件的克服与消除、突发事件消除后的恢复。根据《中华人民共和国突发事件应对法（2021年修正）》第四十九条规定，自然灾害、事故灾难或者公共卫生事件发生后，履行统一领导职责的人民政府可以采取的一项或者多项应急处置措施，共十条具体措施。另外，第五十条规定了社会安全事件发生后，组织处置工作的人民政府可以采取的一项或多项应急处置措施，共计五条具体措施。通过对《突发事件应对法（2021年修正）》第四十九条、第五十条相关规定的分析，所规定的“十条措施”或“五条措施”，从客观上说也属于行政应急过程。

另外，就公共卫生事件的行政应急过程来说，宏观上可分为预防与应急准备、报告与信息发布、应急处理三个过程和步骤。《突发公共卫生事件应急条例》第四章“应急处理”中的26条至44条的相关规定，除了表述应急处理的相关措施之外，也呈现着具体的行政应急过程的指导和建议。再如，第二十七条中，“在全国范围内或者跨省、自治区、直辖市范围内启动全国突发事件应急预案，由国务院卫生行政主管部门报国务院批准后实施。省、自治区、直辖市启动突发事件应急预案，由省、自治区、直辖市人民政府决定，并向国务院报告”。第三十一条中规定，“应急预案启动前，县级以上各级人民政府有关部门应当根据突发事件的实际情况，做好应急处理准备，采取必要的应急措施。应急预案启动后，突发事件发生地的人民政府有关部门，应当根据预案规定的职责要求，服从突发事件应急处理指挥部的统一指挥，立即到达规定岗位，采取有关的控制措施。医疗卫生机构、监测机构和科学研究机构，应当服从突发事件应急处理指挥部的统一指挥，相互配合、协作，集中力量开展相关的科学研究工作”。再如第三十二条中规定，“突发事件发生后，国务院有关部门和县级以上地方人民政府及其有关部门，应当保证突发事件应急处理所需的医疗救护设备、救治药品、医疗器械等物资的生产、供应；铁路、交通、民用航空行政主管部门应当保证及时运送”。以上条目中强调了“启动应急预案”和“向国务院报告”“做好应急处理准备”“立即到达规定岗位”“采取必要的应急措施”“应急处理物资的生产、供应”“交通保证”等重要的行政应急过程。

此外，上文中还涉及行政应急权这一术语。行政应急权是指由宪法和法律授权的国家机构，在确认或宣布某一地区进入紧急状态后，在紧急状态期间和地域范围内，由特定的行政机关或法律法规授权的组织来执行。

根据宪法第六十七和第八十九条规定，全国人大常委会有权决定全国范围和省、自治区、直辖市范围进入紧急状态；国务院有权决定省、自治区、直辖市范围内部分地区进入紧急状态。而紧急状态往往是指自然灾害、事故灾难、公共卫生事件、社会安全事件等重大突发公共事件的发生。

（二）行政应急的特征

不同于其他行政行为，行政应急行为具有以下特征：

一是行使时间具有紧急性。行政应急行为需要在严重危及国家、社会公共安全的紧急状态下条件下行使，常规的行政管理难以控制和消除危急状态。二是具有法律约束性。行政应急行为必须依据宪法、突发事件应对法、突发公共卫生事件应急条例等相关法律法规，否则相关行为无效。三是采取的措施具有强制性。纵观历次突发公共卫生事件和自然灾害等突发公共事件，均对人民的身体健康甚至生命造成重大损害，相关行政主体为控制突发事件的进一步发展，最大限度地降低各种损害，保障公共秩序稳定，对相应的违法行为及相关破坏、阻碍行政应急过程的个人、组织采取强制措施。四是行使的程序具有特殊性。突发事件的发生往往给国家、社会和公民个人带来不可估量的损害，行政应急主体面临突发公共事件在行使应急权时，由于事态紧急，可能出现较为特殊的、简化的行使程序。五是需要相关主体配合性。宪法第十三条规定“国家为了公共利益的需要，可以依照法律规定对公民的私有财产实行征收或者征用并给予补偿”；突发事件应对法第十二中明确规定，“有关人民政府及其部门为应对突发事件，可以征用单位和个人的财产。被征用的财产在使用完毕或者突发事件应急处置工作结束后，应当及时返还。财产被征用或者征用后毁损、灭失的，应当给予补偿”。即指在突发事件发生的紧急状态下，行政应急主体依法对相关组织和个人的财物进行暂时性的征收和征用的行为。

二、突发公共卫生事件下行政应急的基本原则

行政应急行为是行政主体在突发事件发生的紧急状态下，所采取的应急处置行为，往往存在着一定的特殊性，在突发公共卫生事件中，行政应急主体在行政应急行为中应遵循如下基本原则。

（一）法治原则

行政应急主体在突发公共卫生事件下所行使的行政应急权，其首要原则要在相关法律法规的框架之内。紧急状态，很有可能致使法律法规中的某些条款处于中止的情况，也极有可能会使公民的某些基本权益受到影响。所以，在紧急状态下的行政应急权的行使条件和程序进行应当事先予以规范。纵观其他国家的相关立法经验，行政应急行为与法律法规的关系则呈现出三种不同的模式，一是绝对主义模式，二是自由主义模式，三是相对主义模式。 绝对主义模式认为现有的法律体系已经为行政机关提供了解决突发事件的所有手段，除了宪法明确规定

的特别权利外，行政机关没有其他处理突发事件的紧急权利，也不能要求新的权利。而自由主义模式认为在应急状态下，行政机关可以采取相关措施而无需考虑法律的相关规定，但他们必须承担其行为超越法律的风险。相对主义模式认为行政机关在坚持法治的原则和民主价值的同时，又必须具有处理紧急情况的权利。该模式在紧急状态下，根据国家现有的法律体系，应对突发事件所采取的相关措施符合相关的法律规定。按照以上所述的三种模式，当前我国在突发公共卫生事件中采取的行政应急行为主要遵循第三种模式。紧急状态下在法律规定的前提下相对灵活地行使行政应急权。

（二）人权原则

行政应急主体在紧急状态下的应急行为，其根本目的是为控制当前局势以防进一步恶化，使得社会秩序和人民群众的生产生活尽快恢复正常状态，尤其是在突发公共卫生事件背景下，应急行为的首要任务就是对公民生命健康权的保障，实质即保障人权。《民法典》规定，自然人享有生命权、身体权、健康权，自然人的生命权、身体权、健康权受到侵害或者处于其他危难情形的，负有法定救助义务的组织或者个人应当及时施救。另外，《突发事件应对法》第十条规定，“有关人民政府及其部门采取的应对突发事件的措施，应当与突发事件可能造成的社会危害的性质、程度和范围相适应；有多种措施可供选择的，应当选择有利于最大程度地保护公民、法人和其他组织权益的措施”。上述法律均体现了保障人权的原则。在紧急状态下，行政主体的行政强制、行政征收、行政征用等应急行为，造成用人单位、公民基本权益暂时性地受到损害，应在突发公共卫生事件得到控制或完全消除后，及时对相关当事人给予行政补偿、行政赔偿。

（三）比例原则

比例原则是指行政主体在紧急状态下行使行政应急权时，如有多种措施可供选择，应该尽可能选用相对科学、适当、必要的应急措施，最大程度地给行政相对人的权益产生较小影响，同时不能为了达到行政应急目的而造成不必要的损害。如《突发事件应对法》第十条中规定的“有多种措施可供选择的，应当选择有利于最大程度地保护公民、法人和其他组织权益的措施”就充分体现了比例原则。

在行政法学的视角之下，比例原则有广义和狭义之分。广义的比例原则包括三层含义：一是适当性。它是指行政权力的实施必须符合实现行政目标的需要。也就是说，行政部门可以自主选择的方法能够真正实现立法者的期望目标，而行政自由裁量行为则是其约束的对象。二是必要性。它是指行政权力对私人权益的影响不得超越实现行政目的，即在所有可能达到行政目标的途径中，行政部门尽可能地选择对行政相对方合法权益造成最少损害和影响最小的措施。三是均衡性。它是指行政权力的行使虽然能够实现行政目的，但不可给予公民超过行政目的的价值的侵害，即需要将行政目的所达成的利益与侵害公民合法权益之间作出均衡，必须证明前者重于后者，才能尽可能降低侵害。

（四）效率原则

效率原则是行政应急行为中最为重要的原则，要尽可能地以最低的损害换取最大的社会公众利益。不讲求效率的应急行为便失去了应急的核心目的，要想达到高效率行政应急，需要有效把握四个方面的问题，一是时间问题，二是团队问题，三是配合问题，四是职权问题。

在时间和团队方面，紧急状态下行政应急主体和工作人员，应在公共卫生事件发生后的最短时间内实施应急措施。组建高效的应急团队，应急人员专业素质高才能够科学迅速实施应急措施。在整个行政应急过程中，要有科学严谨的预判、专业精准的预案，尤其是近年来的突发公共卫生事件中，因传染病引起的疫情不在少数，在此情况下没有科学、专业的紧急预案是无法高效应对的。在具体配合方面，各个行政部门之间应做到高效配合，发挥不同行政职能在应急过程中的积极组织功能并实施各项防控政策。在职权方面，必须明确应急职权，杜绝在应急过程中出现互相推诿的情形，这在特殊时期会极大影响和阻碍行政应急措施的实施，严重时甚至会导致事态进一步扩大而难以控制。

（五）公开原则

在突发公共卫生事件时，尤其是在初期出现大量因传染病病毒感染的病例后，因对病毒来源、性质的暂不明确，大家内心很容易引起极度恐慌和焦虑，甚至影响到社会秩序。在特殊时期，有关行政部门应及时公布突发公共卫生事件的最新进展，同时与现代多种媒体平台协作，及时发布相关注意事项，及时帮助大家缓解心理恐惧与焦虑。《中华人民共和国传染病防治法》第三十八条规定，“国家建立传染病疫情信息公布制度。国务院的卫生管理部门会定期向公众发布全国的传染病疫情资讯。各省、自治区和直辖市的人民政府卫生管理部门会定期向公众发布其行政区域内的传染病疫情数据。县级以上地方各级政府及其疾病预防控制机构和有关部门根据本地区实际情况发布法定报告传染病疫情报告表或通报等传染病疫情信息。在传染病暴发或流行的情况下，国务院卫生行政部门有责任向公众公开相关的疫情信息，并有权授权各省、自治区、直辖市的人民政府卫生行政部门向公众发布其行政区域内的传染病疫情数据”。

三、突发公共卫生事件下行政应急行为

突发公共卫生事件下的行政应急行为，即行政主体在突发公共卫生事件发生

后根据国家相关法律和其他规范性文件规定而采取的各种应急措施的行为。通常是从防控工作开始到结束过程中采取的一系列措施。

（一）法律依据

行政应急行为必须有法律依据，方可进行一系列的行政应急措施，否则是无效与违法的。当前我国在突发公共卫生事件中，《宪法》《突发事件应对法》《传染病防治法》《突发公共卫生事件应急条例》《突发公共卫生事件应急预案》等法律法规，为我国各类突发公共卫生事件的行政应急行为提供了法律依据。

《宪法》第六十七条中规定，全国人民代表大会常务委员会行使职权中包括，决定全国或者个别省、自治区、直辖市进入紧急状态。另外在第八十九条中规定，国务院行使职权中包括，依照法律规定决定省、自治区、直辖市的范围内部分地区进入紧急状态职权。而这样的“紧急状态”则指《突发事件应对法》第三条中所规定的突发事件，是指那些突如其来、导致或有可能引发严重社会影响的事件，这些事件需要立即采取紧急应对措施，包括自然灾害、事故灾难、公共卫生问题以及社会安全问题。其中也包括公共卫生事件。在我国早在1989年2月定制并发布了《传染病防治法》，后经2003年、2013年两次修订。现行《传染病防治法》第四十二条中规定，“传染病暴发、流行时，县级以上地方人民政府应当立即组织力量，按照预防、控制预案进行防治，切断传染病的传播途径，必要时，报经上一级人民政府决定，可以采取相关紧急措施。”这里所说的“可以采取相关紧急措施”即行政应急行为，与《宪法》《突发事件应对法》中所表述的内容本质上是一致的。

（二）突发公共卫生事件中行政应急行为的分类

1.救助类行政应急行为

救助类行政应急行为，又称为救助性应急行政措施，是指突发公共事件发生后，行政机关实施的救济、帮助或援助受到突发事件损害的公民的行为。其目的是减少和避免损失。在相关法律法规中均有表述，如《中华人民共和国传染病防治法》第五十二条规定，“医疗机构应当对传染病病人或者疑似传染病病人提供医疗救护、现场救援和接诊治疗，书写病历记录以及其他有关资料，并妥善保管。医疗机构应当实行传染病预检、分诊制度；对传染病病人、疑似传染病病人，应当引导至相对隔离的分诊点进行初诊。医疗机构不具备相应救治能力的，应当将患者及其病历记录复印件一并转至具备相应救治能力的医疗机构。具体办法由国务院卫生行政部门规定”。

《突发公共卫生事件应急条例（2011年修订本）》第三十九条规定：“医疗卫生机构应当对因突发事件致病的人员提供医疗救护和现场救援，对就诊病人必须接诊治疗，并书写详细、完整的病历记录；对需要转送的病人，应当按照规定将病人及其病历记录的复印件转送至接诊的或者指定的医疗机构。医疗卫生机构内应当采取卫生防护措施，防止交叉感染和污染。医疗卫生机构应当对传染病病人密切接触者采取医学观察措施，传染病病人密切接触者应当予以配合。医疗机构收治传染病病人、疑似传染病病人，应当依法报告所在地的疾病预防控制机构。接到报告的疾病预防控制机构应当立即对可能受到危害的人员进行调查，根据需要采取必要的控制措施。”

除了以上两部法律法规对突发公共卫生事件的救援救助性的行政应急性进行了规定之外，早在2014年2月，国务院发布《社会救助暂行办法》。2020年9月《中华人民共和国社会救助法（草案征求意见稿）》公布。2022年8月2日，民政部公布《民政部2022年度立法工作计划》，计划制定的四部法律中包括《中华人民共和国社会救助法》。《社会救助法》第六条“应急机制”中规定，“国家建立突发公共事件困难群众救助机制。各级人民政府应当将困难群众急难救助纳入突发公共事件相关应急预案，制定应急期社会救助政策和紧急救助程序”。另外第十四条“社会救助对象”中的九类家庭或者人员中包括受灾人员，当然也涵盖了突发公共卫生事件中的受灾人员。

2. 限制类行政应急行为

限制类行政应急措施，主要是损益性的行政行为，涉及对公民和社会组织权利的减损。行政机关在采取这些措施时，应当依据法律和行政法规规定的程序和权限实施。特别需要指出的是，为了兼顾法治原则和应急效率原则，当法律没有规定或发生不可预见的突发事件时，行政机关可以采取限制和禁止措施，但要遵守比例原则——行政机关采取的措施，应确保与突发事件可能带来的社会风险的性质和影响范围相匹配；当存在多种可选方案时，应优先考虑那些能够最大限度地维护公民和社会组织权益的措施。

限制性行政措施主要分为对公民人身自由、财产权利和政治自由等权利的限制或禁止措施、对重大社会安全方面的突发事件的应急行政措施、对危害经济安全事件的应急行政措施、应急行政处罚、行政处分、强制等措施，限制性行政应急措施主要运用于社会安全、公共卫生、事故灾难三类突发事件。[①]

从突发公共卫生事件的角度看，限制类行政应急行为主要依据《传染病防治法》《国家突发公共卫生事件应急预案》《国家突发重大动物疫情应急预案》《进出境动植物检疫法》《水污染防治法》等相关法律法规实施限制性措施。如《中华人民共和国传染病防治法》第三十九条中规定，“医疗机构发现甲类传染病时，应

①戚建刚．中国行政应急法学［M］．北京：清华大学出版社，2013.

当及时采取对病人、病原携带者，予以隔离治疗，隔离期限根据医学检查结果确定、对疑似病人，确诊前在指定场所单独隔离治疗、对医疗机构内的病人、病原携带者、疑似病人的密切接触者，在指定场所进行医学观察和采取其他必要的预防措施。拒绝隔离治疗或者隔离期未满擅自脱离隔离治疗的，可以由公安机关协助医疗机构采取强制隔离治疗措施。医疗机构发现乙类或者丙类传染病病人，应当根据病情采取必要的治疗和控制传播措施”。另外在第四十二条中对具体的“紧急措施”进行了进一步的规定，“传染病暴发、流行时，县级以上地方人民政府应当立即组织力量，按照预防、控制预案进行防治，切断传染病的传播途径，必要时，报经上一级人民政府决定，可以采取下列紧急措施并予以公告：（一）限制或者停止集市、影剧院演出或者其他人群聚集的活动；（二）停工、停业、停课；（三）封闭或者封存被传染病病原体污染的公共饮用水源、食品以及相关物品；（四）控制或者扑杀染疫野生动物、家畜家禽；（五）封闭可能造成传染病扩散的场所。上级人民政府接到下级人民政府关于采取前款所列紧急措施的报告时，应当即时作出决定。紧急措施的解除，由原决定机关决定并宣布”。

《国家突发公共卫生事件应急预案》第四条第二款“应急反应措施”中规定，各级人民政府可以实施的九类应急反应措施，其中“划定控制区域”“疫情控制措施”“流动人口管理”“实施交通卫生检疫”均属于限制性行政应急措施，具体为“（一）划定控制区域：甲类、乙类传染病暴发、流行时，县级以上地方人民政府报经上一级地方人民政府决定，可以宣布疫区范围；经省、自治区、直辖市人民政府决定，可以对本行政区域内甲类传染病疫区实施封锁；封锁大、中城市的疫区或者封锁跨省（区、市）的疫区，以及封锁疫区导致中断干线交通或者封锁国境的，由国务院决定。对重大食物中毒和职业中毒事故，根据污染食品扩散和职业危害因素波及的范围，划定控制区域。（二）疫情控制措施：当地人民政府可以在本行政区域内采取限制或者停止集市、集会、影剧院演出，以及其他人群聚集的活动；停工、停业、停课；封闭或者封存被传染病病原体污染的公共饮用水源、食品以及相关物品等紧急措施；临时征用房屋、交通工具以及相关设施和设备。（三）流动人口管理：对流动人口采取预防工作，落实控制措施，对传染病病人、疑似病人采取就地隔离、就地观察、就地治疗的措施，对密切接触者根据情况采取集中或居家医学观察。（四）实施交通卫生检疫：组织铁路、交通、民航、质检等部门在交通站点和出入境口岸设置临时交通卫生检疫站，对出入境、进出疫区和运行中的交通工具及其乘运人员和物资、宿主动物进行检疫查验，对病人、疑似病人及其密切接触者实施临时隔离、留验和向地方卫生行政部门指定的机构移交”。

另外，为了预防和防治因生活饮用水源污染引起的公共卫生事件发生，我国早在1984年便制定了《中华人民共和国水污染防治法》，并于同年5月11日，经第六届全国人民代表大会常务委员会第五次会议通过并发布，后在1996年、2017年、2008年重新进行了修订。《中华人民共和国水污染防治法》在第七十九条中规定："市、县级人民政府应当组织编制饮用水安全突发事件应急预案。饮用水供水单位应当根据所在地饮用水安全突发事件应急预案，制定相应的突发事件应急方案，报所在地市、县级人民政府备案，并定期进行演练。饮用水水源发生水污染事故，或者发生其他可能影响饮用水安全的突发性事件，饮用水供水单位应当采取应急处理措施，向所在地市、县级人民政府报告，并向社会公开。有关人民政府应当根据情况及时启动应急预案，采取有效措施，保障供水安全。"以上具体的规定基于饮用水源污染中的限制类行政应急措施，从根源上阻止和切断了因饮用水引发的突发公共卫生事件发生的可能性。

因动物疫情而引发的公共卫生事件时有发生，例如禽流感、猪流感、猴痘等均属于因动物疫情引起的突发公共卫生事件。近年来在加拿大也曾出现过由鹿将新冠病毒传染给人类的案例，美国密歇根也发生过因水貂而引起的特殊新冠毒株。在关于动物疫情防治法律法规方面，2006年我国依据《动物防疫法》《进出境动植物检疫法》和《国家突发公共事件总体应急预案》，制定并发布了《国家突发重大动物疫情应急预案》。

《国家突发重大动物疫情应急预案》第四条第二款第一项规定，特别重大突发动物疫情（I级）发生后，县级以上地方各级人民政府可以采取的限制性措施，诸如发布封锁命令，对疫情区域进行封锁；在此行政辖区内，对动物及其产品的交易实施限制或停止，并对房屋、场所和交通工具进行临时征收；紧急采取措施，如封锁受到动物疫病病原体污染的公众饮用水源。

另外，《进出境动植物检疫法实施条例》第四条规定，国（境）外发生重大动植物疫情并可能传入中国时，根据情况采取下列紧急预防措施：国务院可以对相关边境区域采取控制措施，必要时下令禁止来自动植物疫区的运输工具进境或者封锁有关口岸；国务院农业行政主管部门可以公布禁止从动植物疫情流行的国家和地区进境的动植物、动植物产品和其他检疫物的名录。

3.保护类行政应急行为

行政机关实施应急性保护措施是指对国家机关、公共机构、公共设施和私人财产的保护。在发生突发事件情况下，国家机关、公共机构、公共设施和私人财产，应当由行政机关提供比平时更为严格的保护。保护的意义之一是，公众负有不得侵犯的义务。冲击、破坏等行为，将受到比平时更为严厉的制裁。由于国家资源的有限性，对于上述目标的保护应当有轻重缓急之分。保护顺序是国家机关、公共机构、公共设施和私人财产。在实现方式上，“主要有迅速消除突发事件的危害和危险源，划定危害区域、维护社会治安；针对突发事件可能造成的损害，封闭、隔离或者限制使用有关场所，中止可能导致损害扩大的活动；抢修被损坏的公共交通、通信、供水、供电、供气等基础设施。保护性行政应急措施可以运用于自然灾害、公共卫生和事故灾害三类突发事件”。

在突发公共卫生事件中实施保护类的行政应急行为，在《中华人民共和国传染病防治法》《中华人民共和国传染病防治法实施办法》中均有明确规定。《传染病防治法》第四十三条规定，“甲类、乙类传染病暴发、流行时，县级以上地方人民政府报经上一级人民政府决定，可以宣布本行政区域部分或者全部为疫区；国务院可以决定并宣布跨省、自治区、直辖市的疫区。县级或更高级别的地方人民政府有权在疫区内实施本法第四十二条所规定的紧急措施，并有权对进出疫区的人员、物资和交通工具进行卫生检疫。县级以下地方政府应当按照上级人民政府的命令或指示，组织有关单位进行防疫工作。各省、自治区和直辖市的人民政府有权决定对其行政辖区内的甲类传染病疫情区域进行封锁；省级人民政府可以根据需要确定实行封锁的其他地区。然而，对于封锁大型和中型城市的疫情区域、跨省、自治区、直辖市的疫情区域，以及由于封锁疫情导致的主要交通中断或国境封锁，这些都是由国务院来做出决策的。禁止一切车辆进入疫区。关于疫区封锁的取消，将由最初的决策机构来确定并公告”。

1991年我国依据《传染病防治法》制定了《传染病防治法实施办法》，并于12月6日发布、实施。《传染病防治法实施办法》第五十二条中规定，“在传染病暴发流行区域，当地政府应当根据传染病疫情控制的需要，组织卫生、医药、公安、工商、交通水利、城建、农业、商业、民政、邮电、广播电视等部门采取下列预防、控制措施：（一）对病人进行抢救、隔离治疗；（二）加强粪便管理，清除垃圾、污物；（三）加强自来水和其他饮用水的管理，保护饮用水源；（四）消除病媒昆虫、钉螺、鼠类及其他染疫动物；（五）加强易使传染病传播扩散活动的卫生管理；（六）开展防病知识的宣传；（七）组织对传染病病人、病原携带者、染疫动物密切接触人群的检疫、预防服药、应急接种等；（八）供应用于预防和控制疫情所必需的药品、生物制品、消毒药品、器械等；（九）保证居民生活必需品的供应”。

4.保障类行政应急行为

保障类行政应急行为是为克服财力、物力和人力不足而采取的措施，在自然灾害、公共卫生和社会安全类突发事件中，均会涉及保障类的行政应急措施。保障类行政应急行为可分为国家层面、社会层面及普遍适用三个类别。

（1）国家层面的物质保障行政应急行为

国家层面的物质保障行政应急行为是指行政机关在具体应急措施中可以通过修改财政预算，即国务院和突发事件发生地的人民政府，在进行应急处理期间发现原来预算开支不足以支持控制和克服突发事件，可以由人民政府常务会议决定修改预算，增加相关项目的开支。在突发事件发生期结束后，报请当地人民代表大会及其常委会批准追认有关财政开支的申请拨付程序可以适当简化，应急处理结束后经由审计机关的审计予以确认；进行紧急采购，即行政机关为保障实施应急措施采购货物、工程和服务，可以启动《政府采购法》规定的紧急采购程序，人民政府财政部门和审计部门对采购人的紧急采购行为进行监督；启用国家储备，即国务院及其部门可以为采取应急措施启用国家储备，包括急救物资和设备、应急专项资金，等等。在突发公共卫生事件中，统一国家应急物资保障体系建设对疫情防控、防治起到事半功倍的作用，另外健全统一应急物资保障体系更离不开生产、储备和运输三个至关重要的环节。

（2）社会层面的资源动员行政应急行为

社会层面的资源动员行政应急行为是指行政机关对社会资源中动产或不动产的征收与征用，即行政机关依照相关国际条约或者协定和法律的规定，可以临时征用和征收国家机关和军队以外的社会组织或者个人的交通工具、设备、用地、房屋、设施和企业，并给予补偿。《中华人民共和国突发事件应对法》第五十二条规定："履行统一领导职责或者组织处置突发事件的人民政府，必要时可以向单位和个人征用应急救援所需设备、设施、场地、交通工具和其他物资，要求生产、供应生活必需品和应急救援物资的企业组织生产、保证供给，要求提供医疗、交通等公共服务的组织提供相应的服务。"除此之外，为了应对突然发生的情况，相关的人民政府及其各个部门有权征收单位或个人的资产。一旦被征用的资产耗尽或紧急事件处理完毕，应当迅速归还。当财产被征收或在征收后遭受损坏或消失时，必须提供相应的赔偿。

在突发公共事件中，如涉及个人的动产和不动产被征收或征用，也可以依据《民法典》中所规定的条款保障个人的权益。《民法典》中出于公众的利益考虑，当根据法律所规定的权限和流程对不动产或动产进行征收或征用时，应确保提供公正和合理的赔偿。另外出于公众利益的考虑，根据法律所规定的权限和流程，可以征用集体所有的土地、组织、个人住宅和其他不动产。对于征收的组织、个人所拥有的房产及其他的不动产，都应当按照法律规定提供相应的征收补偿，维护被征收人的合法权益；征收个人住宅的，还应当保障被征收人的居住条件。任何组织或者个人不得贪污、挪用、私分、截留、拖欠征收补偿费等费用。

（3）普遍适用的行政应急行为

普遍适用的应急行政调整措施则是指行政机关有权发布命令，对生活必需品和工农业产品实行价格管制或者配给供应，对某些货物和技术实行进出口管制和其他适用于所有公民和商业机构的应急行政措施。

2.突发公共卫生事件中保障类行政应急行为

（1）传染病防控防治方面

突发公共卫生事件的发生往往具有一定的突发性、紧急性和不可预估性。紧急状态下为了全社会的公共利益，国家有权在全国范围内进行疫情防控的指挥调配或施行相关措施。如公共卫生事件发生在个别省市或者地区，则有权通过跨省、市、自治区实施相关防疫措施，包括县级以上的地方政府在紧急状态下也有权利进行防疫人员的紧急调动、防疫物资的调配。另外，国家还拥有相关设施和设备的征用权。突发事件发生后，依照法律和有关行政法规的规定，对暂时无法动用或难以使用的部分财产，可以通过市场调剂，但不得采取强制交易方式进行买卖。对于紧急调动的人员，应根据相关规定提供适当的薪酬。国家对突发事件造成重大经济损失的，可以采取财政转移支付方式予以补助。对于临时征用的房屋、交通工具以及相关的设施和设备，应当按照法律规定进行相应的补偿；不能补偿的，应当予以退还或折价处理。对于可以退还的物品，必须尽快归还。

《突发公共卫生事件应急条例（2011年修订本）》第三十二条规定，“突发事件发生后，国务院有关部门和县级以上地方人民政府及其有关部门，应当保证突发事件应急处理所需的医疗救护设备、救治药品、医疗器械等物资的生产、供应；铁路、交通、民用航空行政主管部门应当保证及时运送”。另外，该《条例》第三十三条中还规定，“根据突发事件应急处理的需要，突发事件应急处理指挥部有权紧急调集人员、储备的物资、交通工具以及相关设施、设备；必要时，对人员进行疏散或者隔离，并可以依法对传染病疫区实行封锁”。

另外，在《突发公共卫生事件应急条例（2011年修订本）》第四十三条中还规定，县级以上各级人民政府应当提供必要资金，保障因突发事件致病、致残的人员得到及时、有效的救治。具体办法由国务院财政部门、卫生行政主管部门和劳动保障行政主管部门制定。

（2）重大动物疫情方面

《国家突发重大动物疫情应急预案》第四条第二款，对县级以上人民政府可以采取的相关措施进行了一系列的规定，根据突发重大动物疫情处理需要，调集本行政区域内各类人员、物资、交通工具和相关设施、设备参加应急处理工作。负责组织铁路、交通和民航质量检查等相关部门，在各交通站点依法设立临时的动物疫病防控检查站，以对进出疫情区域和出入境的交通工具进行全面检查和消毒处理。在乡镇、街道、社区以及居委会和村委会的组织下，进行群众的预防和控制活动。组织相关部门确保商品的稳定供应，稳定物价，严格打击散布谣言、制造和销售假货等违法行为，以及那些扰乱社会秩序的行径，确保社会的和谐稳定。另外，必要时也可以请求中央予以支持，保证应急处理工作顺利进行。

四、公共卫生事件中的具体行政应急行为

（一）相关法律法规中的行政应急行为

1.《传染病防治法》规定的行政应急行为

《传染病防治法》由全国人民代表大会常务委员会于1989年2月21日通过并公布，自1989年9月1日起开始施行。《传染病防治法》不仅规定了传染病的预防，疫情的报告、通报和公告，还从疫情控制、医疗救助、监督管理和保障措施这四个方面对公共卫生事件中的行政应急行为进行了详细的规定，特别是在隔离救治和控制传播方面的措施。突发事件发生后，依照法律和有关行政法规的规定，对暂时无法动用或难以使用的部分财产，可以通过市场调剂，但不得采取强制交易方式进行买卖。《传染病防治法》第四十二条中规定，“当传染病暴发或流行时，县级或更高级别的地方人民政府应迅速动员资源，根据预防和控制的预案来进行预防和控制，切断传染病的传播途径。如有必要，可以向上级人民政府报告，并在必要时采取以下紧急措施并进行公告：（1）限制或者停止集市、影剧院演出或者其他人群聚集的活动；（2）停工、停业、停课；（3）封闭或者封存被传染病病原体污染的公共饮用水源、食品以及相关物品。（4）控制或者扑杀染疫野生动物、家畜家禽；（5）封闭可能造成传染病扩散的场所。上级人民政府接到下级人民政府关于采取前款所列紧急措施的报告时，应当即时作出决定。紧急措施的解除，由原决定机关决定并宣布”。

以上规定的“限制人群聚焦”“停工、停业、停课”等系列措施，在“报经上一级人民政府决定”的前提下，采取紧急措施的情形时，即为行政应急行为。

另外，《传染病防治法》将规定的传染病分为甲类、乙类和丙类，截至2021年共存在40种法定传染病。按照《传染病防治法》第四十三条中的规定，甲类、乙类传染病暴发、流行时，县级以上地方人民政府报经上一级人民政府决定，可以宣布本行政区域部分或者全部为疫区；国务院可以决定并宣布跨省、自治区、直辖市的疫区。在这种情形下，可以行使《传染病防治法》第四十二条中所列出的五种紧急措施，并且可以对出入疫区的人员、物资和交通工具实施卫生检疫。除此之外，我国各省市地区和直辖市的人民政府，在疫情发生的紧急状态下也有

权发布和实施在该辖区范围内进行疫情区域的封锁和隔离措施，但是这样的权利往往仅限于国家规定的甲类传染病疫情，或者乙类传染病按照甲类管理的疫情发生的情况适用。但是如北京、上海等大型城市，或者跨省市、自治区的疫情封锁、隔离、交通中断等防疫措施的实施，均应由国务院制定相关政策和措施。同样，当公共卫生事件结束后，相关措施的解除决定也应该由原决定单位进行发布和执行。

需要说明的是，如有《传染病防治法》中甲类、乙类和丙类三类中的传染病发生，并不完全意味着突发公共卫生事件的发生。而当发生甲、乙、丙三种传染病导致的突发公共卫生事件时，具体情况则须满足《国家突发公共卫生事件应急预案》所规定的突发公共卫生事件的四个级别标准，分别是特别重大、重大、较大和一般。

2.《突发公共卫生事件应急处理条例》规定的行政应急行为

为了有效预防、及时控制和消除突发公共卫生事件的危害，保障公众身体健康与生命安全，维护正常的社会秩序。2003年5月，国务院制定和发布了《突发公共卫生事件应急处理条例》，并于公布之日起施行，后又进行了两次修订。就公共卫生事件中的行政应急行为来说，《突发公共卫生事件应急处理条例》主要是从六个方面做出了相应的规定：“（1）国务院和国务院卫生行政主管部门，根据相关行政部门上报的突发卫生事件应急报告，对新发现的突发传染病，根据危害程度、流行强度，依照《中华人民共和国传染病防治法》的规定做出及时宣布为法定传染病，如为甲类传染病，则由国务院决定。（2）突发公共卫生事件的行政应急，必须由国务院卫生行政主管部门或者其他有关部门指定专业的技术机构进入公共卫生事件现场，负责对事件的调查、采样、分析和检验，以及后续的确证、处置、控制和评价工作；同时对地方突发公共卫生事件的应急处理工作给予专业性的技术指导。如果在突发的公共卫生事件中碰到新的病毒、不明原因的群体性疾病，或者重大的食物和职业中毒事件，国务院卫生行政主管部门应该迅速组织人员制定相关的技术标准、规范和控制措施。（3）为了确保突发公共卫生事件的行政紧急响应能够高效且有序地进行，国务院相关部门以及县级及以上的地方人民政府和其相关部门，必须确保突发事件应急处理所需的医疗救护设备、治疗药物、医疗器械等物资的生产和供应；对需要紧急调运的物资要及时组织运输。铁路、交通和民用航空的行政管理部门有责任确保交通运输的稳定性，应急行为所需的医护人员、医疗设备、医疗器械、药剂药品应当保证及时护送、及时运送。另外，在突发事件中应急处理指挥部也被赋予了紧急集结人员、储备物资、交通方式以及相关的设备和设施的权利。（4）卫生行政管理部门有责任在突发事件发生的现场实施相应的预防和控制措施，并对容易受到感染或其他易受伤害的人群实施紧急疫苗接种、预防性药物投放和群体保护等多项措施。在应对突发公共卫生事件时，各级各类医疗机构都要按照国家统一规定做好相应处置工作。在收治传染病患者或疑似传染病患者后，医疗卫生机构有责任按照法律规定，向公共卫生事件发生地的疾病预防和控制机构进行报告。在必要的情况下，应实施人员疏散或隔离措施，并依法对受传染病影响的区域进行封锁。（5）突发事件应急处理指挥部有权根据应急处理的实际需求，对食物和水源实施控制措施。同时，卫生行政主管部门应负责对突发事件现场等进行控制，并对容易感染或其他易受损害的人群实施应急接种、预防性投药和群体防护等多项措施。（6）突发事件中部分拒绝配合卫生行政主管部门或者有关机构采取医学措施时，由公安机关依法协助强制执行。”

3.《国家突发公共卫生事件应急预案》规定的行政应急行为

为了有效预防、控制和消除各类突发公共卫生事件的危害，并有效指导全国各省市地区各类突发公共卫生事件的应急处理事务，最大限度地保护公民生命财产，减少突发公共卫生事件带来的灾害。2006年2月，国务院依据《中华人民共和国传染病防治法》制定并发布了《国家突发公共卫生事件应急预案》。关于突发公共卫生事件中应急预案的启动，在《突发公共卫生事件应急处理条例》第二十六条、第二十七条中做出了具体规定，“即突发公共卫生事件发生之后，卫生行政主管部门应当组织专家对突发事件进行综合评估，初步判断突发事件的类型，提出是否启动突发事件应急预案的建议。如突发公共卫生事件属全国范围内或者跨省、自治区、直辖市范围内发生，则由国务院卫生行政主管部门报国务院批准后实施全国突发事件应急预案。如突发公共卫生事件发生在某省、自治区、直辖市内某地，则由省、自治区、直辖市人民政府决定，并向国务院报告。各省、自治区、直辖市可根据上文中的相关法律法规，并结合本地具体情况，制定本省、区、直辖市的应急预案”。

《突发公共卫生事件应急预案》主要从公共卫生事件的视角，分别对政府、卫生行政部门、医疗机构、疾病预防控制机构、卫生监督机构、出入境检验检疫机构、非事件发生地区等七个方面的应急反应措施予以明确。根据《突发公共卫生事件应急预案》规定，发生突发公共卫生事件时，各级人民政府可以采取组织协调、区域划定、疫情控制、流动人口管理、交通卫生防疫、疫情信息发布、群体预防和治理、确保社会和谐稳定八个方面的相关措施。

4.《突发事件应对法》规定的行政应急行为

2007年8月30日，全国人民代表大会常务委员会通过并公布《突发事件应对法》，并自2007年11月1日起施行。《突发事件应对法》第三条中规定，公共卫生事件属造成或者可能造成严重社会危害的突发事件，按照社会危害程度、影响范围等因素，突发事件又分为特别重大、重大、较大和一般四级，其中的分级标准由国务院或者国务院确定的部门制定。关于公共卫生事件中的行政应急行为，在《突发事件应对法》的法律规定上主要体现在应急和维护社会稳定的角度，并具体规定了涉及营救、管控、保障、物资、社会秩序、社会治安等多个方面的行政应急行为。

四、公共卫生事件中的抽象行政应急行为

公共卫生事件中的抽象行政行为，指的是在公共卫生事件防控工作中，由人民政府或有关行政部门制定和发布的有关疫情防控工作的通告、公告、通知等规范性的文件。例如，2003年12月29日，交通部发布的《关于迅速加强交通系统预防和控制非典型肺炎工作的紧急通知》；2022年11月12日，交通运输部发布的《客运场站和交通运输工具新冠肺炎疫情防控工作指南（第九版）》，这一类的文件和文件发布均属于抽象的行政应急行为。下面以“SARS病毒”“新冠病毒”疫情期间为例，对部分相关抽象行政应急行为进行简要梳理。

（一）“SARS病毒”疫情期间部分抽象行政应急行为

2003年4月12日，卫生部、财政部、铁道部、交通部、民航总局《关于严格预防通过交通工具传播传染性非典型肺炎的通知》。交通部还相继发布了《关于加强水运行业预防和控制非典型肺炎工作的通知》《关于进一步加强预防和控制“非典”工作的紧急通知》等文件。

2003年4月18日，劳动和社会保障部办公厅发布了《关于做好参加基本医疗保险人员非典型肺炎防治工作的通知》。2003年4月28日，建设部发布了《关于做好建筑施工人员就地务工和防控“非曲”工作的紧急通知》。2003年5月3日，卫生部办公厅发布《传染性非典型肺炎密切接触者判定标准和处理原则（试行）》（2003 年第 11 号）。2003年5月10日，劳动和社会保障部发布了《关于切实做好非典型肺炎防治工作的紧急通知》。

“SARS病毒”期间地方行政机构的抽象行政应急行为，如北京市人民政府京政发〔2003〕11 号《关于对非典型肺炎疫情重点区域采取隔离控制措施的通告》、京政发〔2003〕13号《关于临时征用房屋用于控制和预防非典型肺炎的通知》。上海市人民政府发布的沪府发〔2003〕28号《关于进一步加强传染性非典型肺炎防治工作的通告》、沪府办发〔2003〕14号《关于加强本市防治非典型肺炎社会捐赠款物管理工作的通知》。广州市人民政府发布的穗府办〔2003〕22号《关于成立广州地区防治非典型肺炎医疗资源调配中心的通知》等。杭州市人民政府发布的杭政函〔2003〕65号《关于对从传染性非典型肺炎病例发生地区返杭人员、来杭人员实行健康检测的通告（第四号）》、杭政函〔2003〕66号《关于

加强饮用水源保护做好非典防治工作的通知》等。以上地方行政机构发布的相关规范性文件属于抽象行政应急行为。

（二）“新冠病毒”疫情期间部分抽象行政应急行为

“新冠病毒”疫情发生后，为了高效防控疫情，从国家到地方多个行政部门发布了一系列疫情防控、防治相关文件。以2020年“新冠病毒”疫情发生之初为例，以下文件的发布均属于抽象行政应急行为。

1.国务院联防联控机制相关抽象行政应急行为

国务院联防联控机制是为应对2020年初突发的新冠肺炎疫情而启动的由国家卫生健康委员会牵头的多部委协调工作机制。2020年1月至2月，相继发布了《关于做好儿童和孕产妇新型冠状病毒感染的肺炎疫情防控工作的通知》《关于印发新型冠状病毒感染的肺炎疑似病例轻症患者首诊隔离点观察工作方案的通知》《新型冠状病毒肺炎流行期间商场卫生防护指南》《新型冠状病毒肺炎流行期间超市卫生防护指南》等一系列的防疫通知。

2.国家卫生健康委相关抽象行政应急行为

2020年1月，国家卫生健康委办公厅相继发布了《医疗机构内新型冠状病毒感染预防与控制技术指南（第一版）》《关于加强新型冠状病毒感染的肺炎疫情社区防控工作的通知》《关于印发新型冠状病毒感染的肺炎疫情紧急心理危机干预指导原则的通知》《关于做好老年人新型冠状病毒感染肺炎疫情防控工作的通知》等相关文件。

2020年2月，国家卫生健康委相继发布《关于加强疫情期间医用防护用品管理工作的通知》《关于加强重点地区重点医院发热门诊管理及医疗机构内感染防控工作的通知》《关于印发新型冠状病毒感染的肺炎防控中居家隔离医学观察感染防控指引（试行）的通知》《关于做好新型冠状病毒肺炎疫情期间血液安全供应保障工作的通知》《关于做好新型冠状病毒感染的肺炎疫情防控中放射诊疗安全监管服务保障工作的通知》《关于加强新冠肺炎首诊隔离点医疗管理工作的通知》等系列文件。另外，国家卫生健康委与最高人民法院、最高人民检察院、公安部联合发布《关于做好新型冠状病毒肺炎疫情防控期间保障医务人员安全维护良好医疗秩序的通知》。2月18日国家家卫生健康委办公厅与中国红十字会总会办公室联合发布《关于做好新冠肺炎康复者捐献恢复期血浆招募动员服务工作的通知》，2月29日，国家卫生健康委办公厅发布《关于印发新冠肺炎重型、危重型患者护理规范的通知》。

2020年3月，国家卫生健康委办公厅发布《关于基层医疗卫生机构在新冠肺炎疫情防控中分类精准做好工作的通知》《关于加强应对新冠肺炎疫情工作中心理援助与社会工作服务的通知》《关于进一步加强疫情期间医疗机构感染防控工作的通知》《关于统筹做好新冠肺炎疫情防控全面有序开展预防接种工作的通知》等一系列文件。

3.交通运输部相关抽象行政应急行为

2020年1月29日至30日，交通运输部相继发布《关于统筹做好疫情防控和交通运输保障工作的紧急通知》《交通运输部新型冠状病毒感染的肺炎疫情联防联控工作通知》两则文件。2月26日，又发布《关于规范交通运输行政执法服务统筹推进疫情防控和经济社会发展工作的通知》，后在3月5日再发布《关于统筹推进疫情防控和经济社会发展交通运输工作的实施意见》。另外，2020年2月12日，交通运输部和国家卫生健康委联合发布《关于切实简化疫情防控应急运输车辆通行证办理流程及落实对应急运输保障人员不实行隔离措施的通知》。

4.民政部相关部门抽象行政应急行为

2020年2月25日，民政部《新冠肺炎疫情高风险地区及被感染养老机构防控指南》，3月6日发布了《关于全面落实疫情防控一线城乡社区工作者关心关爱措施的通知》，3月13日又发布了《关于贯彻落实中央部署要求扎实做好受疫情影响困难群众基本生活保障工作的通知》。

5.其他部门相关抽象行政应急行为

此外，2020年2月，国家生态环境部发布了《关于做好新型冠状病毒感染的肺炎疫情医疗污水和城镇污水监管工作的通知》。2020年2月11日，自然资源部办公厅发布《关于做好疫情防控建设项目用地保障工作的通知》。2020年2月14日，财政部发布的《关于做好新冠肺炎疫情防控资产保障工作的通知》。2020年2月25日，商务部办公厅发布《关于推广疫情防控时期保障生活必需品供应典型做法的通知》。2020年3月9日，国家烟草专卖局发布《关于做好新冠肺炎疫情防控期间脱贫攻坚工作的通知》。

四、完善突发公共卫生事件行政应急法治路径

顶层设计是突发性公共卫生事件背景下行政应急治理的重要组成部分，对推进国家治理体系和治理能力现代化而言至关重要。应当继续完善我国公共卫生法治体系，为特殊时期科学治理、法治治理提供法律支撑。

（一）科学配置行政应急主体的权力

第一，在突发公共卫生事件之下，行政主体行使行政应急权必须遵守法律规定或由有权机关决定，否则该行政应急行为被视为非法或者无效的。我国各级人民政府及相关的行政部门都是执行行政紧急权的主体，其职责必须是法律所规定的，同时应急体系也需要进一步加强。行政应急具体包括启动应急预案、实施应急处置及报告应急情况三个方面。在突发公共卫生事件背景下，为了保护社会公

共利益及人民群众的合法权益，行政应急参与主体通常有企业、事业单位及社会组织，他们应当履行相关的社会职责。与此同时，居民委员会、村民委员会负有协助义务，应高度配合有关行政部门做好一系列防控工作，具体防控工作内容主要有相关人员的信息收集，对密切接触人员、疑似患者和感染人员的分散隔离和转送救治等。社区联防联控是应急工作的重要组成部分，社区居委会和村委会的协助工作应得到行政应急权主体的政策支持、专业支持、资金支持。在后疫情时代，需要进一步推进社会组织的有效发展，鼓励其积极参与社会公共服务，完善公益事业，提高社会公益资源的配置效率，让社会组织成为助力行政机关在特殊时期的重要力量，协助行政应急主体高效行使行政应急权。此外还需要动员人民群众积极参与特殊时期的防控工作。在疫情突发事件中，社区的联合防控成为对抗传染病疫情的关键环节。参与防疫工作的基层组织应得到上级部门的支持和指导，同时也要加强政府与社会之间的沟通协调能力。

第二，从中央与地方的职权分工角度来看，行使宣告紧急状态的权力应具有权威性和集中性，应由中央行政机关来行使。从中央的应急性决策权来看，为保障卫生行政部门应急决策的专业科学，应支持构建独立自主的第三方智库，扩大专家的参与途径，提高专家参与应急决策的广度和深度，增强专家决策的内在动力。科学应对突发公共卫生事件，需要不同行政部门之间的高效协作。要完善“以属地原则”为主，不同层级拥有相对独立的行政应急权的权力配置的制度。针对层级报告制度致突发公共卫生事件危险性增强的弊端，立法者应当根据突发公共卫生事件的级别将发布预警信息的职权直接授予属地人民政府，而不是主要集中在国务院卫生行政部门。针对地区间应急权的行使条件和应急措施标准不统一带来各自为政的弊端，根据《突发事件应对法》第七条规定，跨地域的应急决策权授权给上一级人民政府独立或共同享有，但这种权力配置缺乏协调性，要保证各地区之间能够有效联动，对于建立跨地区应急协调机构的想法，大数据、区块链、5G、云计算等技术可以为行政应急期间跨地区行政的决策提供技术支持，进而使得做出的决策更具科学性和时效性。各省、市、地区之间应该加强跨地区、跨地域的联合应急演练机制，并且逐步搭建跨区域公共卫生应急协调平台，定期组织和开展相关应急部门的跨区域决策交流活动。

第三，加强行政主体的法治思维能力。只有具备法治思维才能正确运用法律法规处理突发事件，提高应对突发公共卫生事件的整体应急效率。同时要提高政府官员的法治意识，树立依法行政理念，强化行政执法责任机制。为了建立行政主体的法治思维并提高其法治能力，各级政府领导尤其是涉及公共卫生行政应急部门的领导干部，更要身先士卒地坚持以法治思维行事，坚持法治能力不断提高。要强化对政府及相关部门的监督约束机制，完善政府信息公开制度，健全社会监督机制等方式来保障公众知情权、参与权和监督权。从长远的角度来说，当前我国应急法治建设仍旧任重道远，因此我们必须不断加强突发事件应急法治教育，及时有效地纠正一些有悖行政应急法律法规的问题和行为。以往历史性的公共卫生事件带给我们的不仅是传染病疫情的恐惧和危害，也有很多经验和教训，这需要我们不断地进行认真的研究和总结。

（二）清晰界定行使行政应急权的条件

习近平总书记在十八届中央纪委二次全会上提出了“把权利关进制度的笼子里”这一重要论述，并且强调：“要加强对权利运行的制约和监督，把权利关进制度的笼子里，形成不敢腐的惩戒机制、不能腐的防范机制、不易腐的保障机制。”那么从突发公共卫生事件的视域来看，行政应急的行使权也应该进行严格的限制和监督，防止行政应急权在行使过程中被滥用。2004年3月，全国人民代表大会二次会议表决通过了《中华人民共和国宪法修正案（2004年）》，其中包括将“紧急状态”写入宪法。由此，国家紧急权被正式确立，而该行政权利又可以分为立法紧急权、行政紧急权、司法紧急权三类。由此可见，无论哪一级别的行政机关需要行使行政紧急权，首要的是必须在“紧急状态”这一重要的前提条件之下。无论是突发公共卫生事件还是其他突发事件的紧急情况，即应当及时采取应急措施以减少损失。行政应急权利的行使须包含明确的法律条文、清晰的紧急状况及突发的紧急事件，这也是行政应急权利行使时必须考虑的因素。在没有明确的法律条文或存在紧急风险的情况下，行政应急权无权行使。那么，只要是出现“紧急状态”就能行使行政应急权吗？显然不是，“紧急状态”并不是唯一的条件。根据我国《国家突发公共卫生事件应急预案》相关规定，并非只要“紧急状况”的条件成立马上就能够行使行政应急权。这里还涉及一个极为重要的程序，即应急预案的制定和启动。在应急实践中，必须要有启动应急预案这一法定程序，否则行政应急权无法行使。行政紧急权必须在一定限度内进行，不得肆意对该权利进行扩张。

当前我国各省、市、地区和直辖市人民政府，均有权根据《突发事件应对法》《国家突发公共事件总体应急预案》《突发公共卫生事件应急条例》等法律规定制定地方性的应急法规和应急预案。如各省、市的《突发事件应急条例》《突发事件应对办法》等行政法规。但综合而论，各省、市、地区的地方性应急规定中，对于何时进入应急状态的条件存在着差异。而从规范性的视角来看，各地方行政法规中的应急状态的起始标准主要有两个类型：一类是以实质性为标准，另一类则是以形式性为标准。我们通过上海市的《突发公共事件总体应急预案》具体来看，上海市便是将“先期处置不能控制”视为进入应急状态的实质标准，也被视为上海地方政府行使行政应急权的前提条件。行政法规对于进入紧急状态的具体条件设定得更为严格，只有在无法通过预先处理来控制的情况下，才能行使行政紧急权，不同地区对于进入紧急状态的具体条件也有所不同。在实质性标准方面，无论是预先应对无法控制的突发公共卫生事件，还是仅针对突发公共卫生事件的发生，其核心都是评估突发公共事件的社会危害性。对于形式标准来说，是指通过一定程序来确定的，符合法定程序的应急启动方式或步骤，也就是法定的启动时间、范围和内容等要求。只有在这种程序得到明确和声明后，行政部门才有权迅速采取行动，积极应对突发状况。

行政应急权是指行政相对人在紧急情况下可以请求国家机关及其工作人员实施紧急处理措施的权利，这样的权利只能由拥有法定权限的机构或该权利机构合法授权的其他相关机构和组织来执行。在紧急状况下，对于没有应急权的行政机构确实有必要行使其应急权利的，在事后应由有应急权的行政机构进行确认方可被认为是有效的。行政紧急权的实施是由法律所规定或由法定行政机构所委托的，没有得到法律的明确或委托的实体不应执行行政紧急权，如果已经实施，则需要进行后续确认。

行政应急权属于行政法上的一项特殊权利，其效力不因职权而改变，并且应当根据相关法律所设定的具体程序来实施。按照法律规定的流程，是行政部门合法行使其行政应急权的关键前提。我国现行《行政诉讼法》没有关于行政应急权及其行使的程序性规定，这不利于维护公共安全和保障公民合法权益。行政应急权是在特殊情况下，为了高效精准地消除紧急事件中的风险和危害，并能够尽快稳定社会秩序而实施的特殊权利，其行使方式与常规行政权利的方式有所区别，应当遵循法律所规定的特定程序。行政应急权利应当以法定权限和程序执行为主，并辅以必要的例外情形。在公共卫生突发事件发生的不同阶段，遵循不同的流程和标准。

随着我国社会发展，人民群众对行政部门的管理能力提出了更高要求，行政应急机制必须适应新的需求来进行完善，这将更加有助于规范行政应急权的实施。另外，在突发公共卫生事件中行政应急权利的行使应在一定的法律限度之内进行，行使过程当中不得侵犯公民的合法权益，当涉及行政应急权的行使与公民合法权益的发生冲突时，应严格遵循比例原则和保障人权的原则。

（三）完善行政应急具体程序

合理限制行政权的行使是很多国家政治学和法学界较为关注的问题。所谓“法无授权不可为”，即强调了国家公权力的行使必须经过法律授权。为了确保行政权的合法性，很多国家采纳了多种分散的权利控制，包括司法控制、立法控制、行政自我控制等方式。而现代法律制度，更加强调权力机关行使权利的规范性和程序。行政程序法定原则强调行政程序的设定权属于立法主体，必须由成文法加以规定，行政主体作出行政行为时必须严格遵守成文法规定的程序。在应对突发公共卫生事件实践中，应建立一套有效的行政程序约束制度，可以在有效预防行政应急权力滥用的同时防止行政应急权力的扩张。与此同时，行政流程的标准化不仅有助于优化操作流程，还能进一步提高行政事务的处理效率。

从历次应对突发公共卫生事件中应急行为来看，“裁量权”始终贯穿于行政应急权利的行使中，并且在应急实践中也有着较大的灵活性。由此，也极容易造成应急权利与公民权益的冲突，直接影响着应急行为的效率。而如果仅考量公民的权益，那么应急工作的效率会受到影响。一套行之有效的制约机制，能够防止行政应急权的滥用。程序正义是现代法治国家追求的重要目标之一。在处理突发的突发公共卫生事件时，行政应急程序的制定应当遵循程序正义原则。要根据突发公共卫生事件的特性、潜在危害和社会危害程度实施分层管理，以确保程序的合理性与科学性。另外，要最大限度地考虑公民的合法权益，为了避免应急权的扩张，相关程序需要向公众公开，确保人民群众对权利的行使给予监督。

明确规定行政应急权的具体运行程序，首先在应急启动上应当在法律层面做出明确的规定，即符合行使行政应急权的形式标准与实质标准，对突发公共卫生事件的认定、宣布、延期、终止、变更与撤销等具体程序作出明确的规定，同时完善相关配套制度，包括制定相应的法规、建立专门的组织机构及配备专业人员等。其次，在执行行政应急措施时，行政应急的立法过程可以采用简洁的流程来发布具有法律效力的行政指令。根据事态的紧急程度和实质危害，可以适当减少听证环节，以便能够高效应对复杂的形势，然后由立法机关对该立法行为进行进一步的审查。最后，行政强制的程序性制约机制方面，对于某些行政紧急处理行为，通常没有严格的程序限制。这些行为应当遵循最基本的程序正义，并且仍然需要遵守必要的法律流程，需要表明身份、履行基本的告知义务，告知采取该措施的原因及该应急措施的采取会带来的不利因素等。行政强制是一种程序性制裁手段，必须遵守法定原则。在执行限制个人自由的行政强制手段时，尽管可以简化流程，但其执行方式应比常规的紧急处理措施更为严格。在进行行政应急征用中应该做到征用主体清晰，在征用范围和补偿标准上应该做到具体翔实，这体现了事后补偿中的合法性、合理性。依照《突发事件应对法》相关规定，“有关人民政府及其部门为应对突发事件，可以征用单位和个人的财产。被征用的财产在使用完毕或者突发事件应急处置工作结束后，应当及时返还。财产被征用或者征用后毁损、灭失的，应当给予补偿”。在应急征用程序上，应严格依照调查、协商、审议、决策、公告和补偿等多个环节进行，并且必须严格与其他行政机构进行协调，不得超出职权范围来征用对方的物资。建立临时安置场所制度和设立专门行政应急机构来解决因突发事件而导致的财产损毁问题时，要保障公民、法人或其他组织的权益不受侵害。当突发事件得到有效控制后，后续需要补充的行政流程也应得到进一步的完善，如行政应急主体对公民的相关救济和补偿事宜。

（四）健全监督机制

1. 自我控制和自我约束

为了确保在紧急状态下行政应急部门内部关系上的合理配置与高效配合，行政应急权应在行使过程中，通过其内部进行相应的调整，即行政应急权的自我控制和自我约束。行政应急权的内部控制具有灵活性、有效性的特点，有益于规范行政应急权力的行使，弥补法律规范的缺失和外部监督制度的不足。对行政应急权的内部控制可以从上下级机构之间的控制和制约、不同行政职能的行政部门的平衡控制、上位行政机构对下位行政机构的控制入手。上位行政机构与下位行政机构行政权力行使的合理分工是行政机构体系建立的基础，如果没有明确的分工，上位机构对应控制内容的理解就会十分模糊。因此，行政应急主体首先应对自身权力界限认知清晰，明确自身职责。上位机构对下位机构的控制是一种比较有效的控制形式，主要原因是上位机构具有更高的行政权威，既可以对下位机构指挥命令，又可以对下位行政机构的违法行为纠正、处罚。根据《突发事件应对法》规定，地方各级人民政府和县级以上各级人民政府有关部门违反本法规定，不履行法定职责的，由其上级行政机关或者监察机关责令改正，并视情节对工作人员给予处分。由此，行政主体首先应能够对自身的职责和权利有严格而清晰的认识。上级机构对下级机构的管理被视为一种相对高效的管理方式，这主要是因为上级机构的行政权利更具权威性。

另外，下级行政机构也具有对上级行政机构的监督职能。在常规情况下行政监督是从上到下进行的，但在紧急情况下，这样的监督权利可体现为双向监督。在紧急状态下效率为先，在处理具体的操作问题时，下级行政机构往往拥有比上级机构更丰富的实践经验，而上级机构也需要下级机构提供的真实情况来优化相关政策。当上层机构作出决策的时候，可邀请基层的行政执法人员参与到论证过程中，同时也需要得到下级行政机构的监管。例如，当区县级的卫生健康行政部门面临行政紧急决策时，不仅要遵从上级卫生健康委员会和疾病控制中心的政策，还需要根据街道卫生服务部门和村民（居民）委员会的实际反馈来做出决策，并在监督过程中确保决策的科学性。另外，在行政应急过程中还应注意平衡行政职能。我国行政体制中上下层级关系的协调尚需增强，特殊时期基层政府难以有效发挥应有的作用，而行政职能是行政机构内部分工的基础。在实施行政应急措施的过程中，会涉及各个部门的不同权力，因此各个部门之间的协调与配合也是至关重要的。如在突发公共卫生事件之下，需要卫生健康部门、医疗保障机构、应急管理部门在高度配合协作的基础上高效落实各项防控政策。

2. 外部监督

（1）权力机关的监督

行政应急权的监管仍然基于传统的权利监督机制。行政应急管理可以通过协商协调来实现。我们可以借鉴英国议会在行政应急权监督方面的主要实践，明确各权力机构的监督流程，并规定应急法规和规章的决议期限、生效方式和失效时间。对于行政应急权的行使过程进行事前和事中的监控。还需要充分利用合宪性审查，确保没有遗漏任何信息。管理措施的确定主要依赖于政府发布的规范性文件和相关的执行细则，因此，审查的重点应该集中在这些规范性文件上。

（2）司法监督

在突发公共卫生事件背景之下，不同的时间段对于行政应急措施的法律支持是有所区别的。明确的法律应用条款有助于规定行政紧急情况下的权利，同时也需要明确法院的管辖范围和期间制度，以确保防疫期间的规定与法院的审判和执行规定之间的平衡。在此基础上必须明确具体的行政行为，如行政强制、行政合同及行政征用的法律审查标准。在评估行政应急行为时，应综合考虑行政权力与公民权利之间的正义关系，并重点检查该行为是否存在超越了应急权的行使范围，以及是否违背了比例性原则。

（3）媒体机构和公众的监督

我国行政机关在接受社会监督的过程中，主要就是接受新闻媒体机构和全社会民众的监督，主要体现在行政主体一方是否能够及时地公开相关信息，舆论监督是否遵循合法性原则。在特殊时期人民群众需要了解相关事项的真实进展情况，新闻媒体需要站在公众的角度来关注和监督行政应急权的行使状况。由此新闻媒体便成为人民群众与行政机关之间的桥梁，民众通过新闻媒体可以获知真实状况，同时通过与媒体的有效互动达到对行政机关的监督。应积极发挥媒体舆论监督的作用，保障人民群众的知情权，提升人民群众在特殊时期同舟共济的信心。

（五）完善行政问责制度

行政问责是动态发展的，是随着政治、法律和社会的变化而不断演进的。当前我国的行政问责制的建设已形成初步基础，在重大突发公共卫生事件下发挥了惩戒作用，继续完善责任追究制度是保障公众安全和防控突发事件的重要措施之一。

1. 扩大行政问责的主体范围

当前我国的行政问责的主体已经从之前的单一模式扩展到了多元化的模式，现在行政问责的整体框架已经转变为内部问责与外部问责的协同工作。形成了以上级政府为主导的多元化问责主体格局。与之前行政部门内部基于领导与被领导、相关组织的法律法规建立的问责制度相比，现在的制度有了明显的改进。鉴于突发公共卫生事件的复杂性和突发性，必须要引入第三方来进行问责，诸如人大、监察机关、社会组织等外部问责实体也逐步展现出其关键作用，多样化的问责方式进一步优化了问责的效果。

2. 进一步明确行政问责的具体范畴

决策是政府履行管理职能的核心环节，也是实现社会治理现代化目标的关键一环。一是需要更加重视对决策的问责机制，同时也要注重从源头上预防决策失误。党的十八大强调了将决策的问责纳入行政问责体系，并确立了重大决策的责任制度。另外，提高政府的公共管理水平，保证各项公共政策得以顺利执行，关键还是在于科学有效地进行决策。政府部门的决策过程常常为其整体工作设定基调，它在政府的日常工作中起到了关键的领导和中心作用，其关键性是显而易见的。完善和增强政府应急能力，对预防其他各类不明原因的突发公共卫生事件有着重大的意义。如果出现决策上的错误，这意味着在执行决策的各个环节都会遇到困难，特别是西方不少国家在以往“新冠”疫情发生期间采取“躺平式”的决策，使得广大民众对政府的管理行为产生了极其失望的态度，也给社会和公众造成了极为负面的影响。政府应急决定具有相对独立性和权威性，在制定应急决策时，领导和相关责任者的决策是不可或缺的，而这一决策的执行往往需要一个相对较长的时期。鉴于我国的整体法律体系和国际通行的做法，在立法层面应明确规定，应急决定应当具有法律约束力，紧急决策的法律效应与追究个人决策的法律责任两者的目标是一致的。

3. 强化行政问责效果

不断完善公众舆论的监督机制，从而提高行政机构工作人员的应急管理意识和舆情应对意识。舆论监督有助于加强行政机关与公众之间的积极互动，鼓励人民群众对行政机关提出更多的批评、建议，从而提高政府治理能力。值得强调的是，政府信息的公开透明在媒体和社会中起到了积极的作用，特别是在突发的公共卫生事件下，更应当及时公开对重大事件的调查、对官员的问责情况、官员的复出情况等大众关切的信息。同时，有关部门还应密切关注舆论的焦点问题，对群众关心的问题给予及时的回应，营造开放的问责环境，助力行政人员应急思维和综合应对素质的提高，提升政府应对突发公共卫生事件的综合治理能力。

（六）优化行政应急补偿制度

突发公共卫生事件应对的紧急性及客观上人力、财力和物资的有限性，需要我们侧重于效率以优化资源配置。当重大公共卫生事件得到有效控制或者已经结束时，应当及时对因应急征用行为而造成合法权益受到损害的当事人以补偿。在行政应急补偿方面，国家根据依法补偿的原则出台了相关文件，各省、市也相继制定了相关的地方性的补偿政策文件。但是在现实补偿过程中，“蕴含不确定概念的补偿标准实在不能完全应对复杂的疫情实践”。[①]

1. 科学制订补偿标准

特殊时期经济发展受限，具体补偿适用公平补偿原则，可以通过评估方式确定。评估机构应由行政机关和被征用人共同选定，评估程序以及评估结果应当公开，充分保障行政相对人的知情权和复核权。同时，通过市场价格确定补偿金额。对于劳务的征用，可以经过对正常的工资收入水平、工作强度综合考量确定补偿标准。

2. 完善多元化的补偿方式

具体补偿可采取直接补偿与间接补偿相结合的方式。直接补偿就是通过金钱给付或者恢复原状等直接的方式来弥补被征用人的损失。这种方式简单直接、操作性强，是被普遍采取的方式。而通过政策性的优惠、减免税费、提供医疗服务等方式间接补偿被征用人所受损害的行政补偿方式是间接补偿。实践中征用客体范围的扩大，采用表彰、减免税费等间接补偿措施也许会比直接补偿更有意义，可结合具体情况以货币补偿为主，结合间接补偿的方式尽可能弥补被征用人为公共利益的付出。

3. 优化应急征用补偿程序

补偿程序可分为依申请给予补偿和依职权主动补偿两种类型。依职权主动补偿是由行政机关主动对被征用人进行补偿，是简易补偿程序，仅少数地方政府规章规定了应急征用补偿的一般程序（尚未明确简易程序的适用）。由于突发公共卫生事件的持续时间难以确定，仅由相对人提出申请会延长征用补偿周期。因此，针对被征用人对补偿标准和补偿方式没有争议的情形，可以适用简易补偿程序。即行政机关解除征用后，主动向被征用人送达补偿通知，经相对人确认后在规定期间内主动履行。采用简易程序的优点在于能减轻被征用人的后顾之忧，增强被征用人对征用决定的配合性，提高征用执行阶段的效率；事后补偿阶段也可以节约行政成本，体现应急法治的效率原则。对于征用客体损毁灭失，价值难以确定，或者双方就补偿方式难以达成一致意见的情形，可以适用申请补偿程序，应遵循以下几点：第一，行政机关向被征用人送达补偿通知。在补偿通知中应当明确行政机关所确定的补偿数额的计算标准，并向被征用人提供可供选择的多种补偿方式。第二，被征用人提交补偿申请，申请书中可以对补偿通知书中的补偿数额提出异议。行政机关应当受理并进行登记。第三，依据公平补偿的原则，由

①郭思凡．后疫情时代应急行政征用权行使的法律规制[J]. 内蒙古电大学刊，2022（4）：14-21.

被征用人选择通过评估机构或者与征用时的市场价值的比较的方式确定补偿数额，不论采取哪种方式都应当以公开方式进行。补偿的数额确定后，针对具体的补偿方式，可以通过引入协商机制由征用主体和被征用人进行协商确定。第四，补偿结果的公示及履行。完成前述程序后，行政机关应当将补偿工作的相关信息进行公示，接受利益相关方的质询和监督。行政相对人对补偿数额及补偿方式没有异议，行政机关应当及时履行补偿义务。

第二节　突发公共卫生事件下个人信息的行政法保护

一、突发公共卫生事件下个人信息概述

（一）公共卫生事件视角下的个人信息

随着现代信息技术的不断升级，以及大数据时代的到来，公民个人信息外泄并被非法利用的问题愈发严重。当下大数据时代的个人信息是指以电子或者其他方式记录的与已识别或者可识别的自然人有关的各种信息，不包括匿名化处理后的信息。在突发公共卫生事件背景之下，行政干预措施有可能会导致公民个人信息的外泄。

（二）公共卫生事件视角下个人信息的特征

1. 信息可识别

《个人信息保护法》于2021年11月1日起施行，该法的立法目的在于保护个人信息权益、规范个人信息处理活动、促进个人信息合理利用。个人信息的划分一是“识别”， 二为“关联”。“识别”也可以引申出已识别和可识别，这一方面是每个公民个人信息的基本属性，也是确定个人信息含义和范围的关键因素。“可识别”是指那些能够唯一指向某一特定自然人的个人资料，例如指纹、身份证号等。随着网络技术的不断发展，公民的个人信息在现代社会中也逐渐演进为一种重要的社会资源，在互联网中也逐渐形成了个人信息资源的产业化。另外，当我们提到“可识别”时，是指那些难以单独辨认的个人资料，如他们的全名或与他们同住的家庭成员所共享的地址等。虽然这些信息都是“与可识别自然人有关的”个人信息，而经过数据化的综合分析和关联，这些信息便可以更加明确地指向某些特定自然人。可识别和不可识别的含义在不同领域有着不同的内涵，前者指可识别且具有唯一性的个人特征，后者则指不具备这种个体特征的人。互联网技术和大数据技术仍将不断提高，那么可识别性也将随之持续演变，一个数据信息可能会因为地理位置、时间或技术处理方式的不同而产生完全不同

的识别结果，这也意味着个人信息的边界存在很大的不确定性。

2. 法益复合性

常态下的个人法益与突发公共卫生事件中个人信息保护法益是不同的，特殊时期具有“超个人法益”特征。常态下则侧重于对信息主体的保护，而在突发公共卫生事件中，多倾向于对公共利益的保护，即为保护公共利益会对信息主体的信息权益进行限制。在传染病毒感染的高发期，行政机关出于维护多数人的生命健康，限制信息主体的信息权益是利大于弊的。通过价值衡量，公共利益优于个人利益，社会秩序优于个人自由。故突发公共卫生事件中保护的法益，不仅局限于信息主体的个人利益，还具有法益复合性。

3. 易受侵害性

突发公共卫生事件背景下，人们普遍处于焦虑之中，对个人信息公开比较敏感，再加上我国的应急法律明确规定公民具有配合义务。在这样的复杂环境之下容易忽视对个人信息的保护，相比常态下其个人信息更易遭受不法侵害。

（三）公共卫生事件中的个人信息分类

1. 一般信息和敏感信息

根据公民个体信息的敏感性，可以将个人信息分为一般信息和敏感信息。一般信息，是指那些与信息主体的隐私无关的资料，并不具备隐私保护性质。敏感信息则是指除个人隐私外还可能影响信息使用者隐私权的重要内容。在我们的日常生活中，个人的一般信息经常被利用，而法律为这些信息提供了较为明确的保护措施。敏感信息是指信息主体在社会生活中所感知到的可能危及自身或他人生命财产安全的重要信息。个人敏感信息涉及信息主体的个人隐私，包括但不限于基因信息和家庭财务状况。随着信息技术和网络技术发展，个人信息呈现爆炸式增长趋势，个人敏感信息大量涌现。个人敏感信息直接涉及公民的个人隐私，如果不恰当地使用，可能会严重损害公民个人的人身和财产权益。在应对突发公共卫生事件的特殊时期，由于对个人的信息核查相对增多，会导致个人敏感信息外泄的风险加大，进而导致信息提供者受到非议甚至网络攻击等不良后果，我国目前的法律体系并没有提供特别的保护措施。

2. 直接个人信息和间接个人信息

直接与间接的个人信息分类是以是否能够体现公民信息主体详细资料为标准划分的。所谓的直接个人信息，是指那些能够独立识别信息主体的资料，而不需要其他如身份信息、个人基因等信息来进行分析和参考。间接的个人信息则是指难以独立判断信息主体身份的个人信息，如姓名、身份证号码、电话号码、电子邮箱地址等，需要通过整合其他多种信息来准确确定信息主体的具体身份，例如身高、学历、工作单位等。特殊时期由于涉及范围广、时间长、影响大，公民的直接个人信息与间接个人信息被泄露的风险加大。直接的个人资料具有很高的可辨识性，这可能会对信息提供者造成重大伤害；间接个人信息具有较高的不可识别性，其存在容易导致信息主体在遭受不法侵害时难以得到有效救济。

3.已公开信息和未公开信息

以个人信息的公开程度为标准，可分为已公开个人信息和未公开个人信息。在法律视角之下，直接个人信息与间接个人信息内涵及外延不同。所谓的已公开的个人信息，指那些已经被公开的、所有相关的实体都在法律允许的情况下查看、收集或使用的信息，而不需要得到相关信息主体的许可。未公开个人信息包括已发布但未进行公开的信息，不具备公知性，通常包括与个人隐私相关的内容。未公开的信息包括个人数据、网络用户身份认证信息及其他与公众利益密切相关的个人信息。在个人信息保护中，对未公开信息的保护也是至关重要的一环。我们不仅需要依法对这类信息的收集、使用和保存进行严格的规范，还需要保障信息主体的知情同意权得到法律的保护。未经信息主体的明确同意，尚未公开的信息是不允许被公开披露的。

二、突发公共卫生事件背景下公民个人信息的保护

（一）应急管理与个人信息保护的冲突

突发公共卫生事件背景下，政府执行紧急管理职责与公民个人信息的保护之间的冲突，主要表现为公共利益与个人权益的矛盾。从一方面看，在突发的公共卫生事件中，政府行使应急管理职责至关重要，在此过程中对公民个人信息进行干预可能会损害公民合法权益。在正常条件下，有关部门收集和使用个人信息的行为与公民对其个人信息的控制之间关系是正常的。在特殊时期有关部门行使应急管理权时遵循相应的行政应急原则，维护社会的稳定，确保公众的基本利益，因此人民群众也应高度配合相关防控工作。此外，及时公布确诊病例的相关资料，在一定程度上有助于缓解群众的恐慌和不安，还能协助他们及时实施自我保护措施。鉴于在紧急情况下的应急需求，个人信息在疫情的预防和控制中被广泛应用于识别感染源、管理人员的流动，以及进行疫情的预警和预测。例如，以往有传染病疫情中部分省市地区为了最短时间内排查到相关密切接触者，采取了面向大众公布已确诊或疑似患者的个人行动轨迹等信息。

从另一方面看，在特殊时期对个人信息采取特殊控制是必要的。从公共安全、人民生命健康的角度来看，保护其生命健康权更为重要，但是应最大限度保护公民的个人信息安全。2003年非典疫情之中，由于移动互联网水平相对不高，公众通过移动互联网获取确诊病例和疑似病例的个人信息相对较少。而2019年，

随着移动互联网和短视频平台等社交软件的大量普及，大家很容易便可以获取有关的信息，在最短的时间内了解相关防控工作的最新进展及特殊群体的相关动态，这些信息可以作为防控工作的基本依据。鉴于传染病病毒具有高度的传播性，及时公开与感染源相关的人员的个人资料可以识别可能的感染者，并鼓励公众参与疫情的预防和控制工作。为确保疫情防控过程中各类数据的真实性与完整性，应对疫情防控数据进行严格保护，防止其被非法获取、篡改和泄露。在确保公众知情权得到充分保障的前提下，相关的疫情防控机构应当采取适当的匿名化或事后删除措施，以保护确诊或疑似患者的人格尊严和自由不受侵犯。当个人信息涉及公共卫生安全问题时，法律赋予了相关主体根据法律独立收集和利用这些信息的权利，而无需事先获得信息主体的明确授权。

为了维护公共卫生安全，有关部门在搜集和利用确诊或疑似患者、密切接触者、中高风险地区的返乡人员等关键人群的医疗信息和行踪轨迹等个人信息时，这些个人信息的收集和使用应被视为加强疫情防控的主要手段，并应受到法律的保护。在进行疫情的预防和控制工作时，必须对公众收集和使用的与疫情有关的信息进行仔细的审查和评估，并依照法律规定的流程进行相应处理。同时，有关部门还需要将其所收集到的重要的信息向公众发布，寻找相关接触者以最大限度维护公共安全。在防控工作进入关键阶段时，如果信息提供者提供不准确、不完整的个人信息或者直接提供恶意伪造编造信息，则会带来难以估量的损害结果甚至危及公共安全。这些信息提供者未能履行如实告知的义务，他们应该承担相应的法律后果。

（二）行政应急管理与个人信息保护

随着社会生活的节奏不断加快，大家的心理和情绪常常处于不安和焦虑之中，加之突发公共卫生事件带来的诸多负面效应，无形中又加深了情绪波动。特殊时期维护公共利益并兼顾确保个人权益，成为解决行政应急管理与个人信息安全之间矛盾的重要途径。从理论上看，公共选择理论和利益平衡原则均可用于指导政府应对突发事件的信息披露问题。在预防和控制公共卫生事件的过程中，需要衡量在特定环境或条件下，某一法益是否比其他法益更具有有限性。当公共利益和个人权益之间出现显著的冲突时，我们需要对受保护的法律利益所遭受的损害程度进行全面的评估，以及在某些权益受损时评估所遭受的损害程度。在应用上述法律逻辑时，除非在防控的特殊时期，个人信息的保护已经对公共安全构成了严重的威胁，否则我们不应该为了保护公众的安全而过度地限制个人信息的保护。那么基于这样的视角，只有在国家或公共利益处于潜在的危险之中时，我们才能适当地突破个人信息保护的限制，但必须将其限制在“确需”的范围内。比例原则是行政法的重要适用原则，根据该原则的内容，公权利主体在行使其裁量权时，所采取的具体行动必须与法律的目标相一致，当需要维护某一特定法益而不得不侵犯另一法益的情况下，应选择符合法律的要求并最大限度地将损害降至最低的措施。考虑到这一点，在突发的公共卫生事件中，对公民的个人信息权利的利用应当被限制在最低限度，以确保政府基于公众利益执行紧急管理职责的合理性。结合具体的防控工作，收集和使用公民的个人信息时，应特别注意个人信息保护与公共安全保障之间的平衡。前者的法律依据是在行使公权的过程中不应侵犯个人的权益，这也为行政机关在收集和利用个人资料时设定了明确的合法边界；后者致力于全面保障公众的生命安全和健康状况，这进一步证实了个人信息收集和应用的合理性。只有当这两个方面被有机地融合在一起，我们才能确保在防控活动中，个人信息的收集和使用是合法和合理的。与此同时，有关行政部门必须严格遵守合法和合理管理的核心准则，谨慎地运用公民的个人信息资源，并在公共利益与个人信息保护之间找到一个合适的利益平衡点，最大限度避免两者之间发生冲突。

当面临突如其来的公共卫生事件时，应当将公共利益放在首位。作为涉及个人信息收集和使用的利益相关方，利益保护需求是存在差异的：个人信息的主体目的是保护自己的信息权益；为了更好地实现治理和保护社会公共利益，国家在防控的基础上，需要合理地扩大信息的使用目的和公开范围，同时也要加强对个人信息的保护。因此，在特殊时期明确个人信息保护的边界变得尤其关键。法律应当授权特定主体，在以下几种特定情境下，基于公共利益的首要考虑，合法地收集和利用个人信息：首先是知情同意，即当信息的收集和使用者已经依法完成了关于个人信息使用的告知义务，并得到了信息主体的同意时，该收集和使用行为应被视为合法的；当涉及个人敏感信息时，信息主体不仅需要清晰地表示同意和明确的意图，还必须对个人信息的使用目的、范围和方式有全面的了解。其次要对个人信息匿名化处理，这意味着信息处理者能够运用各种算法和技术手段来匿名地处理与疫情有关的个人数据，并与科学且高效的风险管理策略相结合。最后，在我国的法律架构内，例如《传染病防治法》及其他相关法律和法规，都应明确规定个人信息收集和使用的其他合法依据，这可能是出于国家、公共或其他重要利益的考虑。除了上述提及的三种特定情况，所有的组织和个体都不应该非法地处理他们的个人资料。

三、个人信息行政法保护对策研究

（一）个人信息收集主体范围和权责

1. 个人信息收集的主体

在突发公共卫生事件之下，法定主体是指那些收集和使用个人信息的实体，必须是法律明确规定的实体，例如疾病预防控制机构、医疗机构、卫生行政主管部门等。简而言之，要确定个人信息的主体范围，最关键的是要严格依照法律确认个人信息的法定主体。在特殊时期，应该根据法律保留原则来限制个人信息的收集主体。依照《立法法》规定的法律保留事项，原则上收集公民个人信息应由法律明确授权或者至少由行政法规加以规定，地方性法规、规章和其他规范性法律文件无权对该收集行为进行授权。

突发公共卫生事件背景下，多元化的主体收集方式具有一定的合理性。特殊时期为了全面构建传染病预防、防控体系，应依照相关法律适度扩大具有收集个人信息权的主体范围。首先，借鉴以往应对突发公共卫生事件的经验，修订后的《传染病防治法》，详细列出了可能涉及的个人信息收集主体，并依法赋予相关个人信息收集主体独立行使个人信息收集的权利；其次，由于《传染病防治法》明确规定疾病预防控制机构和医疗机构为法定的个人信息收集主体，《个人信息保护法》在后续的修订中可以进一步明确，这些法定信息收集主体应根据突发公共卫生事件的种类和其他重大传染病疫情的应急防控需求，通过行政委托的方式，合法地委托具有相应资质的其他单位、组织或个人进行个人信息收集，并由委托机关承担相应的法律责任。

2.个人信息收集的职责

在明确了负责收集个人信息的主体之后，需要进一步明确各类个人信息收集机构在法律层面上的职责。首先，必须按照“谁收集、谁负责”的准则，以确保个人信息收集的主要职责明晰。现有的法律和法规，明确了在突发公共卫生事件中收集、使用或保管个人信息的安全防护要求和工作流程，以确保所有类型的个人信息收集主体都能在其法定权限范围内进行个人信息的收集。根据《传染病防治法》第十二条的规定，那些得到法律和行政法规授权进行个人信息收集的单位和个人，都必须遵循疾病预防控制机构和医疗机构关于传染病的样本采集、隔离治疗等预防措施，并真实地提供相关信息。如果相关医疗卫生体系的主体在采集了个人信息后，进行了有悖于法律法规的行为，从而导致了某些特定单位和个人的合法权益受到了侵害，那么该单位和个人则完全可以依照法律对其进行行政诉讼或行政复议。另外，如果个人信息的采集工作由经授权的其他组织或单位进行，那么采集工作则必须在法律允许的范围内进行，任何超出或滥用职权的行为都将受到法律的制裁。在突发公共卫生事件中，被委托机关应根据其实际执行的职责，在部门法中明确规定其具体的权限，包括但不限于收集对象的范围、信息收集的范围及个人信息收集的具体操作规范等。

除了上述之外，公共卫生事件背景下为了有效地开展防控工作，动员基层积极参与控制工作极为重要，基层工作人员必须要明确自身在收集个人信息方面的法律责任，并应加强自身的信息安全保护意识。而作为基层的其他配合组织，有义务确保所有相关员工都能够自觉接受适当的法律知识培训，并明确告知他们在收集和使用个人信息过程中应承担的法律责任。

（二）个人信息的分级分类保护

1. 个人信息的收集范围

在具体采集工作中，主体单位应对个人信息采集的范围所涉及的多种因素进行全方面的考虑。其中包括信息所涉及的领域的关键性、信息采集的紧迫性，以及信息采集与其既定目标的紧密联系等。为了有效地预防和控制传染性疾病，收集与突发公共卫生事件有关的个人信息显得尤为关键。与此相关的各个部门或机构被赋予了依法收集公民个人资料的权利，这不只是法律所授予的特权，同时也是合法执行职责的关键前提。本研究建议，在收集与疫情相关的个人信息时，应严格遵循比例原则，即对信息收集的目的和范围进行明确的限制。

一方面，我们需要合理地确定信息收集的主体的范围和边界。在新冠肺炎疫情的初步防控阶段，中央网信办发布了《关于做好个人信息保护利用大数据支撑联防联控工作的通知》，其中第二条明确指出，目标人群应仅限于已确诊的患者、疑似患者及与其有密切接触的人群。因此，在通过各种合法手段收集公民个人信息的过程中，应当高度重视传染病和其他重大疫情防控措施的必要性，并将收集对象明确为与疫情防控有关的特定区域和特定周期内的特定群体。如果不按照法律要求进行个人信息的收集，可能会给他人的生命健康或公共利益带来严重损害。

另一方面，我们同样需要严格合理地界定个人信息的收集边界。在公共卫生突发事件中，行政部门和其他信息收集实体收集公民的个人信息的主要目的是为了满足传染病疫情预警、病毒传播路径监测和隔离治疗等特殊需求，而不是盲目过度收集与疫情防控无关的个人信息。在突发的公共卫生事件中，应依据疫情防控的实际需求，合法地收集公民的个人资料，这些资料主要包括：公民的基本信息，如姓名、身份证号码、联系电话、家庭住址等基本资料，另外，则是关于疫情的个人体温、出行交通工具、出行时间、所经过地点、与之会面人、最近的居住和接触经历等大量个人信息。涉及人的尊严、自由或其他重要权利的敏感个人信息，如民族、宗教信仰、遗传信息、金融账户和医疗健康等，不应被包括在个人信息收集的范畴内。

2. 对敏感个人信息应进行特殊保护

《个人信息保护法》第二节为“敏感个人信息的处理规则”。其中第二十八条对“敏感个人信息”进行了具体规定：“敏感个人信息是一旦泄露或者非法使用，容易导致自然人的人格尊严受到侵害或者人身、财产安全受到危害的个人信息，包括生物识别、宗教信仰、特定身份、医疗健康、金融账户、行踪轨迹等信息，以及不满十四周岁未成年人的个人信息。只有在具有特定的目的和充分的必要性，并采取严格保护措施的情形下，个人信息处理者方可处理敏感个人信息。”该规定也是我国首次将“敏感个人信息”写入法律条文中。在突发的公共卫生事件中，应该加强对敏感个人信息的特殊保护，尽可能在传染病的防控和个人权利的保护之间找到一个平衡点，

在加强敏感个人信息的特别保护时，也应该全面考虑到我国传统民俗、地方文化等多因素：首先，要明确敏感个人信息并非是一成不变的状态，往往是伴随个人具体生活、工作、环境、情感、性格、爱好等情况不断变化的概念。随着科技的不断进步和时代的变迁，像基因和指纹这样可通过先进的科学技术方法，而获得特定的关于个人健康、生理状况等的“生命密码”信息也被视为敏感信息。其次，对敏感信息的获取严格按照程序进行。负责收集和使用个人普通信息的工作人员，在收集和使用公民敏感的个人信息时应严格遵循法律程序，在处理这些信息时，必须严格遵循法律所规定的流程，如获得查看和访问的授权、指定数据专员进行保管等，并对因不适当的处理方法导致的侵权行为承担相应的法律责任和后果。最后，有必要明确特殊时期针对敏感个人数据做特殊处理的标准。在防控期间，中央网信办发布了一份通知，明确指出除非得到被收集主体的明确同意，任何单位或个人都不得公开其真实的姓名、年龄、身份证件号码等个人信息，除非是因为联防联控的需要并经过了特殊处理。例如，在新型冠状病毒疫情中各地所采用的数据来看，北京市的“健康宝”、四川省采用的“天府健康通”，以及青岛市“一码通”等，除了个人信息的最小化采集外，均将信息进行了特殊呈现，这样有效地减少了隐私泄露的风险。在今后随着移动互联网技术的不断提高，应进一步加强特殊时期对于公民的敏感个人信息的特殊处理。

（三）完善突发公共卫生事件中个人信息的行政法保护路径

1. 规范信息收集程序

特殊时期为了有效限制公权力的扩张，必须保证程序上的规范化。特殊时期虽然行政机关在搜集个人资料时被授予了合法地位，但应当严格遵循基本的正当程序。首先，行政部门有法定责任用《个人信息保护法》等相关法律法规对民众进行普及教育，让民众普遍了解个人信息相关法律常识，培养民众个人信息保护意识，同时也培养公众对行政机关采集、使用个人信息具有的知情权和监督权意识。其次，行政部门在收集个人资料时，必须明确告知相关信息主体关于信息的身份、收集的目标、法律根据及救助措施等关键信息；再次，行政机构有权间接地从其他行政部门或第三方机构中获取相关的个人信息。公民在行政部门收集个人信息时，有权进行陈述和申诉。如果觉察到行政部门在收集个人信息过程中存在不正当使用行为，可依照《个人信息保护法》相关规定向行政机构提出查询、

修改或删除已有的信息等要求。

在当前大数据环境下，面对突如其来的公共卫生问题，我们主要采用线上与线下相结合的方式来收集大众的个人信息。如果个人数据是通过电子表格或抗疫产品等方式收集和保存的，那么这些信息应该存储在政府的数据系统或随后提到的个人信息行政管理机构中。这些个人信息应由接受过专门培训的工作人员进行统一的录入和管理，并应采用如建立安全防护防火墙和设置访问权限等先进技术手段，防止个人资料的非法泄露。如果决定采用线下访问等方式来收集个人信息，那么工作人员在签署保密协议后，主动上门收集信息，并严格要求统一回收和妥善保管纸质版的信息统计表等文档，确保它们不会被摄影、复制或传播。此外，无论是在线上还是线下收集的个人信息，都应该由专业的个人信息保护机构统一管理，以确保在特殊时期公民个人信息得到更好的保护。

2. 完善数据共享机制

可以采用匿名化的方法来管理个人信息的数据共享。匿名化是指在数据发布过程中，删除或修改能够标记个人的敏感信息，以避免数据被指向个人。在抗击疫情过程中，部分信息控制者可以在个人信息数据共享过程中进行脱敏或匿名化处理，但是具体的操作规范还没有统一的标准。有鉴于此，当公共卫生突发事件发生时，个人信息的匿名化可以参照家事裁判文书在线公开的方式来处理。这意味着不仅需要对当事人的姓名进行模糊处理，还需对可能识别出的当事人的详细信息进行修改或处理，以降低被识别人员遭遇人肉搜索的风险。当需要共享确诊或疑似患者的个人信息时，只需提供其姓氏的详情。出于公众的利益考虑，如果确实有必要公开一些个人敏感信息，例如年龄、家庭详细地址、联系方式或行踪轨迹等，那么应该进行模糊处理。我们也呼吁企业和其他商业组织积极参与到预防和控制突发公共卫生事件的工作中，以共同促进个人信息和数据的有效共享。在大数据时代的大环境下，由电信运营商、汽车零售商、电子商务平台和社交媒体等多个主体控制的数据展示了极高的公共应用价值。通过共享和利用这些数据，政府可以更有目的性地应对流行病和其他突发性的公共卫生问题。国外的“第三方准则”着重于公共利益的首要保障，并准许电信服务提供商、保险公司和其他第三方或私营实体合法地与政府相关部门分享他们所持有的个人信息。因此，我国应该加快完善个人信息共享的法律体系，确保国家机关和企业在收集和使用个人信息时能够实现有效的互联、互通和合作共享。

3. 明确事后销毁的标准

首先，需要明确规定负责个人信息的彻底销毁这一工作的具体实施机构，同时又应由哪一行政实体进行有效监督。遵循“谁负责收集、谁负责销毁”的原则，并由负责执行个人信息收集活动的实体来进行销毁。其他获得行政授权或行政委托的机构和组织，在收集到个人信息后，应在提交给相应的授权或委托机构后，将其全部销毁，以确定责任主体。其次，需要依据突发公共卫生事件的预防和控制周期，合理地设定个人信息销毁的时间限制，并据此来制定一个详细的“个人信息销毁时间表”。个人资料的销毁是一个持续演变的过程，应根据公共卫生突发事件的实际情况作出相应的调整。在新冠肺炎疫情的预防和控制背景下，个人信息通常可以追溯到14天或21天，超过这个期限的个人信息没有继续保存的必要。因此，负责收集个人资料的机构有权选择每14天或每21天对已收集的资料进行定期的销毁，并在必要的情况下重新开始收集工作。最后，根据个人信息的收集方式，为个人信息的销毁流程制定更加详尽的条款。对于通过线下途径如手工收集或纸质版信息登记表收集的个人资料，应由相关的主管行政部门负责销毁，并由新成立的个人信息统一监管机构进行全面监管；对于在线社交平台或“健康码”等应用中收集到的个人资料，应由《网络安全法》和其他相关部门法律所规定的责任方进行销毁，同时，行政部门也应进行严格的监控和评估，确保所有收集到的信息都被彻底销毁。

建立个人信息销毁制度不仅要明确个人信息销毁的标准，还需要完善个人信息主体的删除权，也被称为“被遗忘权”，两者的协同更能保护个人信息的安全。“被遗忘权”不只是指删除某些信息，更重要的是要确保这些信息不被传播，“被遗忘权是指公民有权获得他人删除其个人信息并不违法的权利”。特殊时期因公共利益和人民的健康受到威胁而导致被删除个人信息的行为具有正当性和合法性。作为曾经的确诊者或疑似患者、密切接触者、次密切接触者，他们对曾经被泄露、被公开的个人信息，均有对“被遗忘”明确的需求，以便适当挽回曾经被损害的合法权益以及曾经所受到的心理创伤。目前我国《传染病防治法》并未明确规定个人信息被泄露后享有“被遗忘权”，针对这一点，在实现防疫目标之后，必须保证上述的个人信息提供者依然拥有“被遗忘权”，这意味着他们有权向负责搜集其个人信息的公权利机构或商业实体提出删除已收集信息的申请。

（四）规范个人信息保护的行政监管与救济方式

1. 健全行政监管机构

当前，很多国家在积极构建专门个人信息监管机构。在以互联网、大数据、人工智能为代表的新一代信息技术突飞猛进的今天，个人信息的保护已经与数据安全乃至国家安全息息相关。因此，积极推进个人信息行政监督机构建设必须提上日程。同时考虑到个人信息保护和数据安全中存在的问题，如执法调查机构的分散和部门间的沟通障碍，需要成立一个统一的个人信息行政监督机构，该机构的职责包括制定相关的制度、为公众提供全面的权益保护服务，以及对侵害公民个人资料的事件进行初步调查等。个人信息管理机构首要的任务是可以在个人信息的收集和使用方面做到预先的有效监管，其次便是在事后个人信息的删除和销毁上进行兜底式的监督与管理，以免发生某些重要人群的信息被非法利用，其中包括某些商业价值的利用，或者是全球角度的国家安全价值的利用。个人信息行政监管机构的独立性体现在其执行法律活动时不会受到其他部门或组织的影响。这意味着，法律明确要求监管机构负责或主导个人信息的保护工作，并有权对信息的使用者进行监督，同时依法对任何违法或违规行为进行规制。当监管机构决定在某个个人信息保护项目中采取主导责任的策略时，它应当最大化地发挥其协调作用，确保其他相关部门能够按照法律进行积极的合作。

同时，个人信息行政监管机构在依法建立之后，其内部部门架构上，应该设立两个独立的执法部分，且他们应具有独立的行政权，并彼此保留一定的监督职责。具体防控工作开展期间，个人信息的收集和使用不仅涉及《传染病防治法》所规定的疾病预防控制机构和医疗机构，还包括了派出所、街道办事处、居委会等非法定的信息收集主体。将这两个部门区分为不同的监管目标，可以根据各自的特点选择适当的监管方法和程序，从而更好地发挥个人信息行政监管机构的功能。此外，建设由负责个人信息管理的行政监管机构建立的国家级中心数据库，该数据库有能力储存大量公民的个人信息资料，这样做不仅有助于整合、收集和公开共享个人信息，还能提升监管机构在行政管理方面的效率，进而构建个人信息保护的行政监管体系。

2. 完善救济途径

第一，对突发公共卫生事件中的个人信息保护行政救济制度进行优化，不仅可以在非常规情况下实现行政纠纷的实质化解决，而且还可以更好地保护广大民众的权益。在特殊时期，司法机关需结合实际工作及时发布相关司法解释，使得个人信息保护的实践有基本的法律保障。另外，在个人信息保护上，还应该逐步建立起一个“谁使用、谁担责”的行政责任制。由此便可以有权通过行政授权或行政委托收集和使用公民个人信息的主体，在拥有处理个人信息的权利的同时，对因非法行为侵害公民个人信息权利的行为承担法律上的责任。如果确定侵权行为的责任方存在困难，那么可能需要疑似侵权行为的主体承担法律责任。一旦通过法律诉讼或调查手段明确了行政行为的主体责任，那么可以依据相关法律对该主体的责任人进行行政处罚。

第二，则是应完善个人信息行政保护救济的途径和体系。建议在处理个人信息侵权问题时，可以首先对侵权主体进行区别对待，从而获得不同的救济途径。如果当个人信息因行政主体的疏忽或其他原因被侵犯时，由于这些信息是普通的个人信息，并且由上级行政机构处理不会给公民带来进一步的伤害，因此可以采用行政复议的前置程序。而如果个人信息的侵犯主体为非行政机构，那么公民则可以采取行政诉讼的渠道进行权利的维护。如果被侵犯的个人信息中涉及敏感个人信息，公民也可以直接提起行政诉讼，向公布的监督机构投诉或者举报相关机构对个人信息权的侵犯行为。

第三，在突发的公共卫生事件中，如果涉及重大公共利益的个人信息侵权案件，应该将其纳入行政公益诉讼的范畴。如果由于某些部门的不作为侵犯了大多数公民的个人信息权利，从而损害了国家或公共利益，那么检察院有责任向行政部门提出建议或向人民法院发起行政公益诉讼以最大程度地维护公民的个人信息权益。

第三节　突发公共卫生事件下应急征用的行政法保护

一、突发公共卫生事件下应急征用概述

（一）应急征用的定义

应急征用是一种特定的行政行为，是为应对突发紧急事件和公共利益的需要，政府和其他被授权主体依据法律规定，有权对公民的私有财产或劳务进行使用并给予补偿的一种具体行政行为。不同的国家对于应急征用的命名存在差异，例如在日本的法律中，它被定义为公共用途；在德国和法国的法律体系中，征用已被纳入公共利益和公共利益的征收范畴。尽管名称各异，但其核心意义是相似的，那就是征用实际上是国家权利对公民的私人权益的制约。在突发的公共卫生事件中，应急征用指的是在重大传染病突发、不明原因的群体性疾病或严重的食物中毒等情况下，可能对社会大众的健康造成伤害或潜在危害。为确保公民的生命和健康权益得到最大程度的保障，具有紧急征用权限的行政机构按照法律规定，强制要求获取行政相对人的资产和服务，并在事后进行归还，同时给予相应的经济补偿。

（二）突发公共卫生事件中应急征用的特点

第一，目的性。在突发的公共卫生事件中，应急征用的主要目标是确保公民的生命和健康权益得到维护。所有类型的突发公共卫生事件都可能对公众的生命和健康造成严重的威胁。因此，突发公共卫生事件的应急征用行为，其主要目的被视为是为了维护不特定群体的生命和健康权益。

第二，强制性。在突发公共卫生事件的紧急状况下，应急征用是国家行政机构具有依法行使应急征用权力。当然最为重要的是行政机构必须是因公共利益，并遵循相关法律程序而行使的，那么在此前提下单位和个人有义务进行积极配

合。如果行政行为是单方面的，不需要得到对方的同意，并且在没有合理理由的情况下拒绝合作，那么行政部门有权进行强制执行。

第三，数量性。突发公共卫生事件中的应急征用对象更为广泛，除了交通工具、必备场所等常规征用外，还包括了各类医疗物资和特定劳务的征用。如果公共卫生事件中受害的人数众多，对紧急救援物资的需求也随之增加。

第四，持久性和限制性。在关于应急征用的法律条文中，某些条文使用了“临时征用”的描述方式，其中“临时”意味着应急征用对当事人合法权益的暂时侵害。考虑到各种不同类型的突发公共卫生事件，如果事件持续的时间更长，那么紧急征用的期限也会相应延长，从而对公民的合法权益会有一定的限制。

（三）应急征用的原则与理念

在应急征用的法律规定里，有些条款采用了“临时征用”四个字来描述，如上文，其中“临时”代表了应急征用对当事人权益限制的短暂性。从政府与公民的双重视角出发，应急行政征用应追求“尽可能地保护公民的权益”这一核心价值。

第一，从政府的角度来看。在应急征用中，实施“最大限度保障公民权益”的原则是至关重要的。从政府的角度看，首要任务是鼓励政府主动满足需求，确保政府的行动不会被忽视。在紧急情况下，如果政府选择不采取行动或相互诱导，可能会导致无法挽回的损害。在这种紧急情况下，政府的警觉性、主动性、及时性和高效性能有效维护公共利益。其次，需要对政府的征用行为进行规范。当突发情况发生，政府的不当行为和行政权利的滥用将不可避免地给公民带来“二次损害”，这可能会引发人们的不满与不安，从而对行政机关的公信力带来负面影响。有关部门科学、合法、合理适用应急征收行政制度是机关依法行政、规范执法，有效预防和化解行政争议的有效途径。

第二，从公民的角度看，需要在公共利益和个人利益之间找到一个最大的平衡点。应急行政征用不仅是一个真实的“在群众中获取、从群众中使用”的机制，更重要的是，它应当秉持“尽可能地保护公民的权益”这一核心理念。在紧急情况下，对公民权利的限制是不可避免的，但权利的限制和保护并不是冲突的。应急行政征用的目的是暂时限制部分公民的权益，以保护大多数公民的利益，这是个体利益为公共利益暂时做出的“特殊牺牲”，因此应该得到公正的补偿。限制权利是维护权益的核心和保护手段，它既不是无限制地扩张公共权利，也不是随意地保护所有公民的权利。公共利益和个人利益之间的关系并不是简单的“矛”或“盾”，特别是在紧急情况下，两者之间的关系更为紧密。因此，在紧急的行政征用过程中，我们应当秉持“尽可能保护公民的权益”这一核心思想，努力确保每个人的权益得到最大程度的维护，从而达到公共与个人利益的最佳均衡。

二、应急征用的基本原则

在特殊时期下，行政权能展现出更高的决策自由度、强制执行力和执行效率。当面临紧急情况时，相关的行政部门会采取紧急行政措施。尽管基于某些理由可能会限制公民的基本权利，但任何对这些权利的限制都必须遵循特定的标准和规定，并满足特定的原则和界限。即便在紧急状况下，这些原则也应得到尊重和维护，否则，对个人权利的限制最终可能导致权利的完全剥夺和排除。应急征用作为行政活动，必须严格遵循行政法的核心准则。然而，作为在紧急状况下不得不实施的行政手段，其逻辑和内涵应与平时的行政法原则有所区别，但是必须遵循“最大限度保障公民权益”这一核心理念并严格遵守以下原则。

（一）依法行政原则

在紧急情况下，法律行政中的“法”应被视为应急管理的核心法律和各种特定的法律。尽管行政应急性理论为行政部门提供了紧急响应的优先权，但这并不意味着行政部门可以完全摆脱法律的束缚。行政部门依然把民主与法治作为其核心的价值追求。行政应急的核心目的并非是对依法行政的基本原则的破坏和违背，而是在应急法领域中依法行政的独特展现。由此可见，依法行政的原则始终是应急征收的核心准则。合法性依然是确保行政权利优先地位得以确立的核心要素。应急征用必须严格遵循法律所规定的界限。在应急征用过程中，依法行政的原则主要表现在以下几个方面：首先，由于应急征用可能会对公民的权利造成某种程度的限制。而根据法律保留原则，应急征用制度的具体内容应当由法律来设定，并且这些内容必须符合宪法精神。然而，地方性的法规和地方政府规章并没有权限对应急征用的具体内容进行创新；其次，只有得到法律明确授权的行政实体才有资格执行行政应急征用权，另外必须在法律框架之内，按照特定的法律程序进行征用。而如果超出其职权范围行使应急征用权的机构或个人，都必须承担相应的法律责任。

（二）行政紧急性原则

行政应急性原则要求行政主体运用其紧急职权，采取各种有力的措施，以应对如瘟疫、灾害、事故等突发状况，最大限度降低这些突发事件带来的损失。在讨论行政应急原则的含义时，学术界通常从合法的角度进行解释。在应急行政征用的背景下，行政应急原则主要是为了保护公民的权利、迅速恢复社会的正常秩序，行政部门既有权利也有责任以合法、合理和高效的方式进行应急行政征用。在应急行政征用过程中，我们应当恪守行政应急的原则。这可以防止行政部门在面对突发情况时逃避责任或采取消极的行政手段，从而避免给广大人民带来无法挽回的损害，也避免行政部门在应急行政征用过程中的不当行为和滥用职权。

（三）程序合法的原则

在面对突发公共卫生问题时，权利的分配确实具有某种程度的优先性，但这种优先性并不意味着权利结构的不平衡。权利的分配仍需在一个合适的界限之内，例如最基本的程序体系。即使是为了应对各种突发的公共卫生事件，应急征用的行为也应该受到法律程序的限制。那么，为了确保效率优先的原则，在应急征用的过程中，正当程序的原则可以被最大程度地降低。而其中的最低的限度可以包括两种情形，其一是程序的转移，其二则是征用程序的简化。为了更好地理解程序的转移，我们可以借鉴国外的灾前规划的立法模式，将紧急情况下需要遵循的程序提前，并在危机发生前完成部分应当遵守的程序，这样在危机真正发生时，可以直接采取征用行动。事先与特定的人员达成协议不仅可以满足正当程序的标准，还能确保紧急处理流程的高效性。另外，简化征用流程通常是为了提升行政部门在面对危机时的应对能力，相关部门会直接跳过常规行政征用的某些步骤，例如不需要预先审查和批准，也不需要进行听证，而是直接实施相应的措施。

（四）比例的原则

比例原则的核心目的是确保行政部门采纳的措施与其行政目的之间保持适当的一致性。在防控的特殊时期，提高应急管理效率与遵循比例原则之间存在着一定的冲突，如仅注重应急管理效率，则可能使遵循比例原则减弱；反之如果将遵循比例原则放在首位，那么事关人民生命健康的应急管理效率则可能会随之下降。如何找到社会公共利益与公民个人利益之间的平衡点，既可以注重应急管理效率，又在最大限度内遵循比例的原则就尤为重要。在保护公民的个人权利的基础上，我们还需确保应急管理的效率，这意味着在应急征用的过程中，我们需要将抽象的比例原则具体化并展示出来。而在实际操作中，行政应急机关往往在以上所说的两者之间的平衡问题上，并不需要进行过多的利益考量，而是采取直接相应的应急措施，其原因主要有以下几个方面。

首先，在公共卫生事件应急对应中，征收实体应在进行应急征用时首先要对公共和私人利益的基础上进行衡量，尽量首先考虑使用国家储备的物资，并利用国家机关、国有企事业单位的设备、场所、物资等进行应对，但如果以上行政征用措施仍然无法满足疫情防控所需时，征收实体也应采取对民营单位和公民个人的应急征用措施。征收实体以这样对被征用对象权益损害最小的方式进行征用。

其次，全面评估征用对象的特性，并采纳适当的策略。当传染病疫情处于紧急状态下出现防疫物资的极其短缺的情况，作为行政征用主体不能将公民个人、民营单位法人及其他组织作为首选征用对象，为行政主体提供相关的防疫物资。

考虑到其他公民同样面临风险，他们所代表的公共利益也应得到适当的保护。比如在对隔离酒店进行征收时，没有必要选择消费水平更高的星级酒店，仅需挑选一般的酒店即可。

再次，应该明确只有在紧急状况下，政府采取的应急征用措施才是合理的。而在突发公共卫生事件已经得到了有效控制时，原行政征用主体应该即刻停止对征用对象的征用行为，并启动相关的补偿措施。

最后，当行政部门实施应急征用时，他们应该选择对公民权益限制最小的措施，并确保这些措施所带来的价值远远超过了对损害公民权益造成的伤害。由于公共利益的复杂性和不确定性，并且结合特殊时期人们普遍焦虑的情绪，那么这样的利益关系便显得更为复杂，其表现方式可能随着其他潜在的风险因素发生变化。因此在应急征用的实际操作中，在衡量公共利益与公民个人利益之间的关系时，应尽最大可能预留一些相对灵活的应用范围，以避免产生反效果，从而导致具体工作和人们的期待差距加大。

三、公共卫生事件应急征用制度的历史沿革

应急征用是在发生突发事件之时，出于公共利益的需要，政府依法强制取得行政相对人财产、劳务或生产能力等的占有或使用权，并在事后返还或进行合理补偿的具体行政行为[①]。从我国相关媒体报道来看，应急征用也经常以“征调”“调用”“调动”和“调集”等词汇进行表述。纵观我国在应对突发公共卫生事件中的行政应急措施，可以将应急征用制度分为三个阶段，其中较为显著的时间点分别为2003年非典型肺炎防控工作、2007年《突发事件应对法》的颁布和实施，以及2019年新型冠状病毒防控工作。

第一阶段为2003应对非典型肺炎防控工作期，这一时期也是我国公共卫生事件应急征用制度的起步阶段。自21世纪以来，非典型肺炎感染成为我国首次遭遇的严重公共卫生问题。在这一时期，从国家到各省市地区和直辖市，在面对应对非典型肺炎疫情时出现的新情况、新态势，为了保障广大人民群众的生命健康和有效控制和应对疫情，实施了众多的征收策略，迅速动员了众多的社会资源和力量，来共同抵御疫情威胁。而当时可依据的法律，仅有1989年2月颁布并于当年9月起实施的《传染病防治法》，该法是介于1988年上海乙型肝炎病毒疫情之后制定并实施的。而该法涉及的应急征用条文，仅限于“当地政府在必要时可以报经上一级政府决定临时征用房屋、交通工具”。

而到了2003年4月底，各地方政府也陆续发布了非典预防和防控、防治的相

①李飞.《中华人民共和国突发事件应对法》释义及实用指南[M].北京：中国民主法制出版社，2014.

关政策文件。回顾当时的政策文件，已经能够看到诸多包括“应急征用”措施的相关文字条款，而限于非典疫情的实际情况和社会经济的实际水平，其征用的主要范畴为宾馆和医院，主要用于对确诊病例和疑似病例患者进行隔离。另外，也包括一定的医疗设备和医用物资及交通工具等。

从今天的视角来看，当时的应急征用工作并无相对严谨繁复的征用程序或规定，而征用对象和事后补偿均没有进行翔实的规定。例如，2003年4月30日，陕西省人民政府发布的《关于进一步加强传染性非典型肺炎防治工作的通告》中，仅在第八条“明确责任，全力加强“非典”防治管理”中有“各市、区、县要准备一批房屋，用于医学隔离和观察”的表述。这里所说的“准备”一词，通过上下文语境可以理解为至少是包括通过了“征用”手段而“准备一批房屋”，至于如何准备、事后如何补偿均没有详细的说明。从全国来看，当时仅有北京市政府于2003年4月27日发布了《关于临时征用房屋用于预防和控制非典型肺炎的通知》的文件，该文件从征用对象和范围、负责征用的主体、征用起止时间、房屋附属设施、适当补偿等几个方面进行了详细的规定。

第二阶段为《突发事件应对法》发布和实施之后这一时期，也可视为我国公共卫生事件应急征用制度的逐步完善阶段。通过非典疫情期间在行政应急工作中的经验总结，以及吸取了某些工作不足的深刻教训，2007年全国人民代表大会通过了《突发事件应对法》，并于2007年11月1日起实施。该法案全面覆盖各种突发事件的应对流程，是应急管理领域的一部综合性法律。尽管该法案中仍旧存在某些法律上的缺陷，当时作为一部指导性法规，对于一段时期之内行政应急管理工作是具有指导意义的。而其中的不足之处则是关于应急征用制度中，仍旧没有在应急征用的具体流程和事后的补偿上做出明确的规定。随着《突发事件应对法》的正式实施，我国各个省份和城市相继出台了地方性质的“突发事件应对”的法规，但这些措施在很大程度上都是对《突发事件应对法》的简化和重复，仅仅是在标题上冠以各省市名称而已。

第三阶段为2019年应对新型冠状病毒防控工作，此时我国行政应急征用也进入了相对成熟的阶段。我国的紧急应对体系已逐步建立，公共卫生体系内的应急征用制度相对成熟，但是在现实利益关系问题上仍旧存在着一定分歧，为今后的不断完善提供发展空间。

四、行政应急征用的立法现状

（一）国家层面的法律制定

1954年的新中国第一部宪法发布，其中也涉及了行政征用的相关条款，但是相关条款中主要针对的是城市和农村的土地以及其他的生产资源。2004年的宪法修订明确指出，国家有权对公民的私人财产进行征收。这构成了应急征用制度的宪法基础。《立法法》的第八条清晰地指出，对非国有资产的征收是法律上的保留事宜。征用行为直接侵犯了公民的私有财产权，而宪法的核心目标是维护公民的基本权益。因此，对于公民权利的部分削减，应由最高立法机关在2007年11月开始执行《突发事件应对法》。这部法律在应急管理领域起到了基础性的作用，并适用于应对各种突发事件的整个过程。

2003年非典疫情发生后，国家权力机构原本的计划是制订一部《紧急状态法》，并将突发事件的相关内容涵盖其中。但是，结合当时的某些立法观念和现实情况，最终将焦点转向仅在非紧急状态下进行应急管理活动，并将涵盖所有类型突发事件的思维方式进行延续，这也使得《突发事件应对法》里的某些制度条款展现出了高度的总结性和基本原则。关于应急征用制度，《突发事件应对法》在第十二条中明确指出征用请求权主体应为人民政府及其相关部门。另外，第五十二条也再次强调了“履行统一领导职责或者组织处置突发事件的人民政府”中人民政府的含义，同时征用主体所征用的必须为应急所用的物资，包括应急救援所需的各类设备、交通工具和其他应急物资。但遗憾的是在具体的流程和补偿问题上没有能够做出更为具体的规定。

此外，关于应急征用的相关条款，还可以从《传染病防治法》中找到相应的规定。例如第四十五条规定：“传染病暴发、流行时，根据传染病疫情控制的需要，国务院有权在全国范围或者跨省、自治区、直辖市范围内，县级以上地方人民政府有权在本行政区域内紧急调集人员或者调用储备物资，临时征用房屋、交通工具以及相关设施、设备①”。而2003年5月9日发布并实施的《突发公共卫生事件应急条例》也在第三十三条中明确规定，“根据突发事件应急处理的需要，突发事件应急处理指挥部有权紧急调集人员、储备的物资、交通工具以及相关设施、设备；必要时，对人员进行疏散或者隔离，并可以依法对传染病疫区实行封锁②”。相较来说，虽然在《突发公共卫生事件应急条例》并没有直接出现“应急征用”这样的词汇，但是也使用了“紧急调集”这样的关键词。但从立法的初衷来看，我们可以推断在物资短缺的情况下，应急处理指挥部具有某种程度的紧急征用权。另外，2021年开始实施的《民法典》也在第二百四十五条中进行了相关规定，“因抢险救灾、疫情防控等紧急需要，依照法律规定的权限和程序可以征用组织、个人的不动产或者动产。被征用的不动产或者动产使用后，应当返还被征用人。组织、个人的不动产或者动产被征用或者征用后毁损、灭失的，应当

①朱相远．中华人民共和国传染病防治法释义［M］．北京：中国市场出版社，2004.

②曹康泰，史敏．突发公共卫生事件应急条例释义［M］．北京：中国法制出版社，2003.

给予补偿”。这里从个人和组织的角度明确地对突发事件中的应急征用的前提条件、权限和程序、事后返还、事后补偿做了相关的规定。

（二）各级行政部门出台的相关规定

关于突发公共卫生事件中紧急状态下的行政应急法律法规，上文中涉及的《宪法》《传染病防治法》《突发事件应对法》《突发公共卫生事件应急条例》《民法典》均从不同角度对行政应急征用做了不同程度的规定。而除了这类国家权利机关制定的法律法规之外，各省市地区和直辖市也相应制定了地方性的行政应急法规。从整体来看此类地方性法规主要可以分为两类立法方式，其一是单行法类，通过地方性的法规、规章或规范性文件来制定应急征用的专门性法律，其二是散见式立法，主要是围绕突发事件应急征用的相关规范政策，其中包括突发公共卫生事件中的应急征用。从全国范围来看，共计十一个省、市采取了单行法的模式，这些地方文件对应急征用和补偿做出了相对具体的规定。而河南省、辽宁省、江苏省、山东省、浙江省等地主要采纳了散见式的立法方式，只对应急征用的主体客体、补偿标准和征用程序的部分内容进行了原则性的规定。在这些地区中，大部分都在突发事件的应对措施中明确规定了应急征用制度。另外，有针对性地就突发公共卫生事件中的应急管理和应急征用，主要有北京市、上海市、山东省等省、市做了专门性的规定。

在应急法治不断完善的背景下，除了明确的法律条文之外，还存在一种特殊的制度，即应急预案。应急预案主要是在发生重大事故或灾难之前，预先制定的紧急处理计划或方案。而应急预案是否应归属为法律性质，目前还存在不少争议，而在实际操作中，也有案例替代法律的情况出现。然而，从形式上看，应急预案的制定和发布并不满足法律规定的形式要求。从内容角度看，应急预案仅仅是现有法律框架下的一个具体执行计划，其目的是为了在紧急情况下能够高效地实施法律所规定的各项权利和义务。虽然应急预案有其独特之处，但在遭遇真正的危机时，已经制定的应急预案有可能会被更先进的解决方案所取代。因此，应急预案不应被认为是法律的组成部分，关于各级应急预案中涉及的应急征用条款，这里不再进行更为深入的探讨和研究。

虽然我国在立法层面和数量上已经建立了一个相对完整的突发公共卫生事件应急征用制度框架，但在立法质量方面，仍然存在明显的提升空间。首先要指出的是，在当前的法律结构中，法律规定的立法级别普遍较低。再者，上级法律在应急征用方面的制度规定过于宽泛和抽象，主要的问题在于对征用的主体和客体进行了基本规定，至于应急征用的程序问题和个人、法人或相关组织较为关心的事后补偿问题，并没有进行翔实的规定。最后，从各省、市、地区和直辖市所发布的地方性应急征用法规来看，并没有完全因地制宜地提出符合本地区特色的有效应对策略，绝大部分是在国家权威机构发布的全国统一文件中进行复制和适当的改动，多个省、市、地区所发布的应急征用条款甚至出现了相似和相同的文字表述。

个别省市在相关地方法规中做了详尽周密的定制。例如，四川省人民政府于2021年12月30日发布的《四川省突发公共卫生事件应急预案（试行）》，其中第六条“后期处置”中对事后的“征用及劳务补偿”做了相应的规定，“突发公共卫生事件应急工作结束后，各级人民政府应组织有关部门对应急处置期间紧急调集、征用有关部门（单位）、企业、个人的物资和劳务进行合理评估，给予补偿”。不仅如此，我们在研究中也查阅到2012年5月23日，四川省人民政府发布的《四川省突发事件应对办法》中明确提出了“补偿、抚慰、抚恤、安置”等“善后工作计划”。与其他省、市相比较而言，四川省在经历了2003年的非典疫情、2008年汶川大地震、2012年雅安地震等突发事件和自然灾害后，当地政府的确从历次突发事件中吸取到了宝贵的经验，也总结了大量的教训，所以四川省在自然灾害、公共卫生等突发事件的地方性法规相对较为充实和全面。

五、完善应急征用制度的解决策略

应充分吸取应急实践中的经验与不足，对应急征用制度进行进一步的优化和完善，以确保应急法律体系的进一步完善。

（一）创新立法观念

首先要明确的是，应急征用制度作为应急法的核心，是国家法律结构的一个组成部分，它必须具备法律的规范性，并应受到法律价值观的约束。行政实体在应急征用的过程中，应急行为和征收行为如何为之，有哪些行为可为之，或哪些行为不可为，都应该以上述标准进行客观性的考量。因为应急征用涉及公共利益和个人利益的平衡，所以在构建法律体系时，协调和平衡各种价值观之间的矛盾变得尤其关键。应急征用的目的是为应急管理的实际操作提供支持，鉴于应急管理需要更高的工作效率，它应当具有明确的目的性。因此，在价值目标的引导下，立法应该提供更具体、更详细、更具操作性的规定，以便为行政机关的应急征用工作提供明确的指导，同时也形成了对行政机关应急征用权的外部制度性限制。再者，法律的明确性与突发公共卫生事件的不可预测性之间存在一定的矛盾和冲突，进而会对现有的法律体系产生不良影响，可能无法满足实际操作中的要求。因此，为了高效发挥法律体系在应急征用过程中起到的保障作用，它需要稳定性和一定的灵活性。我们应该在法律条文中明确体现其目的性，用以指导行政部门和公民的行为。另外，在特殊时期面对特殊性也应该具备弹性原则，在进行应急征用过程中，应在遵循比例原则的前提下保持其适应性和灵活性。最后一点，对于常规的法律来说，一旦被制定便需要维持其相对稳定的状态。应急法律法规具有特殊性，应当随着应急司法实践及时进行完善和更新。

（二）明确规定应急征用主体

应急征用的主体问题，一直以来备受学界关注，在具体实践工作中也存在一定争议。在处理公共卫生事件的工作中，应急征用的主体仍旧存在着不清晰的状况，这势必会影响到事件结束后的赔偿或补偿问题，即个人、法人或组织应该到哪一行政部门追诉、补偿问题。因此，在应急征用主体的问题上，应继续完善相关立法。当面临重大的突发公共卫生事件时，应急征用的主体必须得到明确的授权，这样才能更有效地确保物资供应，以应对可能发生的公共卫生危机。目前，我国的法律和法规主要是将应急征用权授予县级或更高级别的人民政府、各个部门和应急指挥部。一般来说，应急指挥机构，也叫应急处置指挥中心或者应急处置联动指挥中心，是享有处置突发事件权利的政府职能机构，承担接警处警、信息研判、决策指挥、联动合成等综合指挥职能①。而应急指挥机构只是一个临时机构，相对灵活，运行成本低，且法律责任的承担主体责任缺位，无法落实责任制②。应急征用是国家赋予行政部门的一种特殊行政手段，但是如果应急指挥部或应急指挥机构作为征用主体的话，那么当公共事件得到了有效解决后，临时性质的应急指挥部或应急指挥机构自然也会随之解散，那么对于被征用的个人和单位的补偿权益则不容易得到有效的保障。由此，必须在应急征用主体这个问题上进行明确的规定。在特殊时期的防控工作中，各地各级卫健委应更深入地掌握当地各种医疗物资、设备和人员的短缺状况。突发公共卫生事件的严重性和迫切性都要求有高效的物资和人员支持。因此，建议将卫生健康委员会的相关工作纳入重大公共卫生突发事件的应急征用程序中，从紧急状态下对时效性的追求来考虑，可避免再发生政府的报备和批准流程所产生的延误以错失精准防控的最佳时机。同时，还需对当前突发公共卫生事件下与应急征用相关的法律、法规和文件进行审查和修正，这不仅可以提高政府在处理突发公共卫生危机时的效率，还可以规范征用主体的行为，以有效维护公民的合法权益，这也是加强应急法治保障、完善公共安全体系和建设法治国家的基本要求。

（三）扩大应急征用范围

应急征用的适用范围比较广泛。例如，《宪法》中所说“私有财产”，《民法典》中所说“不动产和动产”，再到《突发事件应对法》中关于“设备、设施、场地、交通工具和其他物资”的条款，以及《传染病防治法》中关于“房

①杨正鸣，苗伟明．突发事件应急处置前沿问题研究[M].上海：上海人民出版社，2015.

②马怀德．非常规突发事件应急管理的法律问题研究[M].北京：中国法制出版社，2015.

屋、交通工具及其相关设施、设备”和各省突发公共卫生事件应急办法的规定，均可被视为应急征用的适用范围。《武汉市应对突发事件应急征用和补偿实施办法》的第四条明确规定，应急征用的目标仅限于那些为应对突发事件而急需的场地、设备、交通工具和其他相关物资。根据上述条款，突发公共卫生事件的应急征用仅限于特定场所和物资。具体防控工作中，不只是针对特定的房屋、建筑和防疫物资，另外还涉及大量的劳务征用，例如为了医院建设而征收的人员、为了运输人员和物资而征用的司机和机长，以及为酒店场所提供相关人工的服务的员工。场所和物资的征用通常需要人力和劳务的配合，因此，将劳务纳入征用是非常必要的。同时，在特殊时期企业极有可能开发出治疗疾病的药物或者预防疾病的疫苗。那么在此情况下，鉴于政府迫切需要征用该企业的研发成果和药物研发专利，因此建议将知识产权也包括在考虑的范围内。此外，我们还需明确如何在不同省、市、地区和直辖市之间更有效地进行物资的征用和调配，需要确定哪些政府间的物资可以被紧急征收，以及哪些物资可以被直接征收。在确定紧急征用的目标时，征用的主体还需要执行基本的安全审查职责，确保相关场所和人员的安全。

（四）规范应急征用的具体程序

1. 关于应急征用的程序

行政征用的一般程序包括：征用申请的提出或者通知，公共利益目的认定，征用范围的裁决，补偿金的裁决，补偿金的给付和征用的完成[①]。公共卫生领域的应急征用流程几乎没有明确的法律规定，在其他突发状况下的紧急征收制度也明显缺少相应的法律程序规定，应确定重大突发公共卫生事件及其对公众利益的影响。一般行政征用是征用主体在正常情况下进行的行政征用行为，它与应急征用有较大的区别。突发公共卫生事件的应急征用，是为了应对公共卫生领域中暴发的传染病和其他紧急状况，根据事件的严重程度和具体的紧急状况而制定的。那么，在应急程序上一般行政征用具有其独特的特点。当前对这些突发公共卫生事件的确定需要经过发现、逐级上报审批，其后再由国务院卫生行政主管部门进行确认和公告，最终做出是否启动应急预案的决定。只有在国务院行政主管部门确认并向公众公开后，各级政府、行政机构和其他征用主体实施应急征用措施，行使其应急权。即在处理重大的突发公共卫生事件时，仅将其视为实施应急征用措施的一个关键先决条件，以达到高效维护公共利益的目标。但是，在目前的法律环境下，并未对公共利益做出明确的界定，也未将其纳入紧急征收的流程之中。这导致了在实际操作中，个别部门以公共利益为名损害公民的合法权益。作

①沈开举 . 征收、征用与补偿 [M]. 北京：法律出版社，2006.

为评估应急征用是否合法和目的明确的准则，公共利益的确定应遵循以下这样几方面的准则：（1）仅在国家、省级和地方政府没有足够的财产和物资的情况下方可进行征用；（2）当重大的公共卫生突发事件发生时，它已经对人们的生命和身体健康形成了直接的威胁，因此需要投入大量的物资和人力来应对这些紧急情况；（3）被征收的各种设施、设备、人员和物资都应被用于应对公共卫生危机，其主要目的是为了预防、缓解或消除重大突发公共卫生事件所带来的不良影响。

2. 关于应急征用的决策及其实施

一旦确定了突发公共卫生事件，有关部门就可以做出应急征用的决策。在做出应急征用决定后，可将被征用者的财产或服务进行转移、占有或使用。为了保证紧急征用的流程能够无障碍地进行，并确保公民的合法权益得到有效维护，我们必须完善公众参与的程序。这里提到的参与程序不只是指当事人直接参与应急征用的行政操作，更重要的是，在特殊时期，如何确保征用主体和被征用者之间能够进行有效的信息交流和积极的互动。应急征用的过程中，被征用者往往处于被动状态，因此，要提升被征用者在整个应急征用过程中的参与度，及时告知被征用者的权利义务和救济途径以确保信息的公开透明。

3. 关于告知程序

告知是指在征用主体做出应急征用决策后，必须履行告知相关事宜的义务。其一，告知的内容必须包括征用主体、被征用主体、征用的理由、被征用的物品、征用的期限、救济的途径等必要的信息。其二，告知的手段有很多种，既可以书面通知，也可以口头告知。在紧急情况下，可以先进行征用，并在事后提供书面的修正。其三，在通知过程中，必须确保被征用者有权发表自己的观点，并听取他们的合理建议。其四，在进行了深入的论证之后，如果被征用的主体拒绝接受征用，那么征用主体有权选择强制征用或向法院申请强制执行。关于信息的公开，除了与国家机密相关的重要事件外，每一个应急征用的流程都必须是公开和透明的。征用的主体应当在相关机构的官方网站上及时发布和更新相关的信息，这些公之于众的信息包括了应急征用决定书的公布、财产的使用和归还状况、补偿的准则、实施方式及补偿的最终结果等多个方面。在存在显著分歧或对被征用人权益造成重大影响的征用事件中，应当组织听证会，通知所有的利害关系人参与征用决策，协商征用补偿等相关事宜，以确保被征用主体的陈述申辩权得到保护。听证过程可以选择正式或非正式的方式，这些方式对当事人都是有益的。值得考虑的是，鉴于突发公共卫生事件的迫切性和严重性，可以先进行紧急征用，然后再进行听证会。被征收物品的归还和相应的赔偿等制度在某种程度上为国家在执行应急征用活动时提供了合法依据，它明确了应急征用补偿流程不仅是保护被征用主体的权益，也是规范征用主体在应急情况下的征用行为。

4.关于赔偿程序

一是设定赔偿的时间期限。在紧急征用结束后的一周内，补偿的主体应当归还被征用的财产，并在接下来的一个月内给予补偿，但在某些特殊情况下，补偿期限可以延长一个月。二是递交了补偿的通知文件。补偿书中应详细描述：补偿的原因、方法、金额、时限、计算准则，以及被征用者的权益，包括表达观点的权利、救济权和权利的有效期。三是成功签订了赔偿协定。如果被征用的主体对补偿事宜持有不同意见，他们可以与补偿部门进行沟通和协商，并签署补偿协议。如果双方无法达成共识，他们可以向相关部门提出行政复议或行政诉讼。四是按照法律规定进行赔偿。一旦被征用的主体对补偿事宜没有异议或达成共识，那么补偿主体有责任在规定的时间范围内完成补偿任务。需要特别强调的是，在补偿过程中，必须充分尊重被征用主体的参与权和表达意见的权利，以尽可能满足被征用主体的需求。

（五）建立完整的应急征用补偿制度

1.科学制定合理的应急征用补偿的标准

由于立法存在完善空间，实际操作中的补偿方法和金额往往由行政部门单独决策，这导致被征收的实体往往没有选择权，从而不能真正达到补偿的目的和公正性。为了进一步完善补偿标准，我们可以从四个关键方面入手：统一的补偿原则、明确补偿的具体范围、设计多种灵活的补偿策略，以及确保资金补偿来源的稳定性。

2.统一事后补偿的原则

在我国与应急征用相关的规定中都明确规定了先进行补偿再进行征收的原则。然而，鉴于突发公共卫生事件可能带来的破坏和危害，我们更应优先确保物资和人员的供应，并迅速采取紧急措施，可以先进行应急征用，然后再进行补偿。鉴于在实际执行过程中已经普遍接受了一个观点，即应急征用补偿应被视为一种基于申请的行政操作，因此，有必要建立一个以职权为主导和以申请为辅助的补偿原则，以纠正实践中的错误观念，并最大限度地保护被征用主体的权益。

3.进一步明确补偿的具体范围

应急征用的补偿范围是指对被征用的主体给予的补偿程度，对于补偿的原则，首先需要明确造成的损失种类，接着基于这些损失种类来设定相应的补偿界限。可以将损失分为：直接和间接的损失、物质上的损失与心理上的损失、明确的损失与不明确的损失。直接损失指的是那些与应急征用行为有直接因果关系的损失，而间接损失则是指那些虽然与应急征用没有直接关系，但实际上存在间接关系的损失。例如，在应急征用出租车之后，租户和租车的费用损失被视为直接损失，而因汽车使用寿命缩短造成的损失则被视为间接损失。直接的损失确实需要得到相应的赔偿。在决策是否对间接损失进行赔偿时，应依据被征收物品的独特性质来进行全面的评价。物质上的损失与精神上的损失是两种截然不同的观念。物质损失是指在应急征用情况下，被征用的主体失去了财产使用权，而精神损失是指因应急征用行为导致被征用主体在精神和情感上受到的损害。通常情况下，应急征用的补偿仅适用于物质上的损失，而精神上的损失则不在这一范围之内。明确损失指的是已经发生或未来一定会发生的损失，不明确损失是指损失发生的不确定性。例如，在应急征用酒店以隔离疑似患者的情况下，对酒店的营业收入造成的损失是明确的，但是在应急征用结束后，是否会对酒店的业务产生负面影响仍然是不确定的。值得明确强调的是，已经确认的损失应当获得适当的赔偿，而那些尚未确定的损失则不能得到补偿。

4. 合理确定补偿方法

一是在实际操作中，金钱补偿被视为一种常见的补偿手段，其金额通常是根据被征收物品所处地区的市场价值来进行确定的。在被征用物品的价格受到双方质疑的情况下，可以通过双方共同认可的评估机构来确定被征用物品的价值。二是实物补偿是一种物品交换物品的补偿机制，不仅可以用具有相同价值、性能和样式的实物进行补偿，还可以在被征用物品的性能和价值不同的情况下，得到被征用主体的同意进行补偿。三是政策扶持包括减少税收、降低费用、加大政府的投资力度，以及增强金融援助。不管选择哪种补偿策略，最理想的做法应该是基于双方当事人的共同商议和沟通，达到一致意见。在实际操作中，金钱补偿与实物补偿是两种最普遍的补偿手段，但如果资金来源没有得到保证，那么应急征用的补偿工作将会面临巨大的挑战。

（六）完善应急征用救济机制

结合特殊时期的防控实际工作来看，应急征用更具有行政强制的特点，由此也将给被征用对象的权益造成更大的损害。权利的存在必然伴随救济，完善紧急征用的救济机制不仅有助于对征用主体的行为进行监控，避免权利的滥用，还能确保被征用主体的合法权益得到维护。在实际操作中，关于应急征用的主体是否具有法律授权、是否按照相关程序进行紧急征用、其目的是否符合公众利益、以及应急征用的补偿标准、方法和程序是否公正和合理等多个问题，都可能成为大家关注的焦点。然而我国的现行法律和法规中并没有明确的权利救济条款，这导致被征用主体的合法权益得不到及时的保障。在我国现行的行政法律救济体系中，主要涵盖了信访制度、申诉机制、行政复议程序、行政诉讼程序及行政赔偿制度。如果被征收的主体认为应急征用行为是非法的或对补偿结果不满意，他们可以首先申请复议，如果对复议结果有异议，可以再向人民法院提起诉讼。被征收财产的当事人有权在无需重新审查的前提下，直接向人民法院提起诉讼。如果认为应急征用行为是非法的，或者其补偿明显不合逻辑，那么可以在复审或法律程序中额外提出行政赔偿。

应急征用法律关系中，行政复议申请人既可以是被征用财产的用益物权人，也可以是所有权人。综上所述，突发公共卫生事件之下应急征用主体既可能是县级以上人民政府也可能是应急指挥部或者其他被授权主体，为了便于被征用主体进行行政复议，无论县级以上政府亦或是其他主体作出的应急征用行为，都可以将县级以上政府作为被申请人，复议机关为上一级政府，若作出应急征用行为的为乡政府，则应当由县政府作为复议机关。行政诉讼作为保障公民权利的最后一道屏障，首先应当明确规定因应急征用行为及征用补偿引起的纠纷，属于行政诉讼的受案范围。再就应急征用管辖范围的认定，因为应急征用行为为县级以上人民政府作出，为确保公正中立裁判，可提高行政诉讼级别管辖，由中级人民法院管辖有关应急征用第一审案件。此外，行政诉讼举证责任应当由征用主体举证证明其应急征用行为的合法性和合理性，以及补偿的公平、合理，因为在应急征用法律关系中，征用主体处于主导地位，无需被征用主体同意即可作出应急征用行为，相比被征用主体具有更强的举证能力。最后，在有关应急征用行政诉讼程序的适用上，应依据补偿标的额的大小确定诉讼程序，在双方同意的情况下，可依法适用简易程序。

第五章　突发公共卫生事件下的经济法规制

第一节　突发公共卫生事件对经济关系的影响

近年来SARS病毒、甲型H1N1流感病毒、埃博拉病毒、脊髓灰质炎病毒、寨卡病毒等多种传染病病毒在多国流行，严重影响了全球经济的发展，给相关国家的经济带来了不同程度的影响。

一、突发公共卫生事件对经济的影响

（一）宏观层面

1. 突发公共卫生事件对第三产业的影响

（1）交通运输业

交通运输业是指通过陆路、水路、铁路、航空及相应的运输工具，促使客、货沿特定路线实现空间位移的业务活动。交通运输业肩负着联结工业与农业、生产与消费、城市与乡村的纽带作用，交通运输业是社会经济发展的“先行者”。

自古以来，交通运输便是影响社会经济、军事政治、文化传播的重要因素。如古代著名的丝绸之路、茶马古道、张库大道、京杭大运河等，均是交通运输的重要路线或经济贸易的重要载体。近现代以来，高速、铁路、航空的发展更进一步促进着交通运输业的不断发展，现代物流、冷链运输、无人机运输更使交通运输业呈现着无比的活力。

而在突发公共卫生事件的紧急状态下，除了参与应急保障的交通运输之外，社会经济层面传统的客运、货运也受到了极大的影响。在货运方面，因大量建筑业、房地产业和其他基础建设性行业的暂停，餐饮业、食品加工业受到一定负面影响，其他制造业工厂延迟复工复产，都直接导致了货物运输需求的明显减少。另外，客运方面也因特殊时期的防控措施，导致客运量明显减少。加之公共卫生事件的发生给旅游业带来的巨大影响，旅游景区、大型游乐综合体的暂时关闭，使得以往活跃于国内外旅游市场的游客也停下了脚步。由此造成了国际国内的航空、铁路、公路客运量的直线下降。

（2）旅游产业

旅游产业是借助自然风光、人文景区、文化遗址等文化旅游资源，搭配交通、餐饮、住宿、购物、文化、娱乐、演艺、参观、游览等配套服务的综合性产业。旅游产业需要其他服务产业的高效配合，同时也在一定程度上能够有效拉动运输业、餐饮业、通信业等产业的发展。同时，旅游产业是一个极易受到其他因素影响的产业，诸如自然灾害、交通事故及公共卫生事件都会给旅游业带来重大的负面效应。尤其是突发公共卫生事件之下，旅游产业与文化产业密切相关，两者与其他配套行业相互冲击影响，形成系列连锁效应，最终导致文旅经济整体下滑。特殊时期对旅游产业的冲击持续时间较长，与其他行业相比，其恢复周期相对较长。另外，产业的停滞不前不但导致文旅经济的直线下滑，也对文化旅游从业者产生了很大影响，如果不断出现裁员、降薪、无薪休假、轮岗上班的情况，如此更是加速了旅游从业者的流失，加速了部分旅游企业的重组。

（3）餐饮行业

餐饮行业是指通过即时加工制作、商业销售和服务性劳动，向消费者专门提供各种酒水、食品、消费场所和设施的食品生产经营行业。按照我国《国民经济行业分类注释》的定义，餐饮行业是指具备一定场所，对食物进行现场烹饪、调制，并出售给顾客主要供现场消费的服务活动的行业。从社会经济的角度看，餐饮行业是刺激消费、提供就业、促进社会经济的重要途径，更为农副产品、肉食品的生产加工提供了巨大的市场渠道。餐饮业商业模式简单、门槛较低、现金流动正常，在常态下经济效益基本稳定。但是在突发公共卫生事件下，餐饮业因其直接涉及公共卫生与食品卫生，更容易受疫情防控的影响成为管控的经济体之一。加之餐饮业是典型的消费类行业，极其依赖人流量。在公共卫生事件的防控防治过程中，城市主体积极响应“禁止聚集”这一防控政策，直接导致了餐饮企业门店的暂停营业，或改为线上配送，从经济利益的角度看，其现金收益也直线下降。

（4）批发零售业

批发零售业是社会化大生产过程中的重要环节，是决定经济运行速度、质量和效益的引导性力量，是我国市场化程度最高、竞争最为激烈的行业之一。而具体的批发是指批发商向批发、零售单位及其他企业、事业、机关批量销售生活用品和生产资料，以及从事进出口贸易和贸易经纪与代理的活动。零售业则是指通过买卖形式将工农业生产者生产的产品直接销售给居民作为生活消费用，或售给社会集团供公共消费用的商品销售行业。批发与零售业往往趋向于群众日常消费品，上游对接商品生产商，中间涉及代理商、加盟商，终端对接社会消费群体。在突发公共卫生事件背景之下，首先是大量从事批发与零售的商业市场、零售店防控闭店，直接影响了其经营收入。加之在部分城市和地区商家店面的房租得不到减免或者优惠，从事批发零售业的小规模的经营户面临着巨大的困境。另外，特殊时期大量消费者为了避免接触病毒和感染，对于急需的日常消费品往往选择线上购物；居家隔离、居家办公的消费者为了避免物流、快递外包装携带病毒，大大减少了对于非急需的商品的购买，这样一来直接导致了整个批发零售业的销售量下滑，也给批发零售行业带来巨大的冲击。

（5）娱乐业

娱乐业是为消费者休闲娱乐活动提供一定场所和服务的行业，主要包括茶馆、酒吧、歌厅、舞厅、电影院、台球厅、高尔夫球场、保龄球场、网吧、游艺场等经营性场所，以及娱乐场所为顾客进行娱乐活动提供服务的业务。娱乐业的基本消费形态主要是花费一定的时间去消费娱乐产品和项目，获得愉悦感和身心缓解。而在突发公共卫生事件之下，电影院、酒吧等娱乐场所的客流量直线下降，其营业收入也受到很大的不利影响。

（6）演艺产业

演艺产业是指以音乐、舞蹈、戏剧、戏曲等艺术创作为基本手段，并以具有商业演出价值的艺术作品进行舞台化的呈现的产业，如舞剧、歌剧、音乐剧、戏曲、话剧等。演艺产业在具体执行过程中主要涉及创作、排练、演出、舞美、灯光等环节以及需要宣发、经纪、销售等一系列工作的高度配合。而特殊时期，相关剧场暂停营业，直接导致了演艺产业的停滞不前。

（二）微观层面

突发公共卫生事件，给社会整体经济造成了巨大影响，除了宏观方面的影响之外，作为微观经济行为主体的个人、民企、小微企业、自由工作者等个体来说，也受到了不同程度的负面影响，可分为直接和间接两个方面。

1. 直接影响

突发公共卫生事件对于社会经济微观层面的直接影响，首先是广大群众出于个人和家人的身体健康及防控需求，在消毒剂、预防病毒药品等医疗用品及医药卫生健康产品的支出明显增大。另外，因防控需要，居家隔离，居家办公成为社会的普遍现象，由此导致人们的社会经济活动较以往来说明显减少，也使得与人际交往相关的消费大幅度下降。但是，在居家隔离的过程中，大量消费者更加依赖于网络购物。从生活用品、医疗用品，再到服装、小家电，在一定程度上促成了线上消费额的急剧上升，同时也为物流、快递业增加了业务量和工作量，从这个角度讲线上消费又促进着网络经济的增长。

2. 间接影响

突发公共卫生事件对于社会经济微观层面的间接影响，主要表现为微观个体预期的改变。受突发公共卫生事件的影响，人们的消费投资预期发生相应改变，刚性支出增加、预期收入降低、投资环境不明朗等让谨慎消费、谨慎投资成为优先选择。由此也就导致了社会整体的消费能力的下降、投资意向的搁置等紧缩性经济行为，也不同程度地制约了社会经济的复苏。因公共卫生事件而引起的社会经济持续低下，也反向影响着广大群体的收入水平，更严重的是这样的现象又影响着经济发展与消费投资预期趋好的收缩性闭循环系统。

突发公共卫生事件对于社会经济微观层面的间接影响，还表现为消费习惯、消费方式的改变。例如，以团菜、团米、团油等组团购物的社区电商为代表的短链消费模式出现。以“团菜”为最典型的例子，本来最初就是邻里之间自发组织组团购物的形式，而后在疫情防控与居家隔离中作为一种新的物资流通手段应运而生。新生的短链消费行为势必减少居民在综合市场、大型商超等商业街区的消费，由此也在一定程度上影响了市场、超市、综合商业体的经营效益。

最后，从微观层面来看待后疫情时代的企业变革，在经历了突发公共卫生事件后，经营状况良好的企业开始倾向于自动化设备的投入，在未来这样的企业在生产和运营过程中高度流程化、易于实现数据化的工作将会最先被人工智能替代。由此，也将出现大量的社会待业人员，这一点也会直接影响社会经济的发展和变革。

（三）突发公共卫生事件对医疗卫生行业的影响

医疗卫生也称为医疗卫生事业或医疗卫生服务，包括国家与社会为保障和提高人民的健康水平、诊治疾病而建立的法制体系、组织体系、服务体系和服务过程等。医疗卫生是公共卫生和医疗服务的统称，涉及社会公共卫生服务、医疗服务、健康促进服务及与这些服务相关的保障体系、组织管理和监督体系等。医疗卫生事业的基本框架由“四大体系”构建：公共卫生服务体系、医疗服务体系、医疗保障体系、药品供应保障体系。四大体系相辅相成，配套建设，协调发展[①]。在突发公共卫生事件下，公共卫生服务体系、医疗服务体系、医疗保障体系、药品供应保障体系均迎来了巨大挑战和各种影响。

1. 成本的增加

在突发公共卫生事件背景之下，基层医疗卫生服务体系有待完善，很多医疗点的医疗设备老化陈旧，防控设备、技术的不完备增加了基层政府观调控资源的难度。在特殊时期的防控、防治过程中，基层医疗卫生服务体系在医务人员、医疗设备、医疗器械、医疗药品等各方面都耗费了巨大的成本。

2. 收支的失衡

在应对突发公共卫生事件中，各地定点收治医院设立集中治疗区，对确诊和

①王魁．医院概论 [M]. 北京：中国科技大学出版社，2020.

疑似患者实行“先救治，后结算”。患者免费救治，个人负担部分由国家财政给予补助，仅从经济角度进行衡量，这显然是巨大的经济支出，但是我国医疗卫生行业始终把人民生命安全和身体健康放在第一位，那么这样的收支失衡对于人民的生命安全和身体健康而言，又是居于其后的。

3.持续的投入

突发公共卫生事件从发生、发展再到全面恢复，是需要经历一定时间和过程的。在全面恢复的进程中，国家往往需要对医疗卫生行业持续加大财政的投入，用于完善公共医疗卫生服务体系。2022年1月，国家卫生健康委印发了《医疗机构设置规划指导原则（2021-2025年）》，其中提出要“持续强化医院感染防控管理，提高重大疫情应对能力”。

二、经济法在公共卫生事件的价值体现

（一）维护秩序的价值

法律是有效维护社会政治、经济、文化秩序的工具。经济法的重要作用之一在于维护社会经济和经济活动的秩序。经济法用法律的形式来调整经济关系，必须注重权利与利益的关系，能够平衡这种关系则可以调整社会经济的关系。所以，经济法的价值必须以秩序价值为前提。在突发公共卫生事件中，社会处于特殊的状态下，极易出现破坏社会经济秩序的违法违规行为，这些行为将致使社会经济受到负面影响，经济法的其他价值也难以实现。在此情况之下，经济法应及时调整和规制社会经济关系，以保障正常的经济秩序的回归，为人民群众提供一个公平正义的经济环境。具体如以下几点。

1.准入秩序的维护

特殊时期，经济法应对缺乏生产资质而违法生产、销售医疗防护物资的主体，以及具备生产资质而不注重生产质量的主体进行处罚，以维护广大消费者的权益和积极落实防控措施的保障。依法撤销不具备生产能力和设施的企业准入许可、生产许可，严格维护经济主体和经济管理主体的准入秩序。此外，对于那些具有合格资质的非医疗用品制造企业，如服装制造商生产口罩和防护服，以及酒类制造商生产医用酒精等，都需要增加供应、控制价格、确保物资供应并维持市场秩序。

2.经营秩序的维护

在特殊时期出现了部分企业生产劣质医疗用品，以及个别商家哄抬物价、以次充好的现象。在此前提下，可以通过《产品质量法》《价格法》等经济法律法规对违法行为和其主体及时进行法律规制，最大限度保障特殊时期经济秩序的持续稳定。

3. 竞争秩序的维护

在突发卫生事件发生后，口罩、消毒液、防护服及部分药物成为广大群众的必备用品。在此情况下，为了争夺市场份额获取更大利润，部分企业和商家展开了恶性的竞争行为。在特定的时期市场更加需要平稳有序的运行秩序，经济法律体系在特殊时期肩负着严厉打击不正当竞争行为，以及维护经济良好、自由、公平的竞争秩序的重任。

4. 宏观秩序的维护

经营实体的商业行为对宏观经济的增长起到了关键作用。因此，国家依据宏观调控法来设定产业政策，并采用如税收减免和货币降息等措施，以激励和引导各个行业恢复生产，确保复工复产等经济活动和经济秩序的稳定，从而为经济法中的实质公平价值提供有力的法律支撑。

（二）提高效率的价值

经济法不仅可以维护社会经济活动的秩序，更可以助力经济发展，是提高经济效率的坚强后盾。在突发公共卫生事件发生后，因应急防控的需要，大量个体经济和企业有可能面临暂停营业、暂停生产的状态。从社会经济的角度来衡量，早日复工复产或将是挽回损失的首要途径。所以各级政府为了经济的复苏，不断积极制定有效的措施助力企业的复工复产，此类举措正契合了经济法所追求的效率，即整体的、长远的、可持续的效率。例如2020年2月，不仅是防控工作的关键时期，同时也是中国传统春节之后的复工潮、用工潮和打工潮。为了提高社会经济的短期效率和长期效率，支持复工复产，维护经济秩序，国家市场监督管理总局会同药监局、知识产权局联合发布了《支持复工复产十条》，并从“深化改革”“简化程序”“急事急办”“降本减负”“技术帮扶”五个方面进行有效支持。该举措的发布，为各省市地区恢复经济、推动复工复产，提高经济效率提供了重要依据。

另外，我国社会主义市场经济体制下的经济法不仅要为维护整体的、长远的经济效率，还要在个体与团体的经济效率上进行优化和调配。各级政府对于公共卫生事件期间全民急需的医疗卫生物资的保障性生产活动给予灵活性的调度和增产，即“做好居民生活必需品保供调度……保持疫情期间基本民生服务不断档”。另外，对于物流行业、快递行业的复工也采取了相应的政策支持。而对于电影院、酒吧、KTV等人流量大，容易聚集的娱乐场所，始终严格禁止营业。经济法的效率原则是一把双刃剑。在突发公共卫生事件中，必须做出有利于广大人民群众的选择性调配和效率优化。这样才能够符合全社会的资源整合和扶持政策的要求，使经济活动和效率相互适应。

（三）维护公平的价值

在突发公共卫生事件中，由于防疫物资供应力有限，社会资源的配置仍然不够合理，而消费者则处于劣势，只能被动地接受这一特殊时期的医疗、防护物品的物价上涨，经济法律体系对社会经济平稳运行的保障作用尤为重要。为了维护社会公平，2020年最高人民法院等部门就联合制定了《关于依法惩治妨害新型冠状病毒感染肺炎疫情防控违法犯罪的意见》，并且明确规定“在疫情防控期间，违反国家有关市场经营、价格管理等规定，囤积居奇，哄抬疫情防控急需的口罩、护目镜、防护服、消毒液等防护用品、药品或者其他涉及民生的物品价格，牟取暴利，违法所得数额较大或者有其他严重情节，严重扰乱市场秩序的，依照刑法第二百二十五条第四项的规定，以非法经营罪定罪处罚”。另外，2022年12月，国家市场监管总局也发布了《关于涉疫物资价格和竞争秩序提醒告诫书》《规范涉疫物资网络交易秩序工作提示》等，明确提出“不得哄抬价格”等法律红线。从经济学的角度看，供求关系是价格的重要确定因素，但是在特殊时期恶意哄抬物价是有悖于我国社会主义经济制度和经济相关法律法规的。《价格法》《价格违法行为行政处罚规定》等相关经济法，对发现存在捏造、散布涨价信息，哄抬价格，囤积居奇，推动商品价格过快、过高上涨行为的，最高可处300万元的罚款。特殊时期，有关行政部门对那些超出常规价格15%销售医疗防控用品的商家进行了处罚，同时采取对医疗防控用品的限额购买和按照政府定价销售的策略，这在一定程度上平衡了商家和消费者的利益，缓解了双方的利益矛盾，并在最大限度上促进了社会公正。

此外，为了保障城乡困难群众在公共卫生事件中的基本生活。2014年实施的《社会救助暂行办法》第三条第二款规定，县级以上地方人民政府民政、应急管理、卫生健康、教育、住房城乡建设、人力资源社会保障、医疗保障等部门，按照各自职责负责本行政区域内相应的社会救助管理工作。第二十条规定，国家建立健全自然灾害救助制度，对基本生活受到自然灾害严重影响的人员，提供生活救助。后于2019年修订，充分体现了在我国社会主义经济制度下，维护公平、维护社会弱势消费群体在特殊时期的根本保障。

（四）倡导正义的价值

习近平总书记强调：“公平正义是中国特色社会主义的内在要求，所以必须在全体人民共同奋斗、经济社会发展的基础上，加紧建设对保障社会公平正义具有重大作用的制度，逐步建立社会公平保障体系。”实现社会经济公平是实现社会公平的最基本和最有效的手段，而这种公平恰恰是经济法所强调的正义价值观的最高表现。从马克思主义的视角来看，评估正义的准则应当基于经济基础的一致性和其对社会稳定的正面影响。经济法所倡导的正义是维护社会经济关系、保证经济活动和谐稳定的核心支柱。在突发公共卫生事件背景下，经济法律体系充分尊重社会主体人格，并关照弱势群体，进行社会救助，保护消费者权益，对社会经济关系进行有效的优化、调整、平衡与协调。经济法倡导的正义价值，主要体现在这几个方面。

1.主体人格的重塑

追逐利益是人的本性，那么舍利可谓是高尚的人格。“舍得”者，实无所舍，亦无所得，是谓“舍得”。“舍得”在中国传统文化中是哲学，更是智慧。企业需要追求利益最大化，而当这种利润的追求遇到了突发公共卫生事件，便有可能造成劳动者、消费者的合法权益受到侵害。在此情况下，经济法对企业的行为要作出一定的规制。如在疫情中企业的复工复产，需要达到疫情防控的标准，需要对厂区进行消毒，安排一定人员从事消杀和体温检测，这无形中为企业增添了成本。但是这样的成本负担又是保障生产的必备措施，有利于保障企业自身利益和，社会公共利益。

2.弱势群体的保护

突发公共卫生事件之下的弱势群体，一类是经济困难的独居老人、残疾人、精神障碍者等特殊人群和因感染传染病而加重经济负担的普通劳动者。另一类则是指社会经济体系中的小微企业和企业主。经济法所揭示的正义观念，旨在通过多种手段来平衡社会的各种联系，并确保社会中的弱势群体得到适当的权益保护。在特殊时期，国家对中小企业的扶持政策也是非常重要的，特别是小微企业和个体经营者因特殊因素影响经营陷入困境，也需要有关部门制定的一系列的政策和措施给予帮扶。

3.社会关系的平衡

如何在突发公共卫生事件中有效平衡与协调社会关系，其首要任务就是对在特殊时期的利益分配进行有效的平衡与协调。而对这样的关系进行协调，必须确保政策制定过程中的公平正义，即要实现社会关系的和谐与平衡非常必要的部分是公平正义的决策和公开透明的实施。

第二节　突发公共卫生事件下的经济法理念

经济法理念以社会为本位，通过公私融合的制度平衡协调不对等主体之间的支配性经济关系，

维护社会整体利益。经济法理念强调以社会为本位，表明了经济法分析与解

决问题的基本立场和出发点，即以社会为独立的利益承担主体，承认并维护社会整体利益。

二、经济法理念的分类

（一）人本主义的经济法理念

人本主义是Anthropologismus的意译。现代人本主义经济学的核心是研究满足人类需求与经济行为之间的联系，并将促进或阻碍人类与社会进步的环境和条件作为其主要的研究方向。所谓人本主义的经济法理念，是经济法的基本原则与人本主义相融合而产生的，是在经济范畴下更好地服务于人的追求。经济法以人本主义为元理念，就意味着经济法应该树立人本主义的法律观，把人作为经济法的本源和目的，把人本主义当作最终和最高的理念，并通过一定的价值、原则把人本主义理念贯彻于经济法的各项具体制度及其实施当中，以期在经济法视域内真正实现“以人为本”这个宗旨①。在人本主义理念下，经济法的价值取向体现为自由与秩序、公平与效率的整合，这一点在突发公共卫生事件中尤其能够得到更多的体现。通过人本主义的经济法理念恰当适度地解决在公共卫生事件中的经济关系问题，综合考量公共事件与人的关系、社会经济与人的关系，让人本主义经济理念在特殊时期彰显温度。使得受到特殊时期带来的健康影响、身心影响及经济收入、企业经营影响的个人和企业，都能够得到更多的关怀，并且有效促进特殊时期的社会秩序和社会和谐。突发公共卫生事件中社会关系往往因经济关系的失衡而衍变为更为严重的失衡乃至严重的矛盾与冲突。在人本主义的理念下，经济法通过对特殊情况下的秩序调整、重新分配，使这种失衡乃至矛盾与冲突逐渐趋向于平衡。

（二）实质正义的经济法理念

实质正义意味着正义的终极状态必须实现。从朴素的善恶观念出发，我们可以理解为好人（或善行）应当受到奖励，而坏人（或恶行）也应当受到应有的惩罚。在现代社会中，善与恶往往是同时并存的，这就决定了在法律上，人们对善恶进行评价时需要考虑到其合理性。如果司法体系或公共政策不能体现真正的正义，那么它将被认为是缺乏合法性的。习近平总书记指出，“公正是法治的生命线”“必须牢牢把握社会公平正义这一法治价值追求”。经济法也是如此，就是要在社会经济的范畴内主持公平与正义，追求实质正义的理念，为人民群众创作一个实际公平、平等自由的社会经济关系。从谋求最大多数人的最大利益到关爱

①李昌麒．经济法理念研究[M]．北京：法律出版社，2009.

社会境况最差者，这是正义立场的重大转变，是正义日益合乎自身的规定性[①]。实质正义的经济法理念，正是在倡导社会公平、秩序、自由等基本价值的前提下，以实质公平、整体秩序、理性自由为价值组成，回应社会政治经济可持续发展对社会整体利益与弱势群体倾斜保护，以实现实质公平的法治社会效果。在突发公共卫生事件发生时，在紧急状态下往往有可能导致暂时性的“市场失灵”与“政府失灵”，经济法正是通过有效调节和适当干预来保证这种“失灵”状态下的社会公平。例如《反垄断法》《产品质量法》《消费者权益保护法》等法律法规的制定和执行，再如《失业救济法》《残疾人保护法》中对弱势群体的关注和救助等恰恰体现了经济法理念的实质正义。

（三）社会本位的经济法理念

社会本位的经济法理念就是以社会公共利益为根本的理念。从经济法角度来看，经济法最为根本的目的便是维护社会的整体利益。社会本位经济理念，有效地平衡了社会经济关系中个人、集体、国家之间的利益分配和权益保障。在突发公共卫生事件之下，社会本位的经济法理念尤为重要，其倡导的社会公共利益更是每个人在特殊时期都应该主动遵循的，如此才能够使经济秩序、经济关系得到更好的维护。社会公共利益是大家共创、共享的利益，没有社会公共的利益，就无法体现个人的利益。经济法以社会为中心的思想，意味着经济法必须肩负起保护和推动社会总体利益的职责和功能。因此，经济法在调整的目标、机制和方法等各个方面，都应当体现出其对社会的本位性。社会本位理念在很大程度上会对经济法的基本立场发展走向和最终归宿产生重要影响。[②]

（四）适度干预的经济法理念

经济法理念中提倡的适度干预也是经济法的基本原则，它要求国家行政机关依法对社会经济进行有效干预，为市场起到一定的辅助作用。适度干预应当符合经济法法规进行理性的干预，与此同时还应该遵循经济法的价值目标，要对成本收益进行全面的权衡之后方可进行有效的干预，这种有效干预的结果应是对市场和收益的利好，而不是以对市场和收益的破坏为代价。

适度干预的经济法理念是应该遵循市场化、法治化的正当干预。而在突发公共卫生事件之下，容易造成市场、供求、价格的极大波动，国家对经济的适度干预更加依赖于经济法的规制与调整。经济法律体系能适度干预和理顺市场与政府的关系，有助于促进特殊时期的社会经济活动、社会经济关系的和谐。

①邱本．自由竞争与秩序调控[M]．北京：中国政法大学出版社，2001．

②李昌麒．经济法理念研究[M]．北京：法律出版社，2009．

（五）可持续发展的经济法理念

可持续发展是科学发展观最为基本的要求之一，是广泛运用于生态环境、社会经济、文明进程等领域的基本理论和战略。可持续发展即人类社会在实现经济发展、社会文明进步的同时，需充分考虑到的资源环境、生态污染等问题，进而在社会经济、文明进程与自然承受力中寻找到一个可以长期和谐共处、共享的平衡点。它涵盖了经济、社会和生态三个方面的全面发展。经济法需要在经济、社会和生态三个方面实现全面和整体性的发展。此外，可持续发展理念也可以为经济法视野下的国家干预提供正当性，并在一定程度上界定国家干预的范域。

三、经济法理念的作用

（一）经济法理念所体现的基础作用

1. 预判作用

经济法的理念为经济法的构建和主体行为提供了科学的预测和警示，对未来一段时期内的社会经济进行理性分析和科学预判，能够让经济法的制定符合当下经济发展和市场需求，并具有一定的前瞻性。经济法理念的预判作用能够使得经济法主体的行为具有可预期性，有利于经济法主体行为的可持续性。

2. 引导作用

经济法理念对经济法的制定、实施及主体行为具有着引导作用，经济法的核心思想被纳入经济法的整体框架和主体行为中，它将指导经济法的制定和执行，并确保经济法的主体行为能够维护社会的公共利益。如我国《反不正当竞争法》的制定和实施，都充分体现了经济法理念的引导作用，尤其是2022年3月17日，最高人民法院发布的《关于适用〈中华人民共和国反不正当竞争法〉若干问题的解释》，其中第二条对仿冒混淆、虚假宣传、网络不正当竞争行为等问题作出了细化规定，及时地对网络经济、直播经济给予正确的引导。

3. 中介和外化作用

经济法理念是将经济立法者在实际操作中所形成的经济法律观念、法律信念、法律文化和价值观转化为高效的经济法律标准。它在立法与司法中发挥着导向功能，对经济活动起到指导与约束的作用。经济法的理念充当着立法与法律实践之间的连接角色，同时也起到了经济法理念的中介和外化功能。

4. 评价作用

经济法的理念还起到了判断经济法律是否科学及经济法主体行为是否恰当的作用。能针对部分不科学、不得当的法规和主体行为给予评价和纠正。

5. 推动社会进步

经济法的理念不仅是一种科学理性的认识，也是一种法律文明。由于其具有预测、引导和评价等多重功能，能够自动调整，确保经济法律的有序运行，从而使经济法律制度既科学又符合社会的实际情况。

（二）公共卫生事件背景之下的保障作用

1.保障经济秩序的运行

突如其来的突发公共卫生事件不仅对人民群众的身体和心理健康产生了不小的负面影响，同时也给社会经济和全球经济带来了一定程度的冲击，并触发了严重的市场功能失调。在这种情况下，政府必须及时采取措施进行干预，而作为国家宏观调控手段之一的经济法，则是应对这一危机的有效工具。为了补偿市场在紧急状态下的有限作用，并以维护社会公共利益为核心，推动经济和社会的健康、协调发展，必须采取紧急的保障措施。在一系列保障性措施中也包括通过财政、税收、金融等调控手段以及对竞争、价格和消费等市场秩序的维护。比如2020年02月06日，我国市场监管总局发布《关于依法从重从快严厉打击新型冠状病毒疫情防控期间违法行为的意见》，其中第二点做了“从重处罚”的要求：“对涉及疫情防控的违法行为，考虑其特殊危害性，从重处罚。对野生动物及其制品非法交易、口罩等防护用品制假售假等违法行为，在依法可以选择的处罚种类和处罚幅度内顶格处罚。对哄抬防护用品及制作原材料和基本民生商品价格等违法行为，在依法可以选择的处罚种类和处罚幅度内，适用较重、较多的处罚种类或者较高的处罚幅度进行处罚，其中罚款的数额应当在从最低限到最高限这一幅度中较高的30%部分。涉嫌犯罪的，必须坚决移送司法机关依法追究刑事责任。”该规定中所涉及的防疫物资的制假售假、防疫用品和民生用品哄抬价格等违法行为均受到从重从快的处罚，有效地对有碍疫情防控和特殊时期社会经济秩序的违法违规的行为进行了严厉打击。2020年2月，国家市场监管总局、国家卫生健康委等八部门联合发布《关于开展打击整治非法制售口罩等防护产品专项行动的紧急通知》，“确定了各部门的工作重点，其中市场监管部门和药监部门将会同有关部门重点打击6类违法行为：即囤积居奇、哄抬价格、串通涨价、价格欺诈的行为；未按规定取得许可或备案擅自生产销售的行为；生产销售不符合安全标准的产品以及过期失效产品的行为；以普通、工业用等非医用口罩冒充医用口罩等以假充真、以次充好行为；生产销售无生产日期、厂名厂址、产品质量合格证明等三无产品以及冒用认证标志等质量标志的行为；商标侵权、假冒专利、仿冒混淆、虚假宣传和虚假广告的行为。”

以上所提到的内容是为了有效应对突发公共卫生事件，在经济法框架之内对各类违法违规的经济现象临时性地进一步规制，其中部分违法行为还会受到从重从快的处罚，涉嫌犯罪的行为更会依法追究刑事责任。这样的措施正体现了经济法理念中所倡导的利于社会经济秩序、利于社会公共利益，更有利于紧急状态下的公平和正义。

2. 助力经济复苏

从我国历次应对突发公共卫生事件来看，有关行政部门在积极做好防控工作的同时，更注重通过财政、税收、金融调控措施为经济复苏和复工复产提供最大政策支持和保障。从经济法学的角度看，一系列政策和措施，正体现了经济法理念在特殊时期特殊状态下的保障作用。经济法理念能够有效促进社会经济的良性循环和向好发展，更能够在特殊时期对社会经济活动进行干预和规制，使社会秩序、经济关系在有限的环境下尽快步入正轨。经济法理念与经济发展、市场规律有着较为密切的联系，能够在突发公共卫生事件下，最大程度保障社会经济平稳运行、保护社会的共同利益。

四、经济法理念的实现途径

经济法理念所追求的核心精神贯穿在经济法制定和经济法主体的行为之中。这样才能够使得经济法理念的功用完全在社会经济体系中完美地呈现，同时确保社会的公共利益得到充分的展现和守护。在这种情况下，政府必须及时采取措施进行干预，而作为国家宏观调控手段之一的经济法，则是应对这一危机的有效工具。因此，判断经济法观念是否真正起到作用的准则是看社会的公共利益是否得到了充分体现。评价经济法理念的目的在于通过对经济法理念进行科学、准确地认识与定位，使其更好地为经济社会发展服务，促进我国社会主义市场经济体系健康有序运行，维护国家利益。鉴于经济法思想的至高无上和最终性特质，评估经济法思想的准则实际上也是对经济法的法律规范、基础原则及价值观的最高评价标准。根据以上所述，经济法理念功能的实现途径可以概括为如下几点。

（一）确保经济法律的规范得到有效的遵循和实施

经济法律规范构成了经济法体系中最基础的部分，且经济法的核心思想首先在众多的经济法律规范中得到体现。这些经济法律规范中蕴含着丰富而深刻的经济法理念，它们共同构成了一个完整的经济法学理论体系。目前制定的经济法规，如《反不正当竞争法》《中小企业促进法》《产品质量法》和《消费者权益保护法》等，都深刻地反映了对社会公共利益，也是对经济法思想的捍卫。经济法理念的产生与存在离不开经济法主体这一基础要素。经济法的主体如果能够有效地遵循和执行经济法的规定，那么经济法的核心理念便能得以实现。同时，这些经济法规则又是经济法理念得以实施的保障措施。因此，严格遵循和实施经济法成为实现经济法思想的最根本路径。

经济法理念作为一种思想方法与思维方式，不仅适用于经济领域，同样适用于政治、外交、国防、教育、科技、军事及其他社会生活领域。从一方面来看，经济法的理念是对经济发展规律的总结，它反映了经济关系在法律层面上的需求。通过对法律概念的详细解释，我们可以更深入地掌握经济法律中各参与方的权益和职责，这将为经济法律的制定和进一步完善指明方向，并促进经济的健康发展。而另一方面，经济法理念还能够体现出国家意志、政府行为等政治思想和精神，以维护国家安全与公共利益。经济法追求社会利益、社会价值和社会公平价值，随着社会经济环境的不断变化，经济法也得到了持续的补充和完善。这一行动不仅促进了社会、经济、文化和环境各方面的融合，同时也催生了高品质的社会发展，最终达到了全体人民共同分享发展和实现共同富裕的基础目标。

（二）遵守经济法的基础准则

经济法的核心原则超越了经济法律规范中的经济法范畴，这些基本原则对于经济法思想的实践起到了至关重要的推动作用。在现代社会中，经济法基本原则不仅包含其自身所固有的内在价值与意义，而且也在发挥着其特有的功能。经济法的核心原则是为了满足和服务于经济法的核心理念。这些基本原则不仅可以补充法律的缺陷，还可以催生和转化为具体的法律规范，并在抽象和具体的层面上对经济法的主体施加约束，同时也指导经济法主体的行为方向。经济法的基本原则还可以发挥在引导社会资源配置方式、调整社会关系等方面的特殊功效。因此，经济法的基本原则功能得以实现，间接地实现了经济法的理念功能。

（三）释放经济法的核心价值

经济法的核心价值代表了经济法思想的具体实践，它充当了经济法思想与实践、应有与实际状态之间的桥梁和中介，从而使得经济法的核心理念得以直接体现。经济法理念在一定意义上就是经济法的价值，而经济法的价值则是由其所代表的利益关系及其矛盾运动决定的。经济法的核心价值包括经济秩序、社会的整体经济效益、社会的整体经济公正和经济正义。由于这些价值是客体对主体的需求和满足，所以经济法的基本价值得以释放，才能满足经济法主体对经济秩序、社会的整体经济效益、社会的整体经济公正和经济正义的追求。经济法的理念是指在特定的历史时期，人们关于经济法的观念及由此而形成的思想。另外，经济法的核心理念是指向其内在价值的，因此，要实现经济法的核心理念，就必须确保其价值得到体现。

在经济法的核心领域中，经济法的理念、价值、原则和规则都有明确的纵向排序。通常，一旦实现了经济法律的规范功能，那么经济法的基本原则和价值也就得以体现。最终，通过释放经济法的基本价值，经济法的核心理念，即社会本位主义，也将得以实现。

第三节　突发公共卫生事件之下经济法应急保障作用的优化路径

一、确定科学的经济法应急保障理念

1. 科学定位政府与市场的关系

衡量法律的具体应用价值，很大程度上取决于各实施主体对于法律理念的贯彻与实施。要高效发挥经济法在特殊时期的应急保障功效，必须清晰科学地定位政府与市场的关系。目前保障机制创新的速度相较于市场经济发展形势来说具有滞后性，由于社会治理机制不够完善，必须结合推动社会治理现代化的机制优化。在突发公共卫生事件之下更需要特别引起关注，作为“看不见的手”，市场在特殊时期同样要遵循一定的规律，如果此时政府过分干预规制，在一定程度上会挤压原本的市场环境，极有可能会出现矫枉过正、显失公平的现象。所以应当全力保障市场的自由竞争、生存的环境，深入践行与时俱进、以人为本的服务型政府理念。有关行政部门也应在防控应对工作中意识到适度调整市场的重要性。以特殊时期监控市场价格为例，结合具体防控工作实践，国家市场监督管理总局多次在相关政策文件中明确指出，各级市场管理部门在执法监督必须根据实际状况，把当事人的具体行为与导致的社会危害程度等方面综合起来进行评判，并予以科学地分析与认定，以掌握好干预的范围与尺度。所以应在特殊时期科学地、有效地干预市场，同时高效发挥市场的作用。与此同时也需要科学界定政府的干预行为，最大限度地实现市场有效与政府有为，充分保障“看得见的手”和“看不见的手”同时发力，共同促进。

2. 科学适用适当干预的应急保障思路

特殊时期有效发挥经济法应急保障功效，应当科学理解并具体适用适当干预的应急保障理念，准确界定并科学适用“干预”尤为关键。“干预”的书面解释是过问或具体干涉，更具体一些即结合某些具体手段进行干涉。为避免“经济法干预理论”在特殊时期被有关行政部门错误地适用，在此需要对干预理论予以进一步分析：科学适用“干预”需要倾向于温和的梳理和调节，并非机械粗暴的干涉。面对防控工作的特殊环境，适用经济法的应急保障必须立足于工作实际的情况，对出现的问题具体分析。同时，应根据非常规状态影响的具体范围和所影响对象的不同，确定合理的干预方式和干预限度。有学者认为经济法具有双重干预性，一方面是通过理论确认经济法的干预，另一方面则是经济法可以对政府进行

规范，因此需要明确和规范政府干预行为。也有学者提出均衡干预原则，该原则主要的内容是平衡干预的供给与需求，从干预需求、干预成本和干预能力限制出发，以此确定政府干预的最佳均衡点。在特殊时期进行干预时，最主要的是根据非常规状态的类型和对已经出现或有可能出现的经济问题综合研判，结合特殊时期具体的影响范围、具体表现状态等因素寻找到最佳的干预模式，调节到最佳的干预力度和状态。最佳目标即利用最小的干预手段换取到最佳的干预效果。需要注意的是，在干预的同时必须结合反干预的相关对策，以有效应对不良干预行为所导致的不良后果。

二、进一步优化经济法应急保障体系

1. 科学设计经济法应急保障体系

突发公共卫生事件背景下，经济法的应急保障功能需要进行顶层设计，如果没有上一层面法律制度的科学规划，极有可能政出多门、各种手段在应急保障的实践中出现矛盾甚至冲突，影响到防控政策的具体实施。一方面可以在宪法层面上及非常规状态下，明确规定各级有关行政部门实施的干预权和具体干预手段，为经济法应急保障措施提供宪法上的保障。另一方面可以结合《突发事件应对法》的立法框架和具体内容，直接出台突发事件经济应急保障法律，对特殊时期经济应急保障的类型，干预的主体、权限、范围、法律责任、救济途径等方面明确界定。同时，规定应急保障机制的整体框架，以保障经济应急保障手段实施时的合法性和全面性。

2. 完善应急宏观调控法律体系

（1）关于宏观调控的应急保障

从宏观调控总体层面上来说，一是应当加强经济法层面上的宏观调控与有关行政部门相关举措的良性互动，即经济法提供法律理论支持，行政机关具体适用。二是确保宏观调控与具体工作实践有效对应，从而确保宏观调控总体布局能与非常规状态下各方面的影响相匹配。三是应当完善行政机关宏观调控违法的责任与法律后果。

在此基础上，关于完善财政应急法律制度应做到以下几点：第一，在预算法方面，以新冠防控工作为例，面临重大突发公共卫生事件，相关文件中的按公共预算支出额的1%到3%设置预备费的标准有待完善，应当提高防害减灾预备金金额总数，科学增加预备金的提取比例。同时，可进一步细化特殊状态下的紧急预算方案执行规定以更为高效地应对非常规状态。第二，关于应急财政管理执行制度方面，一方面要完善应急财政分级制度，在采取财政措施应对特殊状态时应当细化分类非常规状态的类型，根据受灾模式、受灾的程度进行分级管理；另一方面，需要出台法律规定适当加大财政手段的应急保障措施力度，确保从供给侧和需求侧双向进行财政保障。同时需要结合市场发展规律和规模，优化各项财政政策和政策倾斜手段。还应健全应急财政流向的监督立法，追踪应急财政流向，确保财政救助落到实处。第三，目前我国在紧急政府采购方面没有明确的法律制度指导，因此需要制订紧急采购制度相关的法律制度以保障特殊时期政府采购工作的有效开展。

（2）关于应急税收调控制度

根据我国现行的《突发事件应对法》的相关规定，在出现紧急状态时，国务院可以根据实际情况制定扶持该地区有关行业发展的优惠税收政策。但因为税收法定原则等因素，在具体实施过程中存在一定障碍，因此需要在事态紧急的特殊条件下适当放宽税收授权的立法条件，科学放宽国务院在特殊时期制定应急税收调控措施的权力。在紧急情况下，根据非常规状态的不同时期调整税收优惠，提高税收优惠的针对性和时效性。

（3）关于应急税收手段

参考国外实施的《防灾减灾共同行动的特别财政与金融法》《抗震应急基础设施工程的财政与金融法》等文件，完善税收手段在非常规状态下的应急保障的法律规定，对我们有充分的参考价值。通过更完善的应急税收立法，以保障在非常规状态下能够有效扶助那些有利于拉动经济增长的企业和受灾严重的企业。同时根据实际情况对特殊人群采取差异化、类型化的财税优惠安排，做到更有针对性的应急保障。在应急金融调控制度上，鉴于我国目前的立法中尚未有明确的规定，对此应当加强本领域内的立法，发挥国务院主导下三大政策性银行的积极作用，扩大货币优惠性贷款的覆盖面，科学保障在非常规状态下能够精准引导金融措施有效直击问题内部。同时通过细化规定，科学简化、优化非常规状态下的申贷放贷途径，创新贷款信用机制。另外可出台《政策性银行法》以系统规定政策性银行在特殊状态下的应急职责、保障手段、资金筹集、监管措施与适用范围等内容。除了对以上三种常见宏观调控应急保障手段的完善之外，也应当通过立法完善非常规状态下国有产业政策应急调控机制和特殊情况下对外经济贸易等方面的应急保障规定，形成更为全面的宏观调控保障体系。

3.健全应急市场规制法律体系

关于加强市场规制法的应急保障法律制度设计，首先应当明确，经济市场规制的立法必须尊重市场的各项规律，进行合法适度的管理。即：应当在明确市场优于政府的前提下，将国家干预措施以一种克制和谦逊的方式嵌入市场失灵的边界当中。同时，可加强以下几方面的应急法律制度建设：第一，在《产品质量法》方面，应当根据特殊防控物品的产品属性及时细化质量标准规定，坚决有效地保障此类商品在非常规状态中的质量。第二，关于《价格法》，为了避免非典案和洪湖口罩案等类似案件的发生，在法律层面应当细化应急价格处理处罚规定，将主观恶性、社会危害性程度、涨价物品特性及实际市场需求等因素纳入紧急立法的考虑因素，合理确定哄抬物价等违法行为的判定标准。同时可以根据实际情况的不同，适当下放应急价格的决策和干预措施权。第三，在《广告法》方面，可以规定应急广告管理制度。在非常规状态中，开通公益和防范非常规状态广告的审查与管理的绿色通道，以达到加强宣传、传播正确防控的消费观念，引导理性消费的作用。同时可细化对妨碍防控的虚假产品广告的认定标准，加强对此类虚假广告的处罚。第四，在市场竞争方面，既要维护市场公平竞争的氛围，又要保证打击以非常规状态为契机的不正当竞争的现象。同时为回应非常规状态的特殊性，应当细化竞争协议和垄断协议的豁免性规定，根据其目的的正当性和合理性进行综合判断。第五，应当规定专门应急性条款，合法合理确定非常规状态下混淆市场、恶性竞争等行为的认定标准与处罚力度，从严从重打击此类现象。

三、完善经济法应急保障机制

1. 应急管理机制的合理化

纵观全球的应急保障机制，基本属垂直分级管理，例如美国的联邦—州—地方政府三级应急保障机制，俄罗斯的俄联邦、联邦主体、各城市与基层村镇四级应急保障机制等。但是基于非常规状态的特点和国家现实情况的差异，应急保障机制的决策能力和应急能力也不尽相同，各国应急保障机制也各有优劣之处，目前我国应急保障机制也是以中央垂直下达地方，多以现行法律作为参照，出台政策指导和监督下级执行，有着较高的执行力。事件发生时，仍可吸取其他国家的应急保障机制的有益因素，比如日本突发内阁府设置“紧急救援总部”进行全国性的统筹与调度，设立“紧急救援现场指挥部”以便就近协调管理。同时，道、县在事发地区也签订72小时互助协议，形成更为有力的互助模式，覆盖范围可涉及全部基层组织。这些举措既加强了中央和地方间的沟通能力，也缩短了应急反应的时间。为加强应急保障的运行机制，中央应在非常规状态来临之际及时成立应急经济保障指挥所，成立应急财政保障小组、应急市场监测小组来加强中央对受灾严重地区的局势掌控能力，并做好资料和信息的互通与交流。同时根据事态发展，制定完善经济应急保障预案，增强机制的科学性和可行性。地方政府和基层社区也应及时响应国家的决策，及时将受灾实际情况反馈给上级，做到双向互通交流与应急协同。争取构建一个集中统一、健全高效、应对迅速的应急运行管理机制。

政府在外部增强应急保障机制的合理性之外，也不能忽视企业间行业协会的突出作用。2020年2月28日国资委专门印发相关通知，明确强调了行业协会在疫情期间内能够发挥独特的优势，该优势表现在统筹各领域内企业做好疫情的防控工作，同时推动企业有序复产复工。因此，进一步提高行业协会在非常规状态中的合法性、自主性和能动性也是完善经济法应急保障机制的重要组成部分。国家政府对此应当出台相应政策或法律加强行业协会的引导，同时行业协会也应当在特殊状态中根据自身的独特地位、实际社会情况、所处行业特性等因素的不同，充分发挥自身的价值，合理合法并富有针对性地行使加强沟通，自我协调等各项职能。同时也可利用新型技术手段，科学应对紧急状态，及时沟通企业并指导其调整产业机构与经营方案，营造出良好的行业风气。争取在非常规状态下，政府和市场能够有效结合，形成优势互补、多元治理的应急保障机制。

2. 应急评估机制的全程化

目前我国在数次非常规状态中所进行的应急调整与防控措施的效率是比较高的，但是手段依旧偏向于出现突发事件时的被动规制和调整，一个完备的经济法应急保障机制，不能只着眼于事中的规制，也应当加强事前和事后的评估机制。在事前能发挥作用的就是风险预测的应急评估机制。2005年，亚太经合组织采纳了监管质量和监管绩效的指导原则，该机制最主要的目的就是对未来监管事项与监控政策的风险进行事前预测，即询问在未来可能发生的事情以及严重性。对此，在正常状态下，有关部门可将法律与科技双系统进行衔接，通过专门的技术、资源和手段对我国市场的不同产业类型、不同运营模式进行分析，量化风险评估或寻找应对风险的薄弱点。同时也可以建立经济冲击模型和日常紧急演练机制，这有助于增强企业在非常规状态中的防御力。除此之外，可增强区域性的金融结构和财政结构的分析，统筹好日后资源的应急分配与规划。事后的总结评估机制最主要的目的就是总结经验。美国在2005年应对卡特里娜飓风后便及时总结一系列应急机制的不足之处，并从十七个领域分别总结了经验教训。强化经济应急机制也应当借鉴此做法，应用到事后的应急保障评估中去。可在非常规状态结束之后，通过专家评估、部门总结、社会调研和专业机构分析等手段对经济遭受影响较大的企业、区域、群体等进行评估，及时形成应急过程损害评估报告和应急过程实施报告。在事后对各种经济法应急手段实施的具体情况、社会效益及出现的问题进行及时的评估和总结，并利用大数据等新型手段进行模型化、类型化的分析，总结经验以提升日后应急保障的能力，同时也可以将此数据应用到应急保障演练中。加强事前和事后评估机制的完善，可为非常规状态下的应急决策提供科学合理的现实依据。

3. 应急监督机制的创新化

经济法在非常规状态中发挥应有的功效，必须要完善应急监督机制。一般来说非常规状态下的应急保障具有急迫性和目的性，以合规性为主的监督模式并不适合监督应急性的法律手段。因此应当创新现有的应急监督机制，发挥行业协会实时监督的作用，及时将应急保障的实施情况与政府进行沟通交流，达到灵活监督的目的。此举既可以达到规范干预手段的效果，也可以用来监督非常规状态下的市场环境。此外，加强应急监督机制也可从现有监督体系入手，保障中央与地方的协同监督配合，完善监督信息共享制度。同时也应当注意不能忽视新闻舆论等其他外部机制的作用，在原有的监督体系上革新有效的监督方法，利用“互联网+”、大数据、模型分析、人工智能、云计算等新兴手段科学规制应急保障手段。确保在非常规状态下进行的应急保障手段切实有效且合理合法。

4. 加强各国间的应急沟通与协作

随着经济全球化趋势的进一步加强，一些非常规状态已经成为人类需要共同面对的问题，各国很难在此类危机中独善其身。在类似新冠疫情等全球性突发公共卫生事件中，自扫门前雪的模式已然弊病昭著。实践证明，加强国家间的交流与合作也是提升与完善经济法应急保障机制的一个重要手段。如国际货币基金组织不仅向无力承担巨额抗疫费用的贫困国家提供总计500亿美元的紧急资金援助，也与其他国际组织共同成立了税收合作平台，成果显著。因此，在各个国家共同面对危机时，除了政府层面下所进行的物资、医护人员和科技援助外，也可以运行跨国化的应急合作机制，组成跨国经济应急合作专家组。在正常情况下可针对性地选择经济区域进行应急情况模拟和预演，交流心得与学习经验。在非常规状态来临时可以根据实际情况通过科技手段进行信息交换，学习经济应急措施手段，合理制定国家间的关税政策和财政支持计划，同时也可为物资援助与保障提供参照数据。建立全球性的跨国应急合作机制可以将国家间的经济法应急保障手段拧成一股绳，形成一股合力，共同应对非常规状态这一难题，实现国际合作的共赢。

四、科学设置应急保障限度

在我国经济法的应急保障体系的后续健全过程中应当注意，由于缺乏适当的介入限制，会引发一系列不良的后果，极有可能损害市场主体的合法权益。因此应当结合紧急状况的不同情形科学予以分析。

（一）确定目标限制具体情形

由于突发公共卫生事件的种类繁多，再结合社会发展、经济形势等多重因素的制约，应当以保障社会公众利益、人民的生命和身体健康为中心，多措并举调整经济应急管理体系，紧密围绕市场的运行规律，结合维护市场价格和消费秩序，最大限度促进国民经济稳步、可持续发展。

（二）清晰界定具体范围限制

应急保障措施在突发公共卫生事件背景之下意义重大，但是具有双面性，存在副作用，所以应当清晰界定具体的适用范围，以最大限度发挥保障的功效。一是合理界定产业的规模。医疗保健部门肩负着防控工作的重要职责，但是特殊时期对民航、住宿业、餐饮业、娱乐业等产生的负面影响比较严重。因此紧急情况下，有关行政部门应当及时对相关产业予以评估，科学确定受到重大影响的、亟需保障支持的产业，而其他部门则主要是由市场来调控。二是受区域的制约。除了金融危机、经济危机之外，突发公共卫生事件最初往往是源于某一个区域先受到严重的影响。所以需要结合不同地区的经济结构形式出台与之相应的经济法律保障措施。三是时限。在紧急状态之下特殊的应对策略不允许被混淆适用，原因在于如果紧急情况得到缓解或者恢复常态，有关行政部门在特殊时期行使应急处理权力会失去原有的功效，应当提前清晰界定应急管理和正常管理之间的界线，防止影响到经济和社会的发展。应急保障权的行使是对常规时期措施正常实施的特殊干预，如果实施的时间过早或者过迟，都会不同程度影响市场机制作用的正常发挥；如果提前撤出，则会影响到应急保障的功效。因此应当对经济法的应急保障措施提前予以科学界定。

（三）控制损害比例

在突发公共卫生事件背景之下，有关行政部门为了社会公众利益采取一系列应急保障措施，有可能会损害到市场主体的利益。有关行政部门在实施一系列应急保障措施时，应当坚持以适当的方式处理个体和公众利益之间的冲突。根据比例原则，可以保障权力结构的均衡、权力与权利之间的均衡、有关行政机关与市场之间的均衡，所以科学适用比例原则是最大限度减小应急保障措施损害后果最有效的途径。尤其是协调政府与市场之间的关系时，要尽可能使危机的性质、程度、范围相适应；在保障特定地区、特定行业和特定市场主体的正当权利之间权衡利弊，具体实施系列保障措施时，需要采取最大限度地降低侵害公民合法权益的方式。

第四节　突发公共卫生事件之下电商平台的经济法规制

一、突发公共卫生事件下电商平台经营行为对消费者权益产生影响

突发公共卫生事件的应对是一项复杂的、系统性的社会工作，与多方的切身

利益密切相关，在具体应对过程中除了需要具备应有的法治思维以外，还需要多方协作共同应对。关于“消费者”的含义，有学者提出，消费者是指既非以营利为目的，也非以独立职业活动为目的做出法律行为的人和组织，包括自然人、合伙、无权利能力社团、非营利社团。也有学者认为，消费者是指购买、使用商品或接受服务用于生活消费而非用于经营性行为的单位与个人。虽然对消费者的涵义不同学者有不同的观点，但无论是哪一类观点都认同消费者概念涵盖行为要件和主体要件。行为要件可概括为从事“消费行为”，主体要件包含人和组织（或称为单位和个人）。综上，消费者的范围比较广泛，即各类社会主体只要从事了消费行为，即获得了消费者的身份，享有消费者权益。在突发公共卫生事件的背景之下，以消费者权益为保护客体，以电商平台为规制对象，运用利益驱动的模式，分析特殊时期保护消费者权益所面临的法律困境，以完善电商平台的法律规制。

（一）消费者对电商平台销售的特殊商品产生特殊关切

受突发公共卫生事件的影响，有两类商品升级为特殊的商品：第一类商品是作为病毒自然宿主的野生动物。2020年1月26日，市场监管总局联合农业农村部及国家林草局发布了《关于禁止野生动物交易的公告》：“自当日至全国疫情解除期间，禁止野生动物交易活动。”但由于我国消费者有食用“野味”的消费习惯，因此受消费者需求的刺激，有些经营者可能会无视禁令，铤而走险在市场上销售这些潜在的病毒载体，这就存在对消费者的人身安全构成威胁的风险，相类似的还有在禽流感、猪瘟等突发公共卫生事件中，禽类和畜牧类作为病毒的自然宿主，亦成为需管制的交易对象。在突发公共卫生事件中，对于这些疑似或确定为传染源或传播途径的特殊商品如何进行处理，需要进行特殊的考量。第二类商品是防疫物资。由于传染病的病毒具有传播范围广、感染性高的特点，因此能够有效阻断病毒传播的各类防疫物资如口罩、护目镜、防护衣、防护帽、防护手套、消毒液等商品就成了特殊时期人们必备的商品。对此类特殊商品的需求主要从两方面表现出来：一方面是消费者对商品数量及种类的需求。由于突发公共卫生事件具有突发性，往往在初期，各类防疫物资的常规储备有限，无法满足井喷式的消费需求，各类生产厂家即使在功率全开、加班加点的超负荷运转情况下，其产能在面对堆积如山的加急订单时，依然明显地呈现出力不从心难以应对的情况。各地区都曾陷入过防疫物资供应不足的困境。另一方面是消费者对防疫商品质量的要求。面对突如其来的不明传染病，假如防疫物资的质量达不到要求，将直接威胁到消费者健康甚至生命安全，因此消费者对防疫物品的产品质量较一般时期显得更为关注。总之，在突发公共卫生事件之下，有效满足消费者对防疫物资质和量的双重需求是迫切需要面对的问题。

（二）电商平台的社区配送活动存在病毒传播的风险

在应对突发公共卫生事件时，通过限制人员的流动以阻断病毒传播是一种必要且有效的应对举措。为了在最短时间之内实现防控的目的，应积极、高效配合各项防控措施的落实。但作为消费者而言，特殊时期带来的首要不利影响便是必要生活物资的获取较以往有很大的不便，而且对生活必需品的需要反而较一般时期更为旺盛。民以食为天，这种供需矛盾直接关乎百姓民生，若不能妥善解决将会影响防控工作的效果。特殊时期推动了数字经济蓬勃发展，市场中活跃着一大批具备强大资源调配能力和物流运输能力的电商平台，各大电商平台特殊时期勇于担当，积极响应政府的号召挺身而出，承担起为社区居民配送生活物资的重任。但不能忽视的一点是，由于网络交易的高频性和跨地域性的特点，在全国流动性受限的特殊时期，平台网络交易过程的跨地区物流运输和社区配送工作也受到一定程度影响，存在着传播病毒的潜在风险。尤其在社区配送环节，由于消费者除了通过网购接收配送的生活物资以外，基本上不会有其他获取物资的途径，因此这种对平台交易的高度依赖性在无形之中增加了病毒通过物流运输环节和社区配送渠道蔓延至消费者个体的潜在风险。除此之外，网络交易的多环节性对电商平台也提出了非常高的监管要求，一般的网络交易中就存在多个交易环节，往往要涉及经营者、仓储管理者、物流运输商、快递员等多方主体。特殊时期的“网络团购加社区配送”的新型消费模式较传统网络交易而言，交易环节更加复杂，参与的主体数量更多，交易过程中的不可控因素和风险更大，这就对电商平台提出了更高的监管义务要求，任一交易环节出现问题，将会引发难以预测的连锁反应，对消费者权益造成一定程度的损害。

（三）消费者对电商平台的依赖性增强

在特殊时期承担起为消费者配送生活物资的重任，对电商平台而言，既是一个挑战，又是一个机遇。特殊时期由于人口流动性下降趋势明显，拉低了服务性行业的消费总额，却拉动了线上消费的增长。在此特殊时期，电商平台除了依托其已有的网络购物优势，以“网络团购加社区配送”的形式进一步抢占零售行业的市场份额之外，还敏锐地发掘新的增长点，为了积极满足消费者的多重需求，提供包含寻病问医、教育咨询、游戏陪玩等各类线上服务。特殊时期为电商平台扩展商业版图提供新的方向和思路，消费者在享受了“网络团购加社区配送”这一新兴消费模式及完善的线上服务所带来的便利后，对电商平台的消费依赖性明显加强，同时也为各类电商平台提供更多更优质的商品和服务的义务提出了更高要求。此外，一方面，由于电商平台拥有强大的商品供应链和物流运输网络，在突发性公共卫生事件中，可以为政府保民维稳的治理目标提供及时的必要援助；另一方面，由于电商平台在信息收集和处理方面的技术优势，特殊时期运用科技的优势结合数字技术帮助政府搭建起疫情的联防联控机制，在疫情的监控分析、疫区溯源、追踪诊疗方面有着举足轻重的影响力。因此，在突发公共卫生事件背景之下，不但是消费者，连政府对电商平台的依赖性也在不断增强，尤其是在当下推动广泛社会参与的社会治理模式下，电商平台已经是参与社会协同共治的广泛群体中一股不可忽视的力量。保障公共产品的优质供应一般而言应是政府的责任，但电商平台的强大实力为其参与公共产品的供应创造了可能。综上所述，在特殊时期无论是消费者还是政府，均对电商平台提出了更高的义务要求，也意味着他们要承担更多的社会责任。

结合以上在突发公共卫生事件背景之下，对消费者权益受电商平台经营者的经营行为的影响进行梳理，由于电商平台在特殊时期所发挥的突出作用（包括两类特殊商品消费者在疫情期间亦主要是通过电商平台交易获得），消费者与电商平台的联系愈发紧密。特殊时期从经营者的义务角度而言，消费者对经营者提出了更多更高的要求，电商平台能否充分履行这些特殊的义务以满足消费者需求，直接关乎消费者权利的实现。从公共产品的供应角度而言，政府和消费者均期望电商平台能够承担更多的社会责任，为保障公共产品的优质供应贡献一份自己的力量，电商平台能否充分践行政府和消费者所期待其承担的社会责任，直接关乎消费者利益的达成。电商平台的经营行为与消费者权益的实现息息相关。但想要解决突发公共卫生事件暴发期间消费者权益普遍受损的实际问题，仅了解电商平台的经营行为与消费者权益的实现之间存在相互影响的关系是不够的，无法解答诸如“电商平台的行为具体是如何影响到消费者权益的实现？”“突发公共卫生事件暴发期间想要实现对消费者权益进行特殊保护对电商平台提出了哪些具体的要求？”之类的问题。这些问题的答案需要通过对两者相互作用的机制进行深入的研究后方能得出，分析该机制的首要前提是在突发公共卫生事件中，对电商平台的经营行为如何损害消费者权益的具体情况进行分析。

二、电商平台侵害消费者权益的主要情形

在突发公共卫生事件背景之下，各电商平台是绝大多数的消费者实施消费行为的主要场所，因此电商平台的经营行为与消费者权益的实现之间的关系相较平时更密切，但是之间的矛盾也随之增多。消费者权益由消费者权利和消费者利益组成。消费者权利的实现依赖于经营者义务的履行，特殊时期，消费者基于对特殊产品产生了特殊的关注，加上此时更加担心商品及配送渠道安全性，因此对商品的经营者、电商平台提出了更多的要求。然而由于电商平台在特殊时期能力范围有限，难以及时有效地履行相关义务，由此可能会损害消费者的合法权益。消费者权益的维护离不开公共产品的充分供应，而电商平台由于自身的优越性，尤

其在特殊时期能广泛参与到公共产品的传递之中，此时的消费者更加对电商平台产生不同以往的高依赖性，如果某一环节出现问题，会不同程度侵害到消费者的合法权益。

（一）消费者的安全保障权存在隐患

在特殊时期，消费者对于会导致疑似或确定为传染源或传播途径的特殊商品引发特殊的关注。此类商品由于与病毒的传播存在直接联系，在特殊时期，虽然这类商品会被有关行政部门限制流通或禁止销售，但是难以将特殊商品的流转，做到彻底禁绝，主要原因在于第一，即使特殊时期部分消费者对该类特殊商品仍有需求，例如防控期间仍然有部分消费者，在明知禁令的情况下仍然通过各种途径以高价获取野味以满足自己的口腹之欲。经营者见有利可图，依旧冒风险出售。由于网络交易通过线上平台完成，具备隐蔽性和匿名性的特点，比较容易逃避监管，直接导致传染病毒传播风险加大，消费者安全权受到很大威胁。此时的电商平台作为平台交易服务的提供者，需要积极承担监管义务，制止此类交易的发生。第二，有些疑似为传染源或传播途径的特殊商品由于各种各样的原因并没有被行政机关限制销售或流通，但由于其产地属于特殊地区，消费者也缺乏相关的专业知识对其安全性进行确认，因此消费者出于安全等因素的考量大多不会选择购买，此类商品的销量自然大受影响。比如特殊时期为了解决滞销的商品进行打折促销，但并未告知消费者该商品的产地和生产日期，甚至存在少数不良商家通过修改标签等方式修改商品的产地欺骗消费者，严重地侵犯了消费者的知情权，更影响了消费者与电商平台经营者之间的信任。且该行为存在损害消费者个体安全保障权的风险。作为特殊时期的特殊商品，作为电商平台更有责任保障消费者知悉商品的有关信息，提示消费者注意购买该商品后可能给自身带来的影响，以便消费者自主做出选择。电商平台作为平台交易服务的提供者，特殊时期需要肩负起特殊的责任，督促平台内经营者对相关信息进行准确清晰的标识，提示消费者注意重要信息。

此外，为有效阻绝病毒的传播而采取的一系列防控措施，会给消费者带来生活必需品和防疫物品等物资获取的不便。在电商平台的努力下，“网络团购加社区配送”这一新兴的消费模式为消费者的日常生活所需提供了有力的保障。但基于网络交易的高频性、跨地域性和多环节性等特征，这一新兴消费模式在显著降低消费者购物出行频次的同时，也大大增加了居家隔离的消费者与外界接触的频次，相应的病毒通过社区配送的渠道传播至具体家庭的概率也大大增加。从这一角度而言，便捷的社区团购一方面为居家隔离的消费者提供了一个更好的购物方式，刺激了消费者的购物欲望，另一方面亦消减了疫情防控措施的防疫效果，增加了病毒传播的风险。此外，社区团购的消费模式与传统的网购消费行为相比，其交易环节更加多样，交易关系更加复杂，交易行为所涉及的各方交易主体种类更多，有数量更多的商家或服务人员活跃于该交易过程中，一旦某一环节出现了病毒扩散的情况，会造成更严重的后果，即随着四通八达的物流网络蔓延其他地区，造成难以估计的损害。在社区团购的物资调配、物流运输和社区配送的环节中，均潜藏着病毒传播的风险。在供应产品的上游环节，商品作为潜在的病毒传播载体，一方面可能会随着跨境电商交易流入，一方面有可能随着境内电商交易在全国范围内流动；其次是在商品的分装配送环节，由于目前的配送仍以人工操作为主，因此病毒有可能通过配送者与消费者个体之间的直接接触进行传播。

综上所述，此时的消费者安全保障权能否实现与电商平台能否充分履行消费者期待其履行的更高义务有着密切的联系。一方面，电商平台作为特殊时期商品的供应者和平台交易服务的提供者，应承担起信息公示和保障公示信息真实的义务，以便消费者了解该类商品的滞销问题，有部分平台对于产自疫情严重地区、不能成为病毒载体的商品的相关信息进行充分的了解，在帮助其作出消费决策的同时，保护消费者个体的安全保障权；另一方面，电商平台作为物流运输网络的组织者与管理者，在突发公共卫生事件暴发期间应肩负起对社区团购活动的安全管理义务，配合卫生防疫工作，防止病毒通过社区团购的渠道传播，维护消费者群体的安全保障权。

（二）消费者的公平交易权难以保证

在特殊时期，还有一类特殊商品是防疫物资。对于该类商品充分满足消费者的特殊需求，主要体现在两个方面：其一是消费者对量的需求，由于突发公共卫生事件的高传染性特点，出于防疫的迫切需要，消费者对口罩、消毒液、药品等防疫物资的需求量猛增，但由于这些物资的常规库存和产能有限，因此在突发公共卫生事件初期往往会出现供需两端的失衡。有些经营者（既包含平台内经营者，也包含电商平台自身）就会借机抬高该类商品价格以攫取暴利，其抬价的方式有直接提价和变相提价两种方式，但前者囤积居奇的特征过于明显，容易招致市场监管部门的注意和管控，因此经营者往往会采用捆绑销售、强制交易、收取服务费用等变相提价的方式以实现其牟利目的。还有部分经营者捏造散布虚假的涨价信息，一方面扰乱消费者的价格认知能力，另一方面变相与其他经营者达成涨价协议，通过这些方式哄抬物价，扰乱市场秩序。除了价格乱象，还有些经营者虚构交易，以库存不足为借口，要求消费者预付商品价款，然后以付款和收货之间的时间差为掩护，骗取消费者的钱财。这些行为严重地损害了消费者个体的公平交易权和选择权。电商平台作为防控期间民间防疫物资交易的主要场所，应自觉加强平台内的自律活动，对平台内涉及防疫物资的交易活动加强监管，对平台内的不法经营者通过全平台公示曝光、降低其平台等级等方式，合理合法地利用平台内部的管理手段对其进行处罚，发挥其管理者的职能，对交易活动进行合乎职权的管理。其二是消费者对质的需求，在特殊时期，防疫物资的防护效果不但直接与消费者的生命安全挂钩，而且对于能否阻断病毒传播以实现对疫情的防控有着至关重要的影响，其产品质量得到消费者前所未有的关注。因此经营者在这一时期销售假冒伪劣防疫物资行为之危害远甚于平时，不但直接侵犯到购买瑕疵商品的消费者个体的安全保障权，不能为消费者在面临病毒侵害时提供充分的保护，还会导致社会疫情应对工作失去应有的效果，从而导致疫情的蔓延，损害消费者群体的权益。虽然电商平台对平台内经营者的上游供货渠道影响力有限，且难以实现对平台内全部经营者的产品质量进行逐一检验以保障其效用正常。但电商平台可以加强对平台内销售防疫物资的经营者的资质审查，并出台针对该类商品的质量管理的内部规范，完善配套产品质量的抽检制度，并为突发公共卫生事件暴发期间在平台内购买到质量不合格的防疫物资的消费者提供有别于一般时期的救济渠道，并对相关不法经营者处以严于一般时期的处罚措施。总而言之，从经营者义务的角度而言，特殊时期消费者对特殊商品的特殊关切，对电商平台提出了更高的义务要求。经营者能否满足消费者的期待，积极履行相关义务，对消费者公平交易权的实现具有重大意义。

（三）消费者的依法求偿权受到限制

对消费者而言，特殊时期获取生活物资的渠道相对单一，主要依赖社区配送，单一渠道的运力有限，及时确保物资的配送面临巨大挑战。消费者想要通过该渠道退换商品更是难度巨大。因此消费者即使对购得的商品质量不满，但是受困于生活的实际需要和防控大局的需要，只能无奈接受。客观而言，此时消费者个体的选择权和获得赔偿权受到了明显的限制，且由于此时社会各行各业停工停产，很多线下活动都已经暂停，消费者维权的渠道较一般时期相比也极为有限。受实际情况所限，消费者不得不选择无奈接受，一定程度上纵容了经营者的不法经营行为。与线下购物相比，网络购物为消费者带来了便捷，减少了时空因素对购物行为的影响。与此同时消费者在网购过程中的维权成本相应地受时空因素的影响而增加。而特殊时期进一步加剧了网购维权的不便。虽然这期间消费者的依法求偿权受限主要因疫情防控的大环境使然，与电商平台的经营行为并无直接关联。但电商平台作为突发公共卫生事件中的与消费者从事交易活动的主体，需要结合特殊时期的实际情况，针对性地为消费者提供一些相较于一般时期更为便捷和有效的维权途径和方式。由于维权难度较一般时期增大，因此消费者的维权动力需要得到支持，消费者的维权路径需要得到进一步的拓展。对消费者客观受限的依法求偿权提供救济，方能使得消费者发挥其对经营者的制约作用。此时的电商平台需承担起为消费者提供更高效的维权路径和更多样化的救济渠道的义务，以期帮助受到侵权的消费者更好地行使其求偿权。

（四）消费者权益遭受潜在损害

对电商平台经营者而言，其作为特殊时期消费者获取生活物资的主要供应者，应自觉主动承担社会责任，尽力保障必要物资的充分供应和价格稳定以安民生。但不可否认的是，特殊时期对一些重要的社会物资产生供需两端的影响。一方面，从消费者需求角度来说，其获取食品药品、生活必需品和防疫物资的渠道较一般时期而言比较单一，物资的获取较一般时期难度更高，但由于全体家庭成员都处于居家隔离状态，所以对各类物资的需求反而较一般时期更甚。这种供需矛盾还刺激到部分消费者担心未来会出现物资短缺的情形，因此大量“囤货”以备不时之需。在各种原因的作用下，消费者对物资的需求量骤增。另一方面，从经营者供应角度，由于全社会各行各业停工停产，交通运输亦陷入停滞，因此卖方市场中会出现原材料、半成品等物资的短缺、运输受阻及人力不足等情形，其产业链呈现出碎片化和脆弱性，容易出现剧烈的价格波动。受此影响，经营者的上游成本会随之提高，相应地其人工成本、运营成本等均无可避免地会随之上扬，这些新增的供应成本最终都会以加价的形式由消费者承担。价格受供求关系的影响发生变动是正常的经济现象，单纯从经营者的营利性角度而言，其加价行为无可厚非。但在这一特殊时期，如果仅考虑经营者的营利性而忽视其社会性，放任其大幅提价或通过捆绑销售、收取服务费等方式变相提价，将直接侵害到广大消费者的自由选择权及公平交易权，破坏市场的交易秩序，损害消费者对市场的信心，加剧消费者的恐慌情绪，动摇公众的抗疫决心，进而引发一系列的负面连锁反应，造成社会的动荡。消费型社会的规制性特征随着消费者对经营者的依赖性增强而进一步放大。从公共物品的供应角度而言，此时良好的市场秩序和稳定的物价水平仅依靠市场机制的自发作用和电商平台的自觉难以得到有效控制，需要政府进行干预，对电商平台的经营行为进行规制，对市场秩序和商品价格进行调节。

对消费者而言，一方面，特殊时期供需关系的失衡形成了一个特殊的卖方市场，此时商品的生产和服务的提供并不取决于消费者需要什么，而取决于经营者能够提供什么，资源要素的配给和消费结构呈现出单向线性特征，因此消费者此时的选择范围亦较有限。消费者生活需求能否得到保障主要依赖于电商平台的自觉和社会责任感，这使得电商平台实施不法经营行为的风险大增，市场价格失序的风险骤升。特殊时期的消费者需求对网络交易产生了特殊的依赖，作为网络交易经营方主力的电商平台，其市场影响力也随之增强，这进一步地加剧了消费者较经营者而言的结构性弱势，也增大了电商平台利用其优势地位侵犯消费者权益的风险。由于在特殊时期消费者对电商平台的依赖性增强，经营者据此优势地位破坏市场秩序、侵害消费者个体的选择权和个人信息权的风险大增。这种潜在损害虽然难以被监管部门进行直观的认定，但基于电商平台迅猛发展的影响力，对消费者合法权益的潜在损害是确实存在的。如何预防和化解此类潜在损害，成为对突发公共卫生事件中的电商平台的规章制度进行完善时必须要解决的问题。

在突发公共卫生事件中，消费者权益的受损主要源于消费者的权力和利益受到侵害。消费者权利受损是由于电商平台实施不当经营行为，未能充分适当地履行其应承担的义务所导致的。消费者利益难以实现与公共产品的供应不足密切相关，供应不足的原因之一在于，电商平台作为当代社会公共产品的供应环节中必不可少的一环，没能充分发挥其应有之作用。因此，想要给突发公共卫生事件暴发期间消费者权益提供完备保护，对电商平台进行合法合理的规制是必要的。此外，这些不当经营行为的存在和公共产品的短缺反映了我国在应对突发公共卫生事件中存在“治理周期”的问题。完善合理的制度体系构建，是应对“治理周期”，实现在公共卫生领域为消费者权益提供连续性和系统性保护，预防和控制公共卫生风险的正确选择。

三、突发公共卫生事件对现行电商平台规制体系的挑战

自1993年颁布《消费者权益保护法》以来，经过多年的发展，我国已初步构建起以《消费者权益保护法》为核心，以《产品质量法》《食品安全法》《电子商务法》《反不正当竞争法》等法律为主，以行政法规、各级地方性法规、部门规章及相关司法解释为补充的消费者权益保护规范体系。近年来电子商务兴起，《电子商务法》在规制电商平台的行为方面发挥积极的作用。现有消费者权益保护法律体系在维护消费者权益方面发挥了极其重要的作用，但是在突发公共卫生事件之下存在一定的滞后性。以《电子商务法》为例，该法作为规制电商平台行为的主要法律，特殊时期之下电商平台的特殊地位、角色、经营行为、法律责任等没有明确规定。立法者需随时根据政治、经济、文化发展的客观需要，调整完善并做到与时俱进，以保障其功能的发挥。

（一）整体规制理念需提升

我国现行的消费者权益保护规范体系是以民法理念为指导的。在《消费者权益保护法》和《食品安全法》体现得尤为明显，在民事法律关系的框架内处理消费者与经营者之间的关系，通过设置消费者权利和经营者义务来配置双方法律责任，比如《消费者权益保护法》中的产品责任规则、不合格产品的退货制度、惩罚性赔偿等制度均具有鲜明的民法色彩。由此会引发两个问题：其一是忽视对消费者群体的保护，进而难以引导经营者承担其应有的社会责任；其二是由于经营者的社会责任观念淡薄，导致其从事不当经营行为的风险加大，难以对电商平台

的不当经营行为进行有效规制。

（二）消费者群体权益的保护有限

目前的规范体系侧重于对消费者个体的保护，忽视了对消费者群体的保护，在《消费者权益保护法》中比较明显。该法中规定的争议处理条款和消费者救济条款大多是以消费者个体为服务对象。基于消费型社会的规模性特征，对突发公共卫生事件中消费者权益受损的实际情况进行梳理后显示，特殊时期消费者群体的权益不同程度受损，需要被关注。但需要明确的是，消费者个体权益之和与消费者群体的权益是两个不同的概念，是两种性质不同的权益。具体而言，消费者个体权益之和是消费者自主选择的结果，目的是为了通过个体的联合以节省维权的成本，提高胜诉的概率，大陆法系中常见的代表人诉讼便是通过消费者个体权益之和的方式维权之典型。但想要实现对消费者群体的权益的保护，需要法律中明确规定“消费者群体”作为保护主体，因此法律将其作为一类特殊主体进行倾斜保护，组成消费者群体的个体之间有着共同的归属和利益关联。

我国目前的《消费者权益保护法》并未做到将消费者群体识别为一类法律上的专门主体进行保护，这就有可能导致出现“交叉补贴”的情形，即法律在对积极维权的消费者个体提供保护的时候，损害到其他消费者的权益。交叉补贴是少数消费者通过积极维权的方式获取经营者提供的补贴，享受到了低于市场价的价格优惠，这一部分因补贴而产生的额外成本，则被经营者以加价等形式由其他消费者承担。在突发公共卫生事件之下，维权的程序启动较一般时期相对困难，维权的渠道也相对有限，消费者维权所需的人力成本和时间成本更高，有意愿积极维权的消费者自然更少，出现“交叉补贴”情形的可能性更大。这样的设计事实上造成了最应当受到法律保护的群体不但没有得到保护，反而受到额外的损害，与平等原则相悖。

综上所述，消费者个体的权益与消费者群体的权益之间存在矛盾，尤其是在特殊时期，甚至会出现冲突。如果仅将经营者义务限定为对消费者个体承担，从法理上而言就赋予了消费者免除特定经营者义务的权利，就可能会出现经营者许以厚利诱使少数消费者个体进行磋商，通过特殊方式逃避履行法定义务的情形。例如，特殊时期对于一些来自特殊地区的特殊商品，经营者通过打折促销的形式吸引到少数消费者进行购买，但是特殊商品在特殊时期流通会增加传染病传播的风险，损害消费者群体的权益。所以实现对消费者权益的切实保护，现有的规范体系不能仅聚焦于消费者个体，鼓励少数消费者积极维权是不够的，应实现的规制目标是：通过对经营者义务的合理设计，激励经营者主动忠实地履行保护消费者权益的义务，保障多数消费者合法权益。个体权益之和的实现不一定能保障消费者群体权益的实现，但为了实现消费者权益而采取的集体行动、集体诉讼制度可在维护群体利益的同时，普遍地维护个体的利益。

（三）对电商平台的规制思路需要创新

由于数字经济时代的电商平台具有强大的经济实力和市场影响力。突发公共卫生事件背景下，消费者对电商平台的依赖性大大增强，但是电商平台与消费者合法权益之间的矛盾也日益增多，消费者的公平交易权、自由选择权和个人信息权等多项基本权利会受到损害。

保护消费者的合法权益是《消费者权益保护法》承担的责任，但目前《消费者权益保护法》关于消费者公平交易权和自由选择权的规定更多体现在宣示性、个体性的权利，可操作性有待进一步加强，且民法理念下的规制路径侧重于通过追究侵权或违约责任、赔偿损失的方式为受害人提供事后的救济。但在突发公共卫生事件中，由于消费者对电商平台的依赖性加大，且此类企业拥有庞大的经济体量和广泛的市场影响力。因此，需要及时优化规制理念，引入经济法的规制范式，将规制环节适当前提，为电商平台设定合理的“事前义务”，以明确其行为界限。

与此同时，保障公共物品的供应主要是通过《反不正当竞争法》及《反垄断法》等法规来完成的，虽然我国的《反垄断法》已经将“维护消费者合法权益”写入，但是在设计具体的反垄断制度时却没有准确地将消费者利益纳入保护范围。以“交易相对人”概念为例，这一概念是反垄断法中的一个关键术语，对于反垄断法调整范围、保护主体及其享有的权利内容的确定具有十分重要的意义。这一概念出现在《反垄断法》的第十四条和第十七条。通过对第十四条的解读，“交易相对人”应指的是与经营者不具有竞争关系的下游经营者，尚不包含消费者。根据体系解释的一致性要求，对第十七条中出现的“交易相对人”的含义应做同一理解。但第十七条规定的经营者滥用市场支配地位的七种典型行为中，第一种高价销售行为和第五种捆绑搭售行为在突发公共卫生事件中已常有出现，这构成了对消费者权益的直接侵害。但消费者却难以引用这一条款，运用反垄断法的规制手段维护自身权利。这反映了我国现有的消费者权益保护体系的规制理路过于狭窄，过于保守的规制理念亦难以对突发公共卫生事件暴发期间的侵权主体，即电商平台的不法经营行为进行有效规制。

综上所述，我国消费者权益保护体系应转变规制理念，一方面通过明确设定电商平台事前义务的方式将规制环节适当提前，另一方面通过引入经济法的规制手段拓宽规制路径，以保障公共物品的供给，实现在突发公共卫生事件背景下对消费者权益进行有效的法律保护。

四、完善突发公共卫生事件中电商平台的经济法规制

（一）优化规制理念

1.完善经济法规制范式

（1）电商平台经济法规制的合理性

经济法的调整对象是需要由国家干预的经济关系，此类经济关系往往具备社会公共性和全局性的特征。经济法的干预手段是通过公权的合理介入以维护正常的私权市场秩序。经济法通过特殊的干预目标和干预手段，以实现平衡不同的社会群体之间利益的目的，并随着社会经济的发展和社会形态的变迁，解决不断涌现的新问题。现行的电商平台规制体系的缺陷反映出，首先应转变对电商平台的规制逻辑，从事后规制的路径转向事先、事中与事后相结合的完整规制路径；其次应丰富电商平台的规制手段，将政府的适当干预与市场的自发调节手段相结合，使得“看得见的手”与“看不见的手”携手发挥作用；最后应增加电商平台的规制主体，重视发挥电商平台和行业协会的自律效果。运用经济法规制处于突发公共卫生事件背景下的电商平台则可以克服现有的缺陷：其一，与民法与行政法相比，经济法调整的主体更为多元，既包括行政法中的行政机关，也包括民法中的法人和自然人，符合特殊时期对电商平台的规制需求；其二，民法和行政法在调整市场失灵的过程中存在难以克服的局限性，而经济法直接调整的便是国家运用公权力干预市场失灵的行为，是克服市场失灵的最佳选择。同时经济法的谦抑规制理念与激励和控制的干预工具也可以在规制特殊时期的电商平台时发挥突出作用；其三，经济法秉持社会本位的理念，以增进社会整体利益为价值目标，这一目标与突发公共卫生事件暴发期间电商平台全力保障消费者生活物资供应以维持居民日常生活和社会稳定的目标不谋而合。

（2）具体的规制范式选择

随着人类社会由“生产型社会”进入“消费型社会”，消费者权益的规制理念亦随之转向经济法理念，具体表现为由事后规制转向事前规制，由平等保护趋于倾斜保护，保护重心由消费者个体转变至消费者群体。但需要注意的是，与生产型社会类似，消费型社会亦属于一类长期的社会形态，在其不同的发展阶段呈现出不同的特征，所以其规制理念并非是一成不变的。

在消费型社会的早期，基于经营者强大的经济实力和市场地位，无论是在资源要素的配置和商品服务的供应环节，还是在具体的消费法律关系中，经营者占绝对的主导地位；伴随着信息技术的普及和发展，在进入数字经济时代后，电商平台这类经营者的市场优势地位被进一步放大；随着信息技术与数据技术的融合，加之不断发展的操作技术的加持，人类已经迈入数字经济深度融合的高阶形

态，即智能经济时代。在数字经济时代的早期，信息技术的普及仅仅降低了消费者信息获取的成本，并未真正的改变经营者与消费者之间信息不对称的实际情况。但在智能经济时代，消费者的信息弱势地位被大大改善。具体而言，智能经济时代突出强调经济发展的自动化、智能化和技术化发展方向，在大数据、云计算、区块链等底层技术的加持下，着力推动信息技术与数据技术的融合。两者的融合带来两点影响：其一，推动了“线上线下交互评价式体验消费模式”的形成，受这一新兴消费模式的影响，传统的“你卖我买”的市场消费模式转变为“我要你卖”，即消费者已经由之前的被动接受角色转变为主动索取角色，从市场的末端走向前端，成为积极的市场参与者和生产经营活动的主导者和指挥者；其二，消费模式的转变倒逼了“体验式+定制化+反馈型”商业模式的出现，经营者需要通过对消费活动中所产生的消费者数据进行收集、分析、挖掘和复次利用，及时了解消费者的个性需求，才能实现商品和服务的精准供给，在市场中获得竞争优势，经营者的这一需求赋予了消费者数据以生产要素的属性，也导致当下经营者对消费者及其消费数据的争夺远胜于以往任何经济场景，消费者成为智能经济时代产销活动的中心，消费者的消费活动同时也是一种生产活动，消费者此时兼具了生产者的身份，是谓“产消者”，亦是信息时代生产经营活动的主导者。“消费型社会”中的市场交易活动呈现明显的科层式结构，在数字经济时代的早期，这一特征被进一步放大。但在智能经济时代，消费模式和商业模式的转变使得网络交易市场呈现出透明化和扁平化的新特征，信息不对称的程度逐渐降低，给消费者带来的不利影响亦逐渐消解，改进了消费者的结构性弱势地位，消费型社会由“经营者主导”向“消费者主导”过渡，加之消费者产消身份的混同，经营者和消费者由对立逐步走向融合，成为利益共同体和命运共同体。因此，在这样一个时代背景下，依然秉承事前规制的理念，对经营者的经营行为横加干预和对消费者倾斜保护的做法似乎已经过时了。

但需要注意的是，虽然当下我国已经步入智能经济时代，但突发公共卫生事件作为人类社会中一类无法避免的特殊事件，在任何时代均存在发生的可能。因此在对突发公共卫生事件中消费者权益的保护问题进行思考时，不能仅考虑所处时代的阶段背景，还应考虑突发公共卫生事件的特殊性，在突发公共卫生事件中，无论是从特殊商品的供应、社区配送的潜在风险和对电商平台的高依赖性角度，均明显地反映出消费者主体地位的降低和经营者地位的上升。首先，在突发公共卫生事件中，受各种原因的影响，消费者资源获取的渠道和种类与正常时期根本不可同日而语。此时市场中活跃的经营者主要是电商平台，绝大多数平台内经营者都停产停业；其次，此时经营者供应的物资主要集中于生活必需品和防疫物资领域，消费者的个性需求对生产经营活动的主导力明显减弱，消费行为复归

“我卖你买”的传统模式；此外，消费者在收到不满意的商品后，由于社会流动性的停滞，消费者很难像平常那样进行方便的退换活动，消费者即使在电商交易平台上对经营者的商品或服务做出否定性评价，此类评价的影响力较一般时期亦大大减弱。对于很多消费者而言，在这样的特殊时期内，能够获得物资的供应已经很不容易了，因此大多主动选择放弃了很多应有的权利，此时消费者的宽容就为经营者通过实施不当经营行为的方式损害消费者权益创造了机会。出现这样的情况明显有悖于消费者权益保护体系的规制目标。健全完备的规制体系应当是将消费者权益视为一个整体，为其提供一个主动充分的保护，使得消费者权益在不自我依靠、个体无需刻意做什么的情况下依然可以被妥善地保护。尤其在突发公共卫生事件暴发的特殊时期内，一方面，消费者权益不仅关乎消费者切身的实际利益，更关乎全体社会成员的抗疫决心和社会的整体稳定；另一方面，此时市场中活跃的经营者大多是电商平台，这些巨头企业不当经营行为的破坏力也往往难以估量。因此，在突发公共卫生事件中，仍应回归经济法的规制范式，通过预设特殊时期内的经营者义务，以实现对消费者群体的倾斜保护，并保障包括良好的经济秩序在内的各类公共物品的充足供应。

2.引入谦抑规制和精准规制的理念

在认识到突发公共卫生事件特殊性的同时，我们亦不能忽视所处的时代背景。在当下智能经济时代，消费者作为消费活动中心的主体地位已经确定。只是受特殊时期的波及，其影响力有所下降，但这并不能改变消费者与经营者已成为联系紧密的利益共同体和命运共同体的事实。因此，如若对经营者规制不当必然会影响到消费者权益的实现，而我国的经济法规制手段仍存在规制过度和激励不足的问题，如果不解决这些问题，规制不当的风险将大增。传统的市场规制模式主要表现为命令控制型和风险厌恶型两种，但在进入智能经济时代后，对于承担着扶持创新企业和防控社会风险双重任务的规制机构而言，这两种规制模式均与依靠创新驱动发展的智能经济时代的社会实际情况不相匹配。比如新冠疫情防控初期，我国市场监管总局就迅速发布了《市场监管总局关于新型冠状病毒感染肺炎疫情防控期间查处哄抬价格违法行为的指导意见》（以下简称《市监总局查处疫情期间哄抬价格行为的意见》）《市场监管总局关于疫情防控期间严厉打击口罩等防控物资生产领域价格违法行为的紧急通知》《市场监管总局关于依法从重从快严厉打击新型冠状病毒疫情防控期间违法行为的意见》《市场监管总局关于支持疫情防控和复工复产反垄断执法的公告》等一系列规范性文件，其中明确了对于哄抬物价、囤积居奇等违法经营行为要从重从严从快打击的要求。但各级行政机关在落实这一要求时，往往会出现规制手段“过重过快过严”的情形，很容易损害到经营者的积极性，从而影响商品和服务的供应，损害广大消费者的权益。想要在不打击经营者积极性的同时保障消费者权益，应当适用谦抑规制和精准规制的理念，对经营者的行为进行适度干预和精准干预。

谦抑规制的干预理念认为应当在明确市场优于政府的前提下，将国家干预以一种克制和谦逊的方式嵌入市场失灵的边界划定当中：在市场没有发生失灵的情势时，不应当进行国家干预；在市场确实发生失灵的情势时，国家干预要依附于市场机制发挥作用；在市场停止失灵或失灵程度降低的情势时，国家干预应及时退出或相应限缩其强度；在既有经验和理性无法判断某一领域是否市场失灵时，应假设市场未发生失灵，暂不进行国家干预。在谦抑性视野中，国家干预应遵循市场优先原则和国家干预与市场失灵相适应原则的指导，秉持依附性、后发性、时效性的特征。精准规制的干预理念是对谦抑干预理念的进一步深化，即以谦抑干预为前提，在肯定存在“市场失灵”的情况后，具体规制手段的设计和开展应以相关市场信息的充分收集和分析为前提，实现对具体问题手术刀式的精准打击，而不至于陷入“葫芦僧判断葫芦案”的窘境。

如何对突发公共卫生事件中经营者的行为进行谦抑干预和精准干预？以应对新冠肺炎防控工作为例，在防疫物资的价格管控方面，少数地区的行政机关在具体执法过程中存在“机械执法”与“刚性防控”的情况，执法手段“过严过快过重”，出现干预失衡的状况。例如，2020年2月，某市市场监管局针对其辖区内某药房加价销售口罩的行为进行了立案调查，该药房以0.6元的价格购入，然后以1元的方式对外销售口罩达到38 000个。市监局认为该药房的加价幅度超过了规定的15%的涨幅标准，以此为据对该药房处以逾4万元的罚款。然而，价格受供需关系的影响产生波动这是最基本的市场规律，即使在特殊时期内对市场进行规制也不能忽视市场基本规律的作用。相较于后来一只口罩动辄十几元甚至数十元的价格，这家药房实施的0.4元的加价幅度应仍属价格波动的正常区间，大多消费者应是可以接受的，规定的15%的涨幅标准过于严苛，会极大损害经营者的生产和经营热情，从而影响到口罩类防疫物资的供应。除了相关的执法标准过严苛，另外还存在执法程序不规范的问题。《市监总局查处疫情期间哄抬价格行为的意见》第四条第三项的第三款规定：“对于零售领域经营者，市场监管部门已经通过公告、发放提醒告诫书等形式，统一向经营者告诫不得非法囤积的，视为已依法履行告诫程序，可以不再进行告诫，直接认定具有囤积行为的经营者构成哄抬价格违法行为。”这一条款基于防疫工作的急迫性对执法程序进行简化，却对经营者的被告知权造成了极大的损害，极易出现“不教而诛”的现象。尤其在疫情常态化后，在疫情防控的形势相较于疫情暴发初期的紧迫程度有所降低的情况下，这样的程序简化条款是否有继续保留之必要尚存在疑问，且该条款的存在对经营者经营活动的稳定和安全亦构成了额外的威胁。这些过于严苛的标准和过于简化的程序将极大地损害经营者等市场主体的信心和积极性，进而造成市场活力的降低，损害广大消费者权益。突发公共卫生事件暴发期间价格执法活动的目标应当是“保供稳价”，其中“保供”是主要目的，“稳价”是服务于该目的之必要手段，如不以明确两者孰轻孰重为前提，在执法实践中不可避免会出现重“稳价”、轻“保供”等本末倒置的情形。这些情形的出现并不利于消费者权利的保护和消费者利益的实现。

同时，经营者和消费者的身份的对立带来了两者利益的矛盾。但不可否认两者之间仍然存在着一定的利益联系，是一种对立统一的关系，只是在不同的历史时期，利益冲突和利益联系在两者关系中所占的比重有所区别。在电气时代至数字经济时代，经营者与消费者之间的利益冲突要多于两者之间的利益联系；在智能经济时代，由于消费数据具备了生产要素的属性，出现了消费者产消身份的混同，因此经营者和消费者由对立走向融合，两者之间的利益联系多于两者之间的利益冲突。但无论在任何市场经济场景下，增强经营者实力都是提升消费者权益保护基准和实效的重要因素。因此，即使在突发公共卫生事件中，规制部门也应当秉持谦抑规制和精准规制的理念，根据高度复杂且动态变化的市场机制，对规制范式进行精准调适，根据特殊时期的实际情况，对规制手段进行精确细化，保证国家干预手段保持应有的品性，深刻把握消费者与经营者之间的利益共同体和命运共同体关系，防止出现过度干预和盲目干预的情形，保护消费者权益和维护市场活力的关系。

二、完善经济法律体系

（一）针对突发公共卫生事件设置专门条款

目前针对突发公共卫生事件的特殊规定的缺失主要集中在保障特殊商品的供应、社区配送渠道的安全管理、保障特殊时期内消费者的公平交易权、自由选择权和个人信息权等领域。

1. 特殊商品的交易信息披露义务条款和禁止交易条款

受突发公共卫生事件的影响，有两类商品升级为特殊商品。这两类特殊商品的交易在突发公共卫生事件暴发期间内主要依靠电子商务的方式完成，《电子商务法》作为规制电商领域的基础综合性立法，针对平常时期的一般性条款已规定的较为完善。因此在这些一般性条款下根据特殊时期的需要进行相关内容的补充应当是一种比较可取的做法，即维护了既有规范体系的完整性，又节省了立法成本。

第一类特殊商品是疑似或确定为传染源或传播途径的商品。由于该类商品存在传播病毒的风险，对消费者群体和消费者个体的权益均有可能构成威胁，且威胁的内容和方式并不完全相同，因此应针对两种威胁的特殊性进行细分规定，以实现对消费者权益的全面保护。

第一，对消费者群体权益构成威胁的主要是将确定为传染源或传播途径的商品作为交易标的交易行为，例如在新冠肺炎疫情期间交易野生动物的行为。此类交易行为由于具有传播病毒的风险，因此对消费者群体的安全保障权构成直接威胁。从事这些交易行为的经营者大多是电商平台的经营者，电商平台本身虽少有直接从事此类交易行为，但其为平台内经营者提供了交易的平台和机会。因此，直接从事该类交易行为的经营者应承担特定商品禁止交易义务，平台经营者应承担在平台禁绝此类交易行为的监管义务。现行《电子商务法》第十三条规定了一般性的特定商品及服务禁止交易的条款，可在该条款下增设一款："在突发公共卫生事件期间，禁止交易疑似或确定为病毒载体的商品。"现行《电子商务法》第二十九条规定了电商平台经营者一般性的监管义务，可在该条款下增设一款："在突发公共卫生事件中，电子商务经营者应当严格依照疫情防控的卫生安全标准，对所销售商品或提供的服务进行卫生安全审查。对于不符合相关卫生安全标准的，应当立即采取下架措施；对于符合相关卫生安全标准的，应当充分公示其信息。发生侵害消费者人身健康权益时，应当立即向有关主管部门报告，并在平台内进行公示。"

第二，对消费者个体权益构成威胁的是经营者销售来自于特殊地区的，虽然有可能成为病毒的载体，但是经过安全筛查后可以交易的商品的销售行为。经营者往往通过打折促销的方式销售该类商品，却不向消费者告知其产地，损害了消费者个体的知情权。因此针对此类特殊商品，经营者应承担信息披露的义务。现行《电子商务法》第十七条规定了电子商务经营者一般性的信息披露义务，可在该条款下增设一款："在突发公共卫生事件发生后，电子商务平台经营者应当采取技术措施对平台中来自于疫源地的、能够成为病毒载体的商品进行筛查，对于禁止交易的应当立即采取下架措施，对于允许交易的应当在页面明显位置进行疫源地标识。因疫源地商品交易引发突发公共卫生事件时，应当立即启动应急预案，采取相应的补救措施，并向有关主管部门报备。"

另外一类特殊商品是防疫物资和生活必需品。在突发公共卫生事件中，消费者希望能够就该类商品得到保质保量的充裕供应。首先从量的角度而言，商品的供应因需求引起，以满足需求为目的，只要消费者的需求上涨，无需规制部门专门发布计划经济的指令，经营者出于逐利之目的，自然会加班加点扩大生产以满足消费者之需求。因此就供应量而言，在突发公共卫生事件中，规制部门无需对经营者的行为进行过多的规制和约束，应当尽力为经营者的生产经营活动提供方便，扫除障碍，激励其积极生产销售以满足消费者的需求。这一做法亦深谙谦抑规制理念的要求。其次从质的角度而言，毫无疑问，在突发公共事件中，应对防疫物资和生活必需品提出更高的质量要求，但鉴于质量考核工作的专业性和复杂性，特殊的质量要求需要在一系列配套技术规范的配合下方能真正予以落实。但《电子商务法》作为一部电子商务领域的基础性立法，写入这些技术规范将对现有的制度体系产生比较大的冲击，有损其完整性和协调性。而且我国针对产品质量问题出台了《产品质量法》和《食品安全法》，在这两部法律中分别针对突发公共卫生事件中的防疫物资和生活必需品的质量加以特殊时期内的特殊规定是比较合适的。

2.渠道管理义务条款

第一，从规制主体管理者角度而言，物资配送渠道的最佳管理者并非是政府规制部门，而应当是电商平台。有两方面的原因：一方面，电商平台作为电子商务交易平台的搭建者和组织者，掌握着一手的交易信息和先进的信息数据技术，是天生的监管者。从现代市场经济运行看，具备市场规制力量的主体有三：分别是经营者、社会经济组织（如行业协会）和政府干预机关。基于数字经济时代经营行为专业化程度高、隐蔽性强、规模海量等特点，相较于政府监管或社会经济组织的监督等外部手段而言，电商平台对电商经营行为的监管具有得天独厚的优势，另一方面，特殊时期社区团购的消费模式在满足消费者需求方面发挥了重要的作用。这类消费模式由两部分组成：网络团购和社区配送。就网络团购环节而言，电商平台仅扮演了自营经营者和监管者的角色，但在物流运输和社区配送环节，电商平台是毫无疑问的主导者。无论是对物流运输环节的具体工作安排还是相关工作人员的雇佣管理，电商平台都掌握了绝对的话语权。换而言之，电商平台本身就是物流运输环节的组织者和管理者，即使没有突发公共卫生事件的暴发，对物流配送渠道进行监管亦是电商平台的责任之一，针对物流运输的各个环节规定具体的卫生安全标准条款，以及对雇佣人员进行健康管理是其开展正常经营活动的必经程序，而且就近些年来电子商务活动的发展而言，电商平台担任物资配送渠道管理者的模式取得了很好的执行效果。

第二，从制度规范而言，物资配送渠道的最佳管理规范并非是政府强制性规范，而应当是电商平台自主制定的自律性规范。与法律规范相比，自律规范具有效力的强制性、制定的协商性、内容的专业性和修改的能动性等特征，更适合成为私主体从事社会管理活动的依据。实际上，私主体参与社会治理已经成为现代化行政管理的发展方向，利用私主体之能力以实现公共管理之目标已然常态化。早在20世纪80年代的德国，就已经掀起了“私人行政”的改革浪潮，美国更是将行政民营化和公共服务外包的典范，我国司法系统的司法体制改革中也包含将“司法辅助事务进行内部集约化管理和外部社会化购买”的改革举措。包括中共中央发布的《法治社会建设实施纲要（2020年—2025年）》中亦强调：“要引领和推动社会力量参与社会治理，建设人人有责、人人尽责、人人享有的社会治理共同体。”因此，无论是政府还是消费者，应当对电商平台保有信心和信任，政府规制部门更应在谦抑规制理念的指导下，积极引导电商平台制定自律规范，合理约束其参与社会治理的行为，鼓励其承担更多的社会责任。

因此，在突发公共卫生事件中，可以赋予电商平台通过制定并落实卫生管理等相关自律规范，对物资配送的渠道进行自主管理的权力。因此不能仅授予其权力但不对其加以约束。加之考虑到突发公共卫生事件的特殊性，应通过在《电子商务法》中增设相关条文，以明确电商平台在突发公共卫生事件中应履行的渠道管理义务，即：“在突发公共卫生事件发生后，电子商务经营者应以政府主管部门公布的卫生安全要求为标准，制定具体的卫生安全管理条例，并在产品供应、物流运输、社区配送等环节严格执行，加强对产品供应商的资质审查，加强对产品包装、物流配送人员的健康管理，严格线下流程的卫生安全管理。”这一设置亦符合谦抑规制的理念。

3. 交易秩序管理义务条款

在突发公共卫生事件之下，由于消费者对电商平台的依赖性增强，此类企业的市场影响力大增，其可能利用优势地位，通过哄抬物价、捆绑销售及过度收集消费信息等不当经营行为侵害消费者的公平交易权、自由选择权和个人信息权，消费者权益受损的风险随之大增。

市场管理部门在规制电商平台经营行为的过程中，应对特殊商品的价格进行动态监管和全链条管控。在突发公共卫生事件中，物价的稳定程度直接关乎消费者生活的方方面面，物价的波动将直接影响消费者心理进而影响社会的稳定程度和国家整体抗疫大局。因此，对于少数经营者实施的囤积居奇、哄抬物价、价格欺诈和捆绑销售等损害消费者公平交易权和自由选择权的违法行为，毫无疑问应当依法从严从快从重打击，以迅速稳定市场秩序，为疫情防控工作解除后顾之忧。但也要处理好以“保供”与“稳价”为核心的执法目标的主次关系，警惕过严过快过重的打击致使价格监管工作异化。与市场中商品供应量的变动、商品价格波动受供需关系的影响是基本的市场规律。规制部门以硬性规定跌涨幅区间等方式对商品价格直接进行“冻结”是一种粗暴的外部干涉手段，将会对市场机制造成破坏，加剧“一管就死、一放就乱”的情况，难以根治“治理周期”的问题。遵循谦抑规制的理念，应在充分尊重市场规律的基础上，认识到价格作为市场供需关系的敏感信号和真实信息的表达价值，允许具体商品价格在市场机制的作用下在一定阈值范围内弹性波动，以刺激相关商品的生产和流动，提高经营者的积极性，确保各类商品在突发公共卫生事件中的可持续生产和高质量供给。即通过价格传导机制，解决特殊时期内突发的供需矛盾，满足消费者的需求。

想要充分发挥价格传导机制的功能，前提是要对价格变动的成因进行分析。实际上，突发公共卫生事件中特殊商品的价格波动不仅是下游商品销售环节中少数不法经营者无序加价的行为造成的，上中游市场的价格失序波动也是重要的原因之一，因此，规制部门在对价格进行规制时，应当遵循精准规制的理念，将产业链的全环节纳入监管范围。具体而言，规制部门应当在深入了解产业链上各环节的成本信息的前提下，运用成本监管的方式，通过精准监测各环节的实际运行成本，科学核算各环节的标准运行成本，然后按照“标准成本加合理收益”的价格模型确定具体商品的价格浮动区间。以此精准规制的手段，实现对突发公共卫生事件中的商品价格进行动态监管，这样既防止了无序的价格波动损害消费者的公平交易权与自由选择权，又激励了经营者的积极性，助推了两者的合作共赢。

4.信息保护义务条款

电商平台经营者对消费者信息收集应坚持最小范围原则。我国既有的法律规范尚未授予经营者在突发公共卫生事件中收集消费者个人信息的权力，但需要注意的是，通过对疫情期间实际情况的观察，电商平台协助政府部门所建立的数字化联防联控机制在疫情监测方面发挥了非常重要的作用，这说明拥有强大的数据处理能力的电商平台在社会公共卫生治理领域拥有巨大的潜力和优势，可以在突发公共卫生事件中为政府部门提供强大的助力。此外，由于突发公共卫生事件事关公共安全，在此特殊前提下，个人信息的公共属性虽极大凸显，但仍应明确存在不需个人同意而进行个人信息收集和利用的“例外规则”，并以法律形式规定具体的信息收集的豁免情形。因此，根据谦抑规制的理念，可以考虑在突发公共卫生事件期间，赋予电商平台有限的数据处理权限（主要包含收集和分析两种权力）。但也要注意为其数据处理行为划定红线，专门制定应对疫情等特殊情形下采集和使用消费者个人信息的隐私保护标准，将消费者个人信息权的让渡严格限于防控疫情的目的和范围，并保证经营者对数据的采集、处理、分析和对分析结果的共享在法律规定的基础上进行，防止经营者实施过度收集行为损害消费者个人信息权。2021年11月1日，《中华人民共和国个人信息保护》（以下简称《个人信息保护法》）正式施行，该法第三条认可了经营者具备信息处理主体的身份，第六条规定了信息收集的最小范围原则。但这些规定相对较为原则，缺乏特殊时期内细化规定，可以在《个人信息保护法》第二章“个人信息处理规制”的第一节“一般规定”部分增设一个条款：“在突发公共卫生事件暴发期间，对于紧缺物资的销售或服务的提供，个人信息处理者不得以实名认证为由，收集不必要的个人信息，收集个人信息应当坚持最小范围原则。”

此外，电商平台开始涉足线上医疗服务领域，对消费者的医疗保健信息产生需求。与一般的个人信息相比，个人医疗保健信息的机密性、隐私性和安全性特征更为明显，因此要警惕电商平台以疫情防控为由过度收集个人医疗保健信息的行为。在这方面，各国主要采取两种模式：一种是政府根据基本隐私法专门制定法律法规，如美国的HIPAA，澳大利亚的《健康记录和信息隐私法》等；另一种是将个人医疗保健信息作为个人信息或敏感信息的一部分，通过法律来保护个人信息或敏感信息，如英国的《数据保护法》及加拿大的《个人信息保护和电子文件法》等。我国采取后者，现行的《个人信息保护法》中将医疗健康信息认定为“敏感个人信息”，并专节规定了“敏感个人信息的处理规则”。对经营者处理敏感个人信息规定了“单独同意”“明确告知”等多重限制，足以为消费者的医疗保健个人信息提供完备的保护。实际上，对突发公共卫生事件中消费者个人信息权的保护问题进行研究是经济法信息规制的领域扩展和类型多样化发展趋势的一个缩影，这样的发展趋势要求经济法的信息理论的进一步拓展，既要关注传统的信息不对称问题，又要结合数字经济带来的复杂信息规制问题，保护相关主体的信息权，并通过加强信息规制，有效防控社会风险，保障经济安全。

（二）面向合法经营者创新激励手段

我国现行的消费者权益保护体系存在着控制过度和激励不足的问题。基于突发公共卫生事件的特殊性，规制部门非但不应放松管制，反而应当进一步将管控环节前移，对消费者群体进行倾斜保护。谦抑规制和精准规制的理念也并非简单地排斥政府控制，而是希望国家干预可以以一种更加科学理性的方式介入到市场活动中。因此，解决这一问题的思路应当是给予市场主体更多的激励，激励经营者发挥自身优势积极投身生产经营以满足消费者的需求。

在突发公共卫生事件中，由于物资供应工作对于保障民生有着重要的意义，在防控工作中，以电商企业平台为首的经营者实际上已通过其经营行为间接性地参与到社会治理的工作中，与之相对应的，电商平台协助政府在突发公共卫生事件中搭建数字化防控机制更是一种直接参与社会治理的表现。在传统观念中，企业大多是通过投身于慈善事业，为弱势群体捐款捐物的方式回馈社会，实现其社会责任。但事实证明，无论是对国家还是对消费者而言，经营者在疫情期间能够承担起维持民生的重要使命远比单纯的偶尔捐赠更为重要。突发公共卫生事件中的疫情防控工作实际上是一个在法治统领下合理整合政府管控系统和社会自治系统，是发挥政府、社会等多元主体共同治理优势的过程。政府的集权属性，决定了其具有其他社会组织所无法比拟的资源优势、强制性与统筹能力；经营者的多元属性，则决定了其有着政府所不具备的信息优势、灵活性与生产能力。因此，只有政府与经营者基于各自特点进行优势合作、共同治理，才能更全面有效地保障消费者的合法权益。由此，应以疫情期间的对经营者的规制为契机，激励平台企业在类似重大公共卫生事件中主动承担维持民生的重任，促使其在追求利益的同时兼顾社会责任的履行。

在应对新冠肺炎疫情的防控工作中，财政部联合税务总局发布了《财政部、税务总局关于支持新型冠状病毒感染的肺炎疫情防控有关捐赠税收政策的公告》，为企业和个人在疫情期间的捐赠行为提供了抵扣或免税的税收优惠政策。这是一个运用税收激励手段的典范，极大地鼓舞了社会各界为疫情地区捐资捐物，振奋了全社会的抗疫决心。规制部门可以以此公告为基础，进一步地扩大税收优惠的范围，纳入在疫情期间生产经营防疫物资的企业，通过为其提供减税免税等税收优惠政策，激励其积极扩大生产以满足消费者需求，这种为经营者提供变相财政补贴的方式对下游销售价格的管控也能发挥一定的积极作用。

除了税收激励等外部手段之外，还可以通过加强宣传、完善消费信用体系等方式激励经营者产生合法经营的内在动力。对消费者加强宣传是要让经营者认识到，消费者间的良好的口碑是最珍贵的资源，是保障和促进企业发展的坚实基础。尤其在进入智能经济时代后，由于消费数据具备了生产要素的属性，消费者的消费行为正孕育和融合着生产行为，成为主导经济发展的核心力量和关键要素，因此经营者对消费信息的争夺空前激烈，消费者对自身消费信息的重视程度也随之提升，希望其个人信息得到更完备的保护和尊重。在这一经济场景下，能够为消费者的个人信息提供优质保护的经营者毫无疑问将会被消费者格外青睐，在市场中具备显著的竞争优势。高效完备的消费信息保护能力，已经成为这个时代经营者的核心竞争力。满足消费者需求，保护消费者权益就是保护经营者自身。突发公共卫生事件的暴发，使得消费者对电商平台等相关经营者的依赖提高到前所未有之程度，对于经营者来说，这既带来挑战，亦带来机遇。

现有的消费信用体系主要是以经营者为评价对象，以消费者撰写消费评价的方式运行，在突发公共卫生事件中，秉持对消费者倾斜保护的理念是正确且必要的。但是，一个有效的消费信用评价体系首先应当是客观公正的，因此这种单向倾斜保护消费者的模式不但难以真正实现对消费者的倾斜保护，还会激化消费者和经营者的具体利益矛盾，进而引发彼此之间的对抗心理。近些年来，因消费者差评后遭到经营者骚扰的案例屡见不鲜，其中也不乏消费者“恶意差评”的情况。进入智能经济时代后，消费者和经营者的联系愈发紧密，已成为利益共同体和命运共同体，因此仍采用这一不公正的模式不仅会打击经营者的积极性和信心，亦会损害消费者的权益。因此应完善现有的消费信用评价体系，将消费者作为评价对象纳入信用评级的范围中，通过合法采集和有序共享经营者及消费者的市场信用和社会信用数据，依托大数据分析和场景化算法等前沿技术，安排并内嵌配套的守信奖励和失信惩罚系统，激励经营者正当经营、消费者合法行权，发挥消费信用评价体系在突发公共卫生事件中对经营者提供有力的内在激励作用。

（三）为消费者积极维权增进动力

社会主体的行为选择往往是在利益的驱使下做出的，消费者亦不例外，因此有损消费者维权积极性的因素无非有二：一是维权成本过高；二是维权收益过低。在设计消费者维权的激励条款时，应当针对这两项因素对症下药。

1. 引入多元化纠纷解决方式降低维权成本

在突发公共卫生事件中，由于全社会的停产停业，社会流动性陷入停滞，消费者救济程序的启动较一般时期更为艰难，救济途径也更为狭窄，整体而言，消费者在特殊时期内的维权成本较一般时期更高。因此，想要降低维权成本，应当从简化救济程序、拓宽救济途径两方面入手。

就简化救济程序而言，传统网络购物纠纷具有主体身份的非现实性、纠纷标的数额较小、当事人之间距离遥远、纠纷地难以确定、证据收集存在困难等特点。而在突发公共卫生事件中，这些特点被进一步放大，因此消费者运用传统司法诉讼手段维权的难度也随之增大。而线上纠纷解决机制为消费者提供了一种成本更为低廉、启动更为便利、程序更为简化的选择。这一机制的原型是替代性争议解决机制，具体是指通过制定统一的行业标准，联合业界专业人员，为企业及消费者提供包括在线法律咨询、消费投诉、协商和解、调解、仲裁及先行赔付在内的一站式电子商务纠纷处理服务，以实现无需进行法律诉讼，也可以快捷解决电商交易纠纷的目的，具备启动便捷、成本低廉、争议解决速度快之特点，非常契合突发公共卫生事件中消费者的维权需求。我国目前主流的电商平台大多都内置了线上纠纷解决机制，这也是电商平台自律体系的一部分，其中比较典型的是淘宝的“大众评审”制度和闲鱼的“闲鱼小法庭”制度。这些机制为一般时期网购的纠纷解决发挥了重要的作用，但如果想要其承担起在特殊时期处理和分流消费纠纷的重任，则需要解决该机制自身存在的一个明显不足，即缺乏惩罚性赔偿手段。电商平台中现行的几种主要的线上纠纷机制均倾向于将消费纠纷局限为买卖合同纠纷，而忽视了合同双方当事人兼具卖方与经营者、买方与消费者的双重身份。因此，该机制处理消费纠纷最常用的手段就是协调买卖双方合意解除合同，分别进行退货退款。这种私法范式下的解决手段难以对少数经营者的不当经营行为进行规制，消费者权益仍处于极易受损的高危状态，在突发公共卫生事件中，由于产品质量的重要性和不当经营行为的危害性进一步提升，这样的风险被进一步放大。因此，应当赋予消费者在通过线上纠纷机制维权时，向实施不当经营行为的经营者主张惩罚性赔偿的权利，电商平台可以预先向平台内经营者收取“规范经营保证金”，在消费者针对具体经营者主张惩罚性赔偿时，由电商平台率先进行核实，确认该经营者存在不正当经营行为后，用该笔保证金对消费者进行先行赔付，以保障消费者的惩罚性赔偿权得以实现。通过推动线上纠纷解决机制与惩罚性赔偿制度相衔接，进而推动行业自律体系与政府规制体系相衔接，为消费者权益提供兼具效率与效力的严密保护。此外，对于惩罚性赔偿标准的确定，应结合突发公共卫生事件的特殊性进行专门设置。

从拓宽救济途径而言，除了消费者个体维权制度之外，还应当重视对消费者集体维权制度的完善。目前我国消费者集体维权主要是通过公益诉讼的形式实现。但现行的公益诉讼存在授权范围有限和惩罚力度不足的问题。首先，就授权范围而言，人民检察院仅能就食品药品安全领域侵害消费者群体权益的行为提起公益诉讼，消费者协会中仅省一级的消费者协会才享有诉权。但在突发公共卫生事件中，一方面，消费者权益受损的领域绝非仅限于食品药品领域，另一方面，突发公共卫生事件期间是消费者权益受损事件的暴发期，消费者与经营者的关系较一般时期更为紧张，有限的授权主体在处理特殊时期内突然暴增的消费者权益受损案件时，毫无疑问会承担非常大的压力；其次，就惩罚力度而言，旧观点普遍认为，惩罚性赔偿制度是一种保护私益的手段，并不能适用于公益诉讼制度。随着社会的发展，围绕这一问题重新引发了不少争论。学者王利明认为惩罚性赔偿原则上仍不适用于公益诉讼制度。学者黄忠顺和杨会新则持对立观点。最高院和最高检等七部门联合印发的《探索建立食品安全民事公益诉讼惩罚性赔偿制度座谈会会议纪要》明确：惩罚性赔偿制度具有惩罚、遏制、预防严重不法行为的功能，因此在法定情形下可以在公益诉讼过程中提起惩罚性赔偿。这一规定及时且合理、有力地提高了对不法经营者的威慑程度。美中不足的是，该规定没有将突发公共卫生事件设置为一项专门的法定情形。基于突发公共卫生事件的特殊性，可以增设一种法定情形，即“在突发公共卫生事件中侵害消费者权益，造成严重侵害后果或者恶劣社会影响的”以突出对突发公共卫生事件的重视。

对于授权范围有限的问题，关键并非是简单地直接扩大公益诉讼的授权范围，而是在深入把握消费者群体权益特征的基础上，选择保护消费者群体的最佳方式。与抽象的公共利益不同，消费者群体权益是一种具备社会重要性，但因分散于一定类群的公众而未能得到法律恰当保护的特定人群共享的一种发散性利益。想要在个体利益相对细微的场合把代表资格赋予广泛共享此利益的大量主体，需采用全体原告和团体原告的机制，因为只有当原告具备其所代表的群体成员资格，且其权利主张或辩护是以此身份为前提，即作为该群体的典型代表时才会最低限度保证利益在形式上的一致。因此无论是作为司法机关的检察院还是作为消费者保护组织的消费者协会，都并非消费者群体权益的最佳代表，依赖这些主体“反射性”地保护消费者群体权益显然也不是最有效的制度安排。外国的集体诉讼制度为我们提供了一种很好的思路。该制度的基础前提是在诉讼程序上拟制出一个集体，这个集体，应具备临时性诉讼主体性质，可包含所有权益受损的消费者（即包括权益实际受损的，也包括权益潜在受损的），即对所有可能受到该诉讼程序约束的人而言，这个“集体”是先验地存在的，该集体还会对潜在的集体成员进行通知，赋予其退出该诉讼集体的权利。这样一种“确认原告资格退出制”的模式，在促进集体成员间的团结、维护集体公益及对不法经营者形成巨大威慑力方面，具有明显的优势，因此被当成直接有效保护集体公益的法律工具，在维护市场秩序和保护消费者权益方面发挥了重要作用，值得我国借鉴。这一模式的借鉴在我国并非没有先例，我国在2019年修订《证券法》时，在以投资者保护机构为主体提起的代表人诉讼中就已引入了投资者“默示加入，明示退出”的类似条款以保护中小投资者的权利。可以就该条款为蓝本，设计符合我国国情的消费者集体诉讼制度。鉴于突发公共卫生事件暴发期间，消费者群体权益受损的情况十分严重，集体诉讼制度的引进，可以为消费者提供一种更为有效的救济途径。

2. 完善惩罚性赔偿制度以提高维权收益

能够为消费者带来维权收益的最直接手段是惩罚性赔偿制度。实际上，该制度最早也是发源于国外，其与集体诉讼制度互为表里，构成了独特的利用私人的获利动机打击不法经营活动的市场规制机制，在维护市场秩序和保护消费者权益领域发挥了积极影响。我国早在1993年就引入了惩罚性赔偿制度到《消费者权益保护法》中，但该制度的本土化进程无论是从立法层面还是司法层面均呈现出保守的态势。首先在立法层面，从比较法角度而言，我国的惩罚性赔偿的数额较低，“零敲碎打”的赔偿额难以对经济实力雄厚的经营者形成有力的威慑；其次在司法层面，我国的司法机关出于担心给企业背上过重负担、消费者滥诉等因素的考量，在司法实践中不敢轻易地适用这一制度，学界和实务界曾围绕王海等职业打假人消费者身份的认定问题所引发的争论历历在目，也从侧面反映了我国适用这一制度的保守态度。毫无疑问，经济法的逻辑框架和制度设计应当具有极强的本土性和回应性，但过于保守的适用态度不仅与我国消费者保护的实际需求不符，而且会使得该制度丧失其应有的存在价值。事实上，经过多年的实践，立法者对现有的消费者个人惩罚性赔偿制度所存在的惩罚和威慑方面的不足已经有所认识，在中共中央联合国务院发布的《中共中央国务院关于深化改革加强食品安全工作的意见》中，“探索建立食品安全民事公益诉讼惩罚性赔偿制度”便是作为“严厉打击违法犯罪”和“实行最严厉的处罚”的措施之一被提出。但仅仅扩大惩罚性赔偿制度的适用范围还不够，还应当提高我国惩罚性赔偿数额的计算标准，尤其是在突发公共卫生事件中，更应当制定较一般时期更高的计算标准，以实现对不法经营者从重从快从严打击之目的，维护消费者权益。可以将公益诉讼或集体诉讼所代表的消费者数量作为计算惩罚性赔偿数额的计算标准，推动惩罚性保护制度与集体诉讼直接相结合，使得实体保护制度和程序性制度相衔接。如果是通过公益诉讼的途径获得了高额的赔偿金，可以参照普通法系的告发人诉讼制度，让公益诉讼的发起者从赔偿金中优先扣除其必要的诉讼成本并提取法定或约定的奖金，这样的设置能够激励有权提起公益诉讼的主体积极地履行监督经营者的职能；如果是通过集体诉讼的途径获得了高额的赔偿金，这笔钱虽然不应当由发起者独享，但也应提取一定比例的赔偿金奖励给发起者，这样的设置可以激励消费者积极地投身于维权事业。在突发公共卫生事件中，为进一步强化该制度的激励效果，应适当地提高奖励比例。

第六章　突发公共卫生事件治理的法治实践

第一节　突发公共卫生事件下多元共治法治化问题

在突发公共卫生事件的大背景之下，多元共治的法治化已经成为一种现代的管理策略。这种策略以多样性为中心，共治作为手段，法治作为支撑，并通过制定法律、执行法律和承担法律责任来应对这些突发事件。

一、突发公共卫生事件中多元共治概述

美国著名社会学家埃莉诺·奥斯特罗姆提出，公共事务的治理主体应该是多元而非一元，应构建政府、市场、社会等多元主体共同参与的“多元共治”模式。多元共治指的是各种不同类型的主体共同参与到某一类事件的管理中，实现政府和社会的共同参与和治理。在多元共治的治理模式中，涉及事件治理的各种利益相关方包括政府、市场实体和社会组织等。基于法治的多元共治涵盖了法治、合作及治理的核心思想，它构建了一个将法治与自治完美结合的开放体系。多元共治作为一种新型治理模式，在有效调动社会层面的广泛参与和协作过程中能够促使政府单一治理方式呈现出更多的可能性。多元共治以实现公共和个人的共同利益为目标，杜绝顾此失彼的状况出现，这样才能在一定程度上对公共权力进行约束和监督，以此达到一个和谐、融洽、平等、协作的现代治理模式。而换一个角度来看，这一做法不仅扩大了治理实体的多样性，也形成了多渠道、多形式的立体式治理策略。

在突发公共卫生事件的应急管理中引入多元治模式，便可以形成一个政府主导之下社会广泛参与的创新型管理模式。从2003年非典疫情和2019年新冠疫情来看，突发公共卫生事件的发展阶段往往有发生阶段、防疫与防治阶段和常态化的阶段。而在这些不同阶段，各种主体所采取的共治策略也会有所不同。尤其是新冠肺炎疫情的防控过程中，多个参与主体在突发公共卫生事件的治理中发挥了积极的作用。然而，这些参与主体在治理过程中的权利、义务和责任尚未明确界定，期待今后能够通过法律途径将这样的缺憾进行合理的弥补和完善。

（一）主体——多元共治模式的主导力量

2017年10月，党的十九大报告中明确提出要“打造共建共治共享的社会治理格局”。那么以多元共治的模式投入到应对公共卫生事件防控工作中，所依靠的主体不仅仅包括各级政府和相关行政机构，同时也需要医疗机构、新闻媒体、基层组织、志愿者组织、企业单位及热心市民等全社会集体力量的广泛参与，由此才可能构建多元共治模式的多元化力量。

应党的号召，整个社会都在积极地回应国家治理体系和治理能力现代化的目标，致力于建立多样化的治理方式和解决矛盾纠纷的机制。政府有必要深化与医疗专业机构、基层自治组织及市民之间的交流和合作，以共同打造一个能够有效应对突发公共卫生事件的共治模式。

多元共治模式虽然呈现着多元化主体的特点，但是政府和部分行政部门仍旧是众多主体中的主导力量。无论是国家层面的中央政府还是各省市地区层面的地方政府，他们在处理突发公共卫生事件时的角色也是不相同的。中央政府可以根据事件的具体发展情况来制定相应的政策，并根据事件的进展程度和性质来确定事件级别及启动相应级别的应急处置工作。另外卫生管理部门也被授权按照法律进行事件的调查与处理，评定事件的严重性，确定紧急处理的级别，执行紧急控制措施，进行监督和检查，发布相关信息和公告，制定技术规范和标准，普及公共卫生知识，并进行全面的评估。而疾病预防控制机构也有责任按照法律规定报告事件信息，进行流行病学的调查研究，执行实验室的检测工作，进行科学研究和国际交流活动，协助行政部门制定相关的标准和规范，并负责进行技术培训。

在多元共治模式应对突发公共卫生事件的主体力量中，医疗专业机构主要扮演“援助者”的角色，在疫情防控和防治期间主要肩负着医治、抢救等专业性职责。医疗专业机构按照具体划分，还可以分为指定的医疗机构和普通的医疗机构。除此之外，医疗机构还承担着对突发公共卫生事件潜在风险的监控和报告的职责，其中，医疗卫生专业人员和独立执业医生是这些突发公共卫生事件的责任方。为了避免发生重大的公共卫生事件产生严重社会影响，医疗机构应该及时向相关政府部门报告，以减少损失。在事故发生地之外的医疗机构，应依据当地各级人民政府主管部门发布的通知，做好紧急处理所需的人员和物资的准备，并采取必要的防控应急措施。还需要确保有效地收集和报告疫情相关信息，同时也要确保人员的分散和隔离，并确保公共卫生措施得到有效实施，以及疫情信息的有效收集和报告，人员的分散隔离也是医疗机构肩负的责任之一。在应急处理上政府与“定点”医院之间有行政征收的联系，这被视为一种短期的紧急应对策略。这些医疗机构有责任严格按照政府的收费政策行事，并肩负起接诊、接纳及转运病人的具体工作。为了避免疫情进一步蔓延，他们有责任对重症患者和普通患者进行细致的分类管理，并能够及时地识别和确诊可能的患者，同时还应避免交叉感染和环境污染的发生。虽然普通的医疗机构没有被政府征收，但它们依然需要遵循政府的集中指导，为应对突发事件提供必要的医疗援助，并采取强有力的疫情防控措施。

还有便是基层自治组织，他们在以多元共治模式应对突发公共卫生事件的过程中，主要充当了“协调者”的角色。从实际情况来看，在新冠肺炎疫情防控中居委会、村委会、街道办等广大基层组织，在三年之久的时间里一直奋战在防疫工作的前沿，在组织核酸检测、收集汇报辖区疑似病例、协调和保障日常生活物资等各项工作中均付出了大量的心血。这些组织确保了物资的全面覆盖、地域性管理，也为有效实施各项防疫措施起到了至关重要的作用。如河北省石家庄市新华区西苑街道国泰街社区工作人员李瑞芝，便是牺牲在防疫第一线的基层组织的工作人员。除了广大基层组织的工作人员之外，在防疫工作的前沿还有众多来自各级政府机关的党员干部，他们多以志愿者的身份投入到防疫工作的第一线。

街道办作为市辖区和不设区的市人民政府的代表机构，拥有行政管理的主体资格。虽然街道办并未拥有行政主体的资格或行政执法的权利，但它依然肩负着协助街道办事处及其他行政单位完成其职责的重任。在疫情防控工作中，居委会扮演着两重角色。从一方面来看，该机构依据群众自治组织的独特性质，为社区居民提供各种服务，并对他们的需求进行反馈；从另一方面看，由于居委会是街道办事处职责的扩展，它实质上变成了政府与居民、居民与医疗机构、物业公司及居委会之间的关键连接桥梁和纽带。

此外，便是来自企业、媒体、志愿者和公益组织等社会各界的“参与者”，他们也是应对突发公共卫生事件的多元共治过程中重要的力量。特别是在自助互助、物资供给、各种紧急保障措施、信息技术咨询及对国家权力的监督等方面，其作用显得尤为关键。例如，众多民营企业积极响应疫情的防控措施，选择关闭门店并暂停营业，而新闻媒体工作者也积极利用多种媒体平台对防疫常识、疫情动态、防控成效等民众较为关注的信息进行及时有效的传播。另外，在防疫工作的第一线更有来自不同各界的“红马甲”志愿者们，他们用最朴实的方式走进防疫的前沿，无偿地为居民买菜、送药、测量体温，除了线下的工作之外，他们还利用互联网线上参与疫情的防控工作。除了这些以个人形式参与防疫服务的志愿者之外，在防疫工作的第一线还存在着大量公益组织和爱心团队，他们以自发自治的形式积极筹集资金，并主动参与到物资仓库的日常管理和调度当中。

2022年12月26日，国家卫健委发布重要公告，宣布将新型冠状病毒肺炎更名为新型冠状病毒感染，并决定自2023年1月8日起，对该病毒实施“乙类乙管”政策，即解除其作为甲类传染病的预防、控制措施，并不再将其纳入《中华人民共和国国境卫生检疫法》规定的检疫传染病管理。这一公告的发布，标志着全国人民期待已久的、为期三年的新型冠状病毒疫情抗争取得了阶段性胜利。

在这场战役中，社会各界的积极参与和努力起到了至关重要的作用。个体生命与健康的受损，使公众直接成为疫情的“受害者”。因此，政府承担起为感染者提供及时有效治疗的责任，并对未感染者实施严格隔离措施，以防止病毒扩散。鉴于传染病的高度传播性，若不采取适当隔离，疫情区域可能持续扩大。在此背景下，公众因对信息掌握不全或存在偏见，有时会成为“无意中的加害者”。更进一步，信息不足和恐慌情绪还可能导致不实信息广泛传播，妨碍政府紧急响应措施的有效实施，增加防控工作的复杂性，使公众在不经意间转变为“有意识或缺乏意识的加害者”。

在疫情防控中，家庭作为最基础的一环，其重要性不言而喻。为实现全民居家隔离，不仅需增强公众对卫生风险的认识，家庭成员间的相互监督、提醒和管理也至关重要。综上所述，公众在公共卫生事件的应急管理中扮演着不可或缺的角色。

（二）外延——多元共治的其他力量

1. 产生阶段的多元共治模式

在公共卫生事件的产生阶段，多元共治模式展现出了其独特的优势与重要性，主要体现在疫情信息的有效传播、资源的合理分配与使用，以及对城市交通的合理管理与控制等方面。

首先，疫情信息的有效传播是多元共治模式在公共卫生事件管理中的核心要素。在疫情暴发初期，信息的公开与透明被视为疫情防控的“黄金法则”。政府部门、基层自治组织、医疗专业机构及公众等多方主体共同参与，形成了一个立体化的信息传播网络。政府部门应迅速、准确地发布疫情动态和防控进展，避免信息延迟、矛盾和缺陷等问题，增强公众对政府的信任感，提高疫情防控的效率。同时，基层自治组织和医疗专业机构在信息的收集与处理上发挥着关键作用，它们能够及时识别并上报疫情信息，为政府制定科学的防控策略提供有力支持。此外，公众也应积极参与信息传播，通过社交媒体等渠道分享真实、可靠的信息，助力疫情防控。

其次，资源的合理分配与使用是多元共治策略在公共卫生事件产生阶段的主要体现。在疫情高发地区，医疗卫生资源面临巨大压力，如何高效、合理地分配资源成为关键。政府应在宏观层面进行资源调配，确保医疗团队得到充分的物资支持，同时保障患者的治疗需求。医疗机构和公益组织在政府的指导下，应构建合理的资源配置体系，发挥主观积极性，确保资源的有效利用。此外，还应鼓励社会各界捐赠物资，拓宽资源来源渠道，为疫情防控提供有力保障。

最后，对城市交通的合理管理与控制在公共卫生事件防控中具有重要意义。城市作为人口密集、流动性强的区域，疫情防控难度较大。因此，政府应加强对城市交通的管控，减少人口流动，降低疫情传播风险。基层自治机构和志愿者应积极参与城市交通管理，与政府相关部门紧密合作，共同维护城市交通秩序。同时，公众也应积极响应政府号召，主动居家隔离，减少外出，降低疫情传播风险。此外，政府还应利用大数据、云计算等现代信息技术手段，对城市交通进行智能化管理，提高防控效率。

综上所述，多元共治模式在公共卫生事件的产生阶段发挥着重要作用。通过疫情信息的有效传播、资源的合理分配与使用及对城市交通的合理管理与控制等措施，可以有效降低疫情传播风险，提高疫情防控效率。未来，应进一步优化和完善多元共治模式，加强各方主体的协同合作，提高公共卫生事件应对能力。

2.应对阶段的多元共治模式

在突发公共卫生事件的应对阶段，多元共治模式展现出了其独特的优势，有效构建了多种治理策略相互补充的立体式防控体系。

首先，鉴于传染病的高度传播性，进入疫情应对阶段后，必须采取必要的隔离措施以防止病毒迅速扩散。在此过程中，政府及其相关行政部门与基层自治机构之间的紧密合作与互动至关重要。政府为城市和农村疫情防控提供有力支持，而基层自治组织则负责执行政府部门的疫情防控策略和政策，共同推动疫情的高效管理。医疗专业机构根据政府需求，有权组织和实施应急预案，全面调度应急设施、设备、治疗药物和医疗器械，以确保有效应对疫情带来的各种突发事件。政府部门在制定和规划应急预案时，应充分考虑本地区疫情防控的实际情况，为医疗专业机构提供有力支持。

其次，多元共治模式在突发公共卫生事件应对阶段还体现在城市社区的管理和控制水平上。在全国各大中型城市中，基层社区被视为疫情防控的首要阵地。由于这些城市人口密度大、流动性强，且往往是地方省、市经济、文化、科技的中心，因此疫情应对面临巨大挑战。能否对城市进行细致的管理和控制成为疫情蔓延和城市防疫阻击战成功与否的关键因素。

最后，多元共治在突发公共卫生事件应对阶段还体现在对网络谣言的有效治理上。在新冠肺炎疫情期间，新媒体、短视频、社交软件等移动互联网平台发展迅速，但也出现了大量关于疫情的虚假信息。这些谣言容易误导公众，破坏网络文明和社会秩序。政府和媒体在此过程中发挥了重要作用，它们对网络信息进行有效治理和严格监管，及时在新媒体平台开设辟谣专栏，让如“早阳早好”“新冠吃药顺序图”“黄桃罐头可预防新冠”等“经典”网络谣言无处遁形，从而稳定了社会秩序。同时，媒体还迅速传播与疫情相关的医疗和预防信息，激励公众采取必要的自我保护措施，迅速遏制虚假信息的传播，并努力平息公众的恐慌情绪。

3. 常态化阶段的多元共治模式

首先，多元共治模式在突发公共卫生事件常态化阶段，主要体现为复工复产和社会经济的快速恢复。随着公共卫生事件步入常态化阶段，我们可以看到疫情防控工作的压力得到了一定程度的减轻，这为市场经济提供了一个在疫情严重打击后复苏的绝佳时机。这一阶段政府相继采取了一系列的措施，用来加强对企业和市民个体经济的支持，以帮助他们恢复正常运营。这些措施包括减少税费和增加财政支出等，以便促进企业能够恢复生产、恢复劳动，从而保障市民的正常生活，促进社会经济的复苏。此外，各相关政府部门和地区都在从多方面积极地制定支持中小企业的相关政策。得益于政府政策的大力扶持和协助，各个企业开始逐渐恢复生产活动。

其次，多元共治模式在突发公共卫生事件常态化阶段，还体现在防控措施的全面改革上。公共卫生事件进入常态化阶段之后，政府吸取了宝贵的教训，对法律体系和治理框架进行了完善，并对职能部门与基层自治组织的工作策略进行了调整，确保这些组织在面对疫情时能够有条不紊地开展防疫任务。基层自治机构致力于弥补政府与其职能部门在治理方面的不足，以保证治理能够顺畅地进行。这种做法不仅促进了基层自治组织治理能力的现代化进程，还成功地整合了社会上最丰富的资源，确保在统一的指导下，各种治理实体能够有序地参与并整合其功能。同时，政府和医疗机构也吸取了新冠疫情防控的成功经验，优化疫情监控机制，并加强了对医疗专业机构人员在疫情防控技能方面的培训，从而提高了我国应对突发公共卫生事件的能力。

最后，多元共治模式在突发公共卫生事件常态化阶段，也体现在特殊医疗资源的快速研发方面。随着突发公共卫生事件逐渐转为常态化，医疗资源的供应关系开始变得更加稳定，疫情防控的重点也从日常的普通医疗资源转向了特殊医疗资源，由此疫苗研发便成为这一阶段的重点。在政府体制和机制的支持下，医疗专业机构有充足的人力和财力投入到相关疫苗的研发上来。在财政部发布的《2020年上半年中国财政政策执行情况报告》中，特别强调了确保防疫经费的重要性，以保证疫情防控能够及时和有效地进行，并大力推进疫苗和药物的研发工作。得益于政府的大力扶持，我国在新冠疫苗研发方面一直保持着全球领先的地位。政府、医疗机构和科研人员之间的紧密协作和相互支持是实现这个目标的重要因素。

二、突发公共卫生事件多元共治的法治化

突发公共卫生事件的多元共治法治化意味着，通过立法途径，将治理突发公

共卫生事件所需的、经过实践验证的多元共治模式提升到法律层面，并确保其在执法、司法等法律执行层面得到实施。之后，通过加大法律责任的力度，对主体行为进行规范，逐渐构建起完整的法律制度框架，从而确保突发公共卫生事件能够实现多元共治的核心价值和作用。

（一）多元共治模式应对的法治化框架

1. 建立多元共治模式应对突发公共卫生事件的法律制度

法律的制定逻辑从一开始就是立法，而制定法律的核心是寻找法律的存在。通过法律途径，我们可以将现有的规定提升到法律的高度，确保其合法地维护个人权益和社会公共权益，同时也要得到他们的普遍认同和大力支持。目前，我国在应对突发公共卫生事件的多元共治法治建设方面还存在不足。为了进一步加强我国在应对突发公共卫生事件的多元共治方面的法律架构，我们应当吸取新冠肺炎疫情防控中的宝贵经验。这涉及将那些已经在实际操作中被证实为高效和准确的政策与经验，转变为法律，并在将来的操作中进行反复的验证。

2. 确保多元共治模式在突发的公共卫生事件中的法律体系得到高效实施

从现在来看，多元共治模式已经成为我国在新冠肺炎疫情时所取得的独特成就，这是一个经过实践验证的成功模式。为了确保该制度在应对突发公共卫生事件和其他重大事件时能够有效实施，并充分发挥其治理效能和优势，我们需要继续通过法律途径对其进行持续的维护和应用。当通过法律途径将突发公共卫生事件从多元共治提升到法律层次后，有必要持续确保多元共治在突发公共卫生事件的执行、应用和监管各个阶段都能正常进行。

3. 多元共治主体在突发公共卫生事件中，应不断强化法律责任

强化法律责任不仅有助于在突发公共卫生事件中促使多元共治主体在权力运用上实现自我约束，也有助于规范他们在处理突发公共卫生事件时的行为模式，同时还能满足社会对突发公共卫生事件多元共治法律化的需求。

多元共治主体所需承担的法律责任包括民事责任、行政责任和刑事责任三个方面。鉴于行为者的错误行为可能导致的潜在风险，政府及司法部门均有权按照法律要求行为者承受相应的法律后果。加大法律责任对于实施突发公共卫生事件的多元共治制度是有利的，这将有助于推进突发公共卫生事件多元共治的法治化进程。

（二）多元共治模式的法律内容

在突发公共卫生事件发生时，如何合理地分配公共资源成了多元共治法治建设的关键组成部分。在突发的公共卫生事件中，涉及的公共资源不仅仅局限于医疗卫生资源，例如防护服、口罩和医疗器械等，还包括了我们日常生活所需的各种资源，例如饮用水、电力、各类蔬菜和肉类制品，也包含了生态资源，例如树

木和各种动物。在多元共治的大背景之下，各种资源为我们应对突发的公共卫生事件提供了坚实的后盾。随着医疗资源的急剧减少，医疗服务的空间也将逐渐缩小，这将导致医疗系统无法正常运行。生活资源作为人们日常生活中不可缺少的一部分，在疫情突然暴发的情况下，可能会面临广泛的供应失衡问题。由于“封城”政策的执行，疫情地区的生活资源在疫情刚开始时可能会受到公众的囤积。在没有其他生活必需品的注入下，疫情所需的资源有可能会急剧下降。我们必须加强对公共资源的利用，根据疫情的进展和短期市场的供需情况，灵活选择资源配置的原则，努力确保资源的精确和高效分配，并按照法律要求有序地进行资源管理，以确保资源得到合理使用。

在突发公共事件的法治建设中，依法传播防疫信息变得尤其重要。在突如其来的公共卫生事件中，防疫信息不只是包含政府及其相关职能部门发布的权威信息，还涵盖了网络上的信息、公众的舆论和不实的谣言。新冠肺炎疫情给传统的信息发布、舆情管理和危机传播治理模式带来了巨大的挑战，使得信息传播治理成为现代化治理能力的一个重要环节。在信息管理中，我们主要集中于疫情目前的实际情况。在这个信息泛滥的现代社会里，人们可以通过互联网迅速获取他们所需的各种信息，但是，这些信息的真实性和准确性是很难准确评估的，只能依赖于信息接收者个人的价值判断。重大的疫情对公众的健康和生命安全有着直接的影响。在自媒体时代的大背景下，网络上的纷繁复杂的信息很容易引发公众的舆论反应，这可能会导致公众心态变得不稳定，从而阻碍防疫工作的顺利进行，并对社会的稳定和团结产生负面影响。政府有责任确保公众在信息传播过程中有足够的话语权，保障信息能够及时且全面地公之于众，促进各参与主体之间的沟通和协商，并构建一个多方共同参与的疫情信息预警和发布机制。

进行城市管理是突发公共卫生事件法律化处理的基础。在面对突如其来的公共卫生问题时，城市管理不仅包括城市交通系统，还涉及城市居民的日常生活需求、城市基础设施的建设及公共服务设备的日常维护等多个方面。回顾历史上的疫情，城市往往是疫情防控的主战场，这主要是因为城市人口的高密度、高数量和极高的流动性之间存在着紧密的联系。这些外部因素导致城市居民在遭遇呼吸道传染性疾病时展现出显著的易受损性，再结合城市的公共卫生管理体系存在的缺陷，疾病的预防和控制变得更为棘手，最后不得不实施“封锁城市”的策略。在疫情的冲击之下，城市的管理不只是涉及市民的生命健康，同时也与社会的和谐稳定和国家治理的现代化步伐息息相关。

三、多元共治法治化的必要性

（一）对现代化管理能力的迫切需求

共治的核心思想是始终遵循“人民为中心”的原则，利用法治整合的能力，整合政府、企业和社会等治理实体的治理机制，确保法律规定与社会成员在互动中建立的规则能够形成一个完整的规则体系。随着我国的治理结构日益完善，政府、社会的各个领域及市场的参与者在治理活动中的角色和责任都需要更加明晰。在当代社会背景下，政府的领导角色与社会各方面的积极参与，都将为法治建设带来前所未有的挑战。

1. 多元共治所导致的治理结构的转变，对于法律原理和制度的完善都是有益的

一个健全的法律制度框架能够确保政府的威信、大众的福利、市场的作用和稳定性，并推动社会朝向一个更为包容的发展方向前进。多元化的共同治理模式不仅有助于政府、市场和社区合作框架的流畅运行，还能降低由治理模式转变带来的潜在风险。在多元共治模式的驱动下，国家逐渐从中央层面集中精力进行“放管服”改革和加强权力制衡，目的是提高中央和地方政府对改革的积极性。此外，这也促进了政府治理的改革，尤其是在如资格准入和市场功能失调等领域，进一步推进了市场治理的革新。同时，我们还在如何优化社会自治的途径、增强社会组织的能力及深化政府与社会的互动等领域，有条不紊地推进社会治理的改革。多层次的制度变革是由多元共治触发的，其目的是建立一个法治化的政府，加强依法行政，推动法治社会的形成，同时促进多个主体之间的有机合作。

2. 多元共治推动法律完整性向主体合作性的转变

多元共治的管理模式对于法律体系的革新起到了积极作用。如果法律不能确保市场实体或社会组织的真正参与，而民众的需求不能得到法律体系的回应，那么国家的治理结构可能仍然停留在形式化的治理路径上，社会的风险也可能会持续增加。

在研究政府与社会之间的交互作用时，法律应确保赋予政府适当的权利和职责，包括服务性和管理性的权利，并在法律框架内适当地将这些权力下放或转交给社会，明确两者之间的权利和责任，否则治理和制度之间的结构性冲突将逐步加剧。法律体系与治理秩序之间的紧张关系已逐步成为限制治理秩序和法治进步的一个重大障碍。如何在法律和法规中纳入各种治理实体的多元和复杂权益，并确保其得到公正的执行，已经成为建立与共治模式相匹配的法律制度的核心问题。在此背景之下，采纳多元共治的管理策略有助于完善现有的法律制度。

（二）从传统的行政管理方式转向多元化的共同治理是必要的

突发卫生事件的管理更偏向于命令式的行政控制方式，尽管这种方式对相关

的工作人员产生了正面的指导效果。但是突发公共卫生事件在种类和影响范围上并非是一成不变的，反而是存在较多的复杂性和多变性。那么在突发公共卫生事件行政管理中，我们不仅要打破传统的行政管理模式，还需要引入更多的监管实体。如果不这样做，可能会导致管理上的失误或效果不尽如人意，使得原先用于处理突发公共卫生事件的行政手段变得不再适用。

多元共治策略可以有效地解决传统突发公共卫生事件管理中社会参与不足的问题，加强不同主体间的交流和合作，从而提高社会各方的参与水平。社会的影响力不只是来自公民、公司和协会，它还包括了能够帮助政府治理的各种私营组织。在传统的公共卫生突发事件管理模式中，社会的各个层面常常只是被动地遵循政府的命令和指示，没有真正地参与到公共卫生突发事件的管理过程中。虽然在应对突发公共卫生事件的管理过程中，社会的各个领域都有所涉及，但如果我们不能最大化地发挥其主观能动性，那么社会在处理突发公共卫生事件时所能给予的援助和支持将会受到限制。多元共治模式具有一个突出的优势，即不同种类的主体可以根据各自的利益需求进行深度的交流和协商。政府不只是起到领导者的作用，还应确保信息可以迅速地传递给公众。所有参与方的联合监管不仅确保了某一特定群体的权益得以实现，还将通过协商和沟通的方式，对不同参与方之间的利益冲突进行深入的磋商，以实现最大程度的共识，从而实现社会公共利益的最大化，并解决传统规制模式存在的固有问题。

通过实施多元共治策略，我们能够有效地解决传统公共卫生突发事件管理中政府信息透明度不足的问题，并提高各个治理实体间的风险交流能力。政府信息的透明度和公开性体现了民主与法治、公平与正义等多个价值观的综合体现，并在推进社会主义民主法治建设的过程中发挥了极其重要的作用。在突如其来的公共卫生危机中，确保信息能够及时且准确地传递，对预防和控制这些事件发挥了至关重要的作用。政府公开关于突发公共卫生事件的信息，不仅是为了保障公民的知情权，同时也是为了维护公民的个人财产权。当公共卫生突发事件发生后，部分行政机构在充分权衡社会稳定的前提下，决定采纳“封闭”或“弱化”的信息策略，这无疑为预防和控制工作带来了更大的挑战和复杂性。如果这样的状况持续不断，它不仅会降低政府的权威地位，还可能导致公众对政府发布的信息失去信任，并有可能进一步推动谣言的扩散。在多元共治的管理框架下，不同主体间的信息交流变得更加真实、准确和及时，这使得公众能够更全面、更准确地了解相关信息，并在突发公共卫生事件的管理过程中更平等、更充分地参与讨论，从而更好实现知情权和参与权。

多元共治有助于解决传统突发公共卫生事件管理中法律规定过于狭隘的问题，扩大法律规定的适用范围，并推动突发公共卫生事件防控的常态化监督机制的实施。历史上，面对突发的公共卫生事件，法律主要采用“命令与控制相结合”的策略，但这种方法的调整范围受限，执行效果也不尽如人意。当多个主体共同参与时，不仅可以保护自己的权益，还能更有效地预测和预防突发公共卫生事件的风险，确保社会的公共利益得到充分的维护，从而弥补“命令—控制型”规制逻辑的不足。哈贝马斯曾指出，一个健全且稳定的现代民主不只是基于“基本结构”的公正，更重要的是公民的道德品质和行为态度”。多元共治有助于协调不同主体间的利益冲突，规范特定范围内的行为模式，从而避免沟通障碍导致的自我理性选择，最终构建一个基于相互信任和合作的治理结构。在应对突发的公共卫生事件时，法律的作用不只是追求责任，更为关键的是激励治理机构积极地参与公共卫生事件的整体管理。

（三）应对公共卫生事件的需要

突发公共卫生事件中，在政府主导下并得到社会团体、市民及其他社会参与者参与的多元化的治理方式展示了与传统行政管理方式截然不同的优势。突发的公共卫生危机和社会治理的多样性意外交汇，如何有效地预防和控制紧急状态，对新型治理模式的深度和广度提出了严重的挑战。从紧急分配医疗资源，到联合预警相关信息，再到社会各方的共同响应，多元共治发挥了极其重要的作用。

为确保防控工作的有序进行，政府相关部门实施了一系列的引导和保障措施。在突发的公共卫生事件中，市场资源的合理分配、信息的及时和准确传达，以及资源的生产、配置和使用等各种防控措施，都必须在政府的主导下有序进行，以确保应急资源得到充分、持续和有效的支持。得益于政府一系列的财政和税收政策的支持和帮助，无论是大型、中型、小型企业还是个体户，他们受到的负面影响都有所减少，企业恢复工作和生产的速度也相应地加快了。在引导社会基层共治主体的过程中，政府应适时发布行为指导规范，以促使共治主体能够有效地参与到危机风险的应对中。

在政府的指导下，医疗专业机构对医疗资源进行了合理分配，从而提高了预防和控制的工作效率。在医疗资源的分配过程中，企业作为核心的社会力量，在党的集中统一领导和政府的引导下，能够充分利用社会主义制度集中力量办大事的优势。对于那些不满足新建标准或没有新的建设需求的区域，应动用整体策略，动员医疗团队参与紧急的预防和控制工作。在医疗资源的研究和开发领域，聚集国内最先进的医疗资源，这将极大地促进医疗行业的迅速改革，使我们能更迅速地应对各种挑战。

在政府的指导下，社会各界积极地参与了应对突如其来的公共卫生问题。志愿者、各大企业、居民委员会、村委会及物业服务公司等都应听从政府的指示，积极地参与到紧急情况的应对中。志愿者团队正在积极地帮助社区完成各种排查、登记和消毒防疫工作，同时，互联网科技公司也为公众提供了免费的在线医疗、教育和办公服务。居委会和村委会采取了一系列的措施，确保当地居民的日常生活得到保障，从而避免社会的恐慌。大量的社会组织凭借其专业技能、高度的活跃性和数量上的优越性，正在积极地推动各种预防和控制措施的实施。

综合考虑，在应对突发公共卫生事件的过程中，多元共治和法治化是相互促进和推动的。

四、多元共治法治化的现状

目前，我国的法律体系已经明确规定了涉及政府、医疗专业机构、基层自治组织及市民在应对突发公共卫生事件时的多元参与主体。这些制度为政府提供了应对各种不同类型突发公共卫生事件的法律依据和手段，同时也有利于实现各参与方利益的最大化。尽管如此，政府的权利边界和其他参与方的职责边界仍不清晰，这造成了政府在权利和责任上的不均衡分配，同时也缺少其他实体参与公共卫生突发事件管理的明确参考。

1. 特殊时期政府及其职能部门有权要求其他主体配合相关工作

根据《传染病防治法》第十二条的规定，在突发公共卫生事件背景之下，政府及疾病预防控制机构、医疗机构出于检验、采样、隔离等防治措施需要公民个人资料时，公民要“如实提供有关情况”。但是广大公民的个人信息资料受到法律保护，疾病预防控制机构、医疗机构等相关收集者应严格在法律规范利用公民个人的资料，“不得泄露涉及个人隐私的有关信息、资料”。政府有责任发布相关的信息，并确保这些信息具有时效性、主动性和真实性。而作为疫情信息的主导者，政府有义务及时向市民传达疫情的实际情况。其中某些信息如果本身存在着一定的偏差或不足，广大民众将这样的信息再度传播，由此可能导致社会恐慌和不准确信息的广泛传播，从而影响政府的应急响应措施，增加防控工作的复杂性，引发公众陷入困境，同时也给社会秩序造成一定的波动。

根据《国家突发公共卫生事件应急预案》的规定，卫生行政部门有责任组织医疗机构和疾病预防控制机构等进行突发公共卫生事件的调查和处理。在新冠肺炎疫情防控中，各级政府部门通过多种渠道发布各类防疫措施及政策等内容，为民众提供了全面了解疫情情况的途径。医疗行业的专业机构与政府相关部门合作，进行样本搜集和流行病学研究。通过对传染病流行过程中病原微生物的分离鉴定，可及时准确地了解疫情报告信息。医疗领域的专业机构具备充分利用其尖端检测技术的能力，并能与政府的相关部门紧密合作，以进行疫情源头的追踪和治理研究。因此，在当前应对突发公共卫生事件时，各级各类医疗卫生单位都应加强对突发公共卫生事件监测工作的重视。根据《突发公共卫生事件应急条例》的第十四条，县级及以上的生行政管理部门被授权指定机构来执行突发事件的常规监控任务。

2. 医疗领域的专业机构有责任为患者提供治疗

与政府相关部门合作进行疫情的预防和控制医疗卫生机构有义务为因突发事件而生病的人员提供紧急救助和救助服务，对住院的患者进行必要的治疗。《突发公共卫生事件应急条例》第三十二条规定，国务院有关部门和县级以上地方人民政府及其有关部门，应当保证突发事件应急处理所需的医疗救护设备、救治药品、医疗器械等物资的生产、供应充足。另外，该条例第五十条中也对医疗专业机构有义务对疫情监测做出相关规定。《突发公共卫生事件应急条例》第十八条对政府定期向医疗专业机构开展技能培训做出了规定，县级以上卫生行政主管部门应当定期组织医疗卫生机构进行突发事件应急演练，推广与疫情防控相关的知识和技术。《国家突发公共卫生事件应急预案》对医疗专业机构定期为本单位技术人员进行应急培训做出了规定，且医疗专业机构在疫情防控常态化后应当积极开展与参与科研与国际交流，加快对病毒的溯源和病因的诊断。

3. 基层自治组织有义务配合政府组织力量参与突发公共卫生事件治理

根据《突发公共卫生事件应急条例》第四十条规定，传染病流行时基层自治组织应当组织力量群防群治，协助卫生行政部门收集和报告疫情相关的信息，同时辅助街道办事处、乡镇做好人员居家隔离、医学隔离和公共卫生措施的落实，采取各种手段方式宣传传染病防治知识。《国家突发公共卫生事件应急预案》也明确规定了基层自治组织如何协助政府部门进行群体预防和治理工作。居委会和村委会作为基层自治组织的关键组成部分，能够充分发挥与民众之间的紧密联系，合法地在其日常管理活动中收集公众的个人信息，并能迅速地将疫情相关的信息传达和报告给政府和其他相关部门。在我国目前的国情下，卫生行政机关可以通过举办培训或委托第三方对医院及其他医疗机构开展传染病监测工作。在得知疫情的最新动态后，政府具备了迅速采取预防和控制疫情的手段的能力，从而减少了疫情蔓延的可能性。

另外，《传染病防治法》第四十条赋予居民委员会、村民委员会等基层自治组织在传染病流行时应当发挥的“组织群众群防群治”作用，因此其在一定程度上具备行政机关的特征，对辖区居民行为实施管控。《中华人民共和国村民委员会组织法》第五条规定，政府可以指导基层自治组织的疫情防控工作，保障基层自治组织的物资、人员、设施齐全，监督基层自治组织依法开展疫情防控工作。《传染病防治法》第九条、《城市居民委员会组织法》第三条与《村民委员会组织法》的第七条分别对居委会与村委会协助人民政府做好公共卫生有关工作作出了规定。基层自治组织有能力在自我管理和自我服务的前提下，充分发挥其自治和基层的特性，并在政府的支持下，积极地实施一系列的疫情预防和控制措施。

4. 市民有义务接受疫情防措施对个人权利的限制

根据《突发公共卫生事件应急条例》第二十一条规定，市民有义务向政府部门报告疫情的相关信息，发现传染病病人或者疑似传染病病人后，及时向相关部门机构报告。疫情防控期间，政府部门有权对未履行报告职责的市民进行处罚。根据《传染病防治法》相关规定，政府拥有制定疫情预防和控制措施的权利，这包括对市民的个人权益进行限制，例如实施隔离治疗或暂停工作和营业；对于市民财产的征收，例如临时征用房屋、交通工具等相关设施，必须给予相应的补偿；在公民基本生活保障方面，可提供免费医疗服务、最低生活费用补助等。对于市民的出行，存在一些限制措施，例如封锁疫区，对进出疫区的人员、物资和交通工具进行卫生检疫，以及对甲类传染病疫区实施封锁；禁止乘坐火车、轮船及其他公共交通工具。那些需要进行隔离治疗或医学观察的市民，有责任与政府部门或其他相关机构合作，否则将面临机关的强制执行。同时，市民也有权向上级政府或相关部门举报政府或部门的失职和违法行为。

五、突发公共卫生事件下多元共治法治化路径

（一）建构社会力量参与共治的法律运行体系

1. 通过立法保障社会力量的参与和介入

首先，我们必须通过制定法律来明确中央政府与地方政府在应对突发公共卫生事件时各自的权利和责任，以及他们对社会力量的授权范围。对城市管理的干预，如向企业提供防疫资金、技术服务及制定应急预案等。在应对突如其来的公共卫生问题时，社会各领域的参与度相对较低，这实际上与社会组织发展的不足和授权的模糊性密切相关。同时，政府在行使紧急处理权时也面临中央和地方职责不明确的问题。因此，需要进一步加强和完善现有的法律和法规框架，明确政府的职责和权益，并为社会团体、基层自治机构及公众在处理突发事件时的参与提供明确的条件和权限。目前我国还没有一部专门针对突发公共卫生事件中社会组织管理问题进行法律规制的规范性文件。我们对《突发事件应对法》《传染病防治法》《应急条例》和《应急预案》中关于央地事权的相关条款进行了全面的梳理。通过整合这些法律中关于央地事权的冲突内容，我们明确了各级政府在突发公共卫生事件中与社会力量合作的权利和义务，并进一步明确了政府赋予社会力量的相关职权。

其次，有必要通过制定法律来明确社会各领域在应对突发公共卫生事件时的参与界限、方式、流程及所需的条件。关于《志愿服务条例》《物业管理条例》

及《城市居民委员会组织法》，应进行适当的修订，并在这些法律规定中特别增加一章，以明确社会各阶层在公共卫生紧急情况下的权利和责任。此外，还应该完善对社区居民自治活动的规范与指导。要确保社会团体、志愿者及其他社会组织在治理过程中的参与行为得到合法、有制度的和标准化的认可。除此之外，还可以引入更多的补偿和激励措施，以增强社会各界对突发公共卫生事件的参与热情，并更快地推进突发公共卫生事件的法治化管理。

最后，应通过立法手段明确社会各界在应对突发公共卫生事件时的责任机制。尽管我国目前的法律体系并未对此进行明确规定，但一些具有地方特色的法律进行了规范。根据某市志愿服务条例规定，如果志愿者在参与志愿服务过程中对服务对象造成了人身或财产的损失或其他形式的损害，那么志愿服务组织有责任依法承担相应的民事责任。这里有必要进一步说明：如果造成的损害是由于志愿者未按照规定或其行为超出了服务的界限，那么可以参考《民法典》中关于侵权责任的通用条款。另外，在具体条文设计上也存在一些不足，需要进一步完善。这项规定为志愿者在疫情防控中的权利和义务提供了有力的补充，并强调了将其纳入法律的重要性。

2.社会各界参与了法律的执行过程

党的十九届四中全会通过了《中共中央关于坚持和完善中国特色社会主义制度、推进国家治理体系和治理能力现代化若干重大问题的决定》。其中明确指出，社会治理是国家治理体系中的一个关键组成部分，并强调了“坚持和完善共建共治共享的社会治理制度，以维护社会稳定和国家安全”，为社会治理现代化的进一步推进提供了明确的方向。坚持和完善共建共治共享的社会治理制度，是推进社会治理现代化的重要制度保障，对于维护国家安全、社会安定、人民安宁意义重大。因此，应该让社会各界依法参与到“共建共治共享”的法律执行中来，并以此介入到突发公共卫生事件全社会的共同应对中。

首先，我们的目标是协助社会的各个领域参与到应对突发公共卫生事件的法律实施过程中。目前，我国的卫生行政部门承担着大量的行政执法工作。相较于社会经济活动，行政执法部门在执法资源方面一直存在明显的不足。因为目前在我国，行政执法的主体主要为政府部门，而政府又往往缺乏足够的能力去管理大量的社会组织。但是，如果行政执法机构能够有效地鼓励社会各界参与到法律的实施中，那么分配给执法活动的资源将确保法律得到完整且高效的实施。同时，要充分发挥政府对突发公共事件的管理作用。在突如其来的公共卫生事件发生时，行政执法的某些环节可以在执法部门的监督下，交由社会各界的力量来完成。因此，为了保证法律得以顺利实施，我们必须对行政执法机关所采取的行动加以规范。例如，确保社会组织和大众有权参与到慈善筹资和物资分发中，并对其进行严格的监督。同时，要鼓励社会团体和公众积极参与到卫生行政部门制定的法规之中去。对公众和社会团体而言，实施国家法律是为了满足社会的共同利益，这要求社会各界主动参与并执行这些法律。行政执法机构应当努力成为社会各界在执法过程中的倡导者、推动者和监管者。

其次，应当激励社会的各个领域成员更为主动地参与到应对突发公共卫生事件的法律执行过程中。目前，我国的卫生行政部门承担着大量的行政执法工作。在大多数人的看法中，法律的执行被看作是公共部门的职责，而对法律的遵循则被视为社会各个层面的唯一义务。法律的实施是由公共部门还是社会组织来负责，并不是最核心的问题，真正关键的是如何在执行过程中最大限度地保护社会的公共利益。目前政府部门应当提高自身应对危机的能力，同时要重视公众参与的作用，使民众成为突发公共卫生事件应急处置中的主体力量。政府及其他公共部门应当更加积极地提升社会各界在法律执行中的参与度，普及社会各界参与突发公共卫生事件管理的必要性和重要性，从而提高社会各界在突发公共卫生事件执法方面的积极性。

3.社会各界参与纠纷调解机制

在突发公共卫生事件的疫情防控中，社会各界的人身与财产权均受到了法律体系的严密保护。而在防控的过程中，社会力量与其他多元参与者或公民之间难免会产生一定的纠纷与矛盾。然而，当前我国的法律框架内，对于社会力量在应对突发公共卫生事件时与他人发生纠纷的救济手段，尚缺乏详尽而明确的规定。这一现状不仅彰显了提升政府应对突发性公共卫生事件能力的迫切性，也进一步强调了公众对公共卫生安全问题关注与重视的重要性。

应明确在应对突发公共卫生事件时，社会各领域的力量应如何有效解决纠纷，并确认这些社会力量在处理此类事件时的合法权益能否得到有效维护。在公共卫生突发事件发生后，探索并明确社会各界解决纠纷的方法显得尤为重要。

当社会力量的权益受到损害时，人们主要可以通过两种途径来寻求法律救济：非诉讼途径与诉讼途径。从社会力量参与突发公共卫生事件处置的角度出发，本节深入分析和探讨了此类事件中社会力量所享有的权益及其行使方式。

非讼救济途径，即争议双方选择一种更为平和、更低成本的方式来解决纠纷。这种方式不仅有助于避免进入烦琐的法庭程序，还能缓解双方之间的紧张关系，使纠纷解决过程更加高效便捷。非讼救济，可以有效防止矛盾的进一步升级，为构建和谐社会环境提供有力支撑。在我国当前的司法实践中，虽然法院主要聚焦于对申诉、控告等法律事务的审查，但非讼救济途径的重要性日益凸显，它鼓励争议双方通过法律武器保护自身合法权益，同时促进纠纷的合法化解决。

当非讼救济途径无法有效解决问题时，人民调解制度便成为一个可行的选择。该制度旨在帮助冲突双方达成和解，从而避免诉讼带来的时间和成本消耗。人民调解制度不仅不会阻碍双方继续采用其他方式保护自身权益，反而能够为双方提供一个更加灵活、高效的纠纷解决平台。

除了非讼救济途径外，诉讼途径也是解决纠纷的重要方式之一。所谓诉讼途径，即通过仲裁机构进行仲裁或向人民法院提起诉讼，以法律手段解决双方之间的矛盾和纠纷。在突发公共卫生事件应对中，社会力量可以充分利用这一途径来维护自身合法权益，确保纠纷得到公正、合理的解决。

综上所述，社会各界参与纠纷调解机制在突发公共卫生事件应对中发挥着重要作用。通过完善非讼救济途径和诉讼途径，可以有效解决社会力量在应对此类事件时产生的纠纷，为构建和谐社会环境提供有力保障。未来，我国应继续加强相关法律法规的制定和完善，为社会各界提供更加全面、有效的法律救济手段。

（二）在“防疫特殊管控状态”中，行政部门的职责和权利受到限制

1. 对“特殊管控状态”的法律定义进行明确

首先，在对“特殊管控状态”这个法律术语进行定义时，我们可以参考“法律事实状态说”来明确“特殊管控状态”的具体含义。在法律体系中纳入“特殊管控状态”所带来的实际风险和严重性，并为其设定较为抽象的标准。在这一过程中，政府应当承担相应责任，但不能超越宪法与行政法的基本原则，也不允许违反行政程序性规则的行为。只有在突发的公共卫生事件满足法律所规定的条件时，人民政府才能通过特定的法律程序，对辖区内或从外辖区进入辖区的所有公民实施管控措施，并有权征收公民财产或实施一系列的强制管制措施。

其次，应赋予“特殊管控状态”在法律上的地位。“特殊管控状态”，指突发公共卫生事件发生后，由政府主导采取应急处置措施，避免其危害范围扩大，后果更加严重。在如《宪法》和《国防法》这样的全国性法律中，应当明确规定“特殊管控状态”这一概念的适用范围。以《宪法》为背景，其中所描述的“特殊管控状态”被定义为紧急状态。因此，在《宪法》的第一章中，可以加入关于紧急状态的新概念，为后续的紧急状态应用程序打下基础。此外，在《突发事件应对法》和《突发公共卫生事件应急条例》等相关的法律规定中，应当加入“特殊管控状态”的相关条款，以明确这一状态在突发公共卫生事件中的定义、启动和终止流程，并赋予其在突发公共卫生事件中启动的合法性。

2. “特殊管控状态”中行政部门的权利界限

在“特殊管控状态”下，行政部门有可能扩大行政权力的执行范围，进而对公民的某些权益进行限制。同时，应当将这些“特殊管控状态”与国家其他规范性文件一起制定出相应的配套制度。这样既有利于对”特殊管控状态“进行准确理解和把握，也有助于完善我国现行法律体系。在被称为“特殊管控状态”的情

境中，政府的权力经历了空前的增强，而在这其中，某些权力的施行不可避免地会对公民的基本权益产生制约。因此，“必须要通过法律程序来保证行政权力的有效运行，而不是仅仅依靠行政命令或其他手段”是非常重要和必要的。在一个“除非存在明确的法律规定，否则实施是不可能的”情境中，我们有必要明确政府权力的具体执行界限。

另外，当政府的状况达到最后阶段时，应当为相关实体提供适当的赔偿。对于政府的救助措施和救济程序，应当由法律来规范。在赔偿策略上，政府可以基于各参与方的贡献或他们所承受的损失，为他们在经济上提供适当的援助。在追责方面，政府可以通过行政手段和法律手段对侵害公民利益者进行惩戒。此外，当政府执行紧急程序时，我们需要明确如何承担侵犯公民权利的行为，并明确在“特殊管控状态”中政府行使紧急程序的职责。政府要对他人侵害公民利益的行为及时给予惩罚，同时也应当完善行政问责制度和救济程序。在追究责任的方法上，主要应侧重于事后的追责。同时，还需要结合政府的财政能力及对公共利益和公民利益保护程度等因素来确定是否要给予一定的赔偿。例如，如果政府在征收公民财产后未进行赔偿，那么公民有权在事后向政府提出赔偿要求，并要求对犯错误的政府工作人员实施相应的处罚。

3.“特殊管控状态”的启动与结束流程问题

在应对突发公共卫生事件的过程中，“特殊管控状态”的启动与结束流程显得尤为重要。这一流程的合理性、科学性和严谨性，直接关系到公共卫生事件的应对效果和社会稳定。因此，我们有必要对“特殊管控状态”的启动与结束流程进行深入探讨和优化完善。

首先，关于“特殊管控状态”的启动流程，必须明确其触发条件与审批程序。触发“特殊管控状态”的前提是突发公共卫生事件达到非常严重的程度，对公众健康、社会安全和经济发展构成重大威胁。这一判断应基于事件的性质、危害程度、影响范围及潜在风险等多维度考量。当省级以下行政单位认为有必要启动“特殊管控状态”时，应立即向省级政府报告事件详细情况，包括但不限于事件起因、发展态势、已采取的措施及效果等。省级政府在汇总分析后，应向国务院提交详细报告，并申请正式批准。国务院在接到申请后，应组织专家组对事件进行全面评估，包括风险评估、社会影响评估及应对措施评估等。在综合评估基础上，国务院作出是否批准进入“特殊管控状态”的决定，并由省级政府负责公告发布。值得注意的是，全国范围内进入“特殊管控状态”的通知，必须经全国人大常委会正式批准并对外公布，以确保决策的合法性和权威性。

其次，关于“特殊管控状态”的结束流程，同样需要严格遵循科学、合理的程序。当公共卫生事件的级别下降到普通水平，且对社会不再构成重大威胁时，方可考虑终止“特殊管控状态”。此时，所有省级以下行政区应向省级政府报告事件最新情况，包括事件发展趋势、防控措施效果及社会稳定状况等。省级政府在综合评估后，向国务院提交终止“特殊管控状态”的申请。国务院在接到申请后，同样应组织专家组进行全面评估，确保事件已得到有效控制且不会对社会造成新的威胁。在评估通过后，国务院正式批准终止“特殊管控状态”，并由省级政府负责公告发布。在省级行政区决定废除“特殊管控状态”的情况下，同样应向国务院递交详细报告，并接受国务院专家组的全面评估和批准。全国范围内解除“特殊管控状态”的通知，同样应经全国人大常委会正式批准并对外公布。

此外，在“特殊管控状态”的启动与结束流程中，还需注意以下几点：一是确保信息的准确性和透明度，及时向社会公众发布相关信息，避免谣言和恐慌；二是加强跨部门、跨地区的沟通与协作，形成合力应对公共卫生事件；三是注重人文关怀和社会稳定，确保在特殊管控状态下，公众的基本生活需求得到保障，社会秩序保持稳定。

综上所述，“特殊管控状态”的启动与结束流程是应对突发公共卫生事件的重要组成部分。通过明确触发条件、审批程序及评估标准，可以确保流程的合理性、科学性和严谨性。同时，加强信息共享、跨部门协作及人文关怀等方面的建设，可以进一步提升应对公共卫生事件的能力和效率。

第二节　突发公共卫生事件下乡村治理法治化问题

乡村治理的法治化进程对于维护乡村社会的和谐稳定具有显著意义，同时，它也是推动乡村改革与发展不可或缺的重要保障，并满足了当下的现实需求。这一进程无疑是推动法治中国建设向前迈进的关键性步伐。近年来，禽流感、猪流感、新型冠状病毒等一系列突发公共卫生事件，对乡村基层治理体系的完善程度和治理能力的现代化水平提出了更为严格的要求。针对具体工作中所暴露出的诸多问题，应以之为突破口，加速弥补农村基层依法治理体系中存在的诸多短板，从而有效保障广大城乡群众的生命健康安全，促进城乡社会的协同发展，为乡村振兴战略的实施提供有力支撑。

一、乡村治理概述

乡村治理是指针对以农村为地域单元的基层社会所开展的管理活动，它与城市社区的管理活动共同构成了基层社会治理的两大组成部分，并作为国家治理体系的微观基石发挥着重要作用。依据《突发事件应对法》的相关规定，“应急预案”的制定与实施在乡村治理中占据了明确的法律地位。具体而言，乡村治理涉及乡村治理主体遵循特定的管理规范与原则，对乡村事务进行有效管理，旨在维护乡村社会秩序，并促进乡村社会的持续、健康发展。

1. 关于具备中国独特风格的乡村管理体系的演变历程

中国特色乡村治理体系的建构，经过了一个悠久且复杂的历史探索历程。在面对重大突发公共卫生事件时，“特殊管控状态”展现为一个随时间演变的动态概念。自新中国成立以来，乡村治理模式经历了由“政社合一”向“政社分设”的转型，随后进一步演进至村民自治，并最终确立了融合自治、法治与德治的综合性治理路径。

（1）“政社合一”至“政社分设”的转变（1978年至1982年）

新中国成立后，乡村管理迈入了一个全新的发展阶段，伴随着传统社会向现代社会的转型，国家与社会关系发生了深刻变革。初期，国家通过地方层级改革，以及从互助组、合作社到人民公社的合作化实践，逐步构建了乡村管理体系。这一历程伴随着国家政权与集体财产管理方式的深刻变革，其中，“乡村集体经济组织与乡政府的合并”（即“政社合一”）成为改革开放前乡村管理的核心特征，乡政府直接负责农村经营活动。然而，“政社合一”模式导致了农业生产能力相对低下、农村社会发展迟滞等负面效应，乡村治理改革势在必行。

1978年党的十一届三中全会以农村经济体制改革为主轴，亦标志着农村全面改革的序幕。全会公报不仅聚焦于农村经济层面，还广泛涉及农村民主建设，强调各级人民公社必须实施民主管理、干部选举及财务公开。在此背景下，农村经济改革的核心是推行家庭联产承包责任制，而实际上，农村集体经济组织作为核心核算单位已独立运作，标志着“政社合一”模式向“政社分设”的转型获得广泛认可。然而，此阶段“政社分设”的具体制度模式尚未统一，农村民主建设主要依赖于地方层面的探索与实践。

（2）“政社分设”至“村民自治模式”的转变（1982年至2017年）

1982年宪法的颁布，正式确立了基层群众自治制度，这不仅标志着乡村自治治理体系的正式形成，也宣告了“政社分设”乡村治理模式的历史性转变。宪法第一百一十一条对乡村管理体制进行了根本性革新，深入阐释了以村民自治为核心的乡村治理框架。历经多年实践探索，村民自治模式下的乡村治理在全国范围内展现出显著成效。然而，当时尚缺乏专门的法律法规以保障村民自治的有效运行。因此，1998年11月4日，全国人民代表大会审议通过了《村民委员会组织法》，其颁布与实施标志着中国乡村治理迈入了一个崭新的历史阶段。

自2015年中央一号文件发布以来，农村管理体系中“法治”与“德治”的积极作用得到了特别强调。该文件明确指出，应依据农村实际情况，充分发挥乡规民约的积极作用，促进法治与道德建设的紧密结合。这表明，融合自治、法治与德治的乡村治理理念已初见端倪，预示着中国特色乡村治理体系即将步入一个全新的发展阶段。

（3）从村民自治到自治、法治、德治相结合（2017年至今）

2017年，《中共中央国务院关于加强和完善城乡社区治理的意见》正式印发实施，该意见强调要充分发挥自治章程、村规民约、居民公约在城乡社区治理中的积极作用，弘扬公序良俗，推动法治、德治与自治的有机融合。同年，党的十九大报告明确提出“实施乡村振兴战略”，并创新性地提出“加强农村基层基础工作，健全自治、法治、德治相结合的乡村治理体系”。这不仅代表了中国特色乡村治理体制在理论与实践上的创新成果，也标志着中国特色乡村治理体制的确立。

2019年，中共中央办公厅、国务院办公厅联合印发的《关于加强和改进乡村治理的指导意见》进一步强调，要建立健全党委领导、政府负责、社会协同、公众参与、法治保障、科技支撑的现代乡村社会治理体制，通过自治激发活力、法治强化保障、德治弘扬正气，完善党组织领导下的自治、法治、德治相结合的乡村治理体系。这一指导意见的出台，标志着中国特色乡村治理体制进入了一个全新的历史阶段，展现了国家治理体系和治理能力现代化的深刻内涵。

2.乡村治理模式中“三治合一”的核心运作

2018年发布的中央一号文件深入阐述了自治、法治及德治三者间的密切关系。这表明，自治应当被视为中心，并通过法律来明确基层自治的权益范围，确保农村自治在法律的指导下得到有效实施；在情感的维度上，德治亦应维护一个坚实的自治基础。因此，迅速建立一个以自治为基石、法治为中心、德治为引领的“三治合一”治理模式，成为乡村向良好治理迈进的关键途径。

（1）以自治作为基础

在中国农村的基层民主体制中，村民自治不仅是其核心要素，也构成了我国基础政治架构的关键部分。村民积极参与乡村治理活动，充分体现了村民自治的核心理念。历史长河中，基层自治的传统得以保留，乡村居民的集体智慧推动了村民自治活动。费孝通先生提出的“双轨政治”概念，揭示了古代县级以下官僚体系影响力较小的现象。在当前社会，基层自治不仅是政治架构的权力构成，也是国家治理体系的核心环节。

村民自治是乡村社会运营的核心支撑和活力源泉。自治能激发村民的主体意识和参与积极性，解决乡村内部矛盾，推动社会和谐有序。宪法和村民委员会组织法明确了村民委员会作为基层民众自治实体的地位。因此，在“三治合一”模式中，自治是中心环节。乡村治理体系的主要目标是优化村民自治，加强其在管理、教育和服务方面的能力。执行“三治合一”模式时，必须遵循自治原则，加深和维护村民自治的实践活动，完善和创新基层党组织主导的村民自治制度。

（2）法治作为保障

在现代基层社会管理中，法治是核心评价标准。法治乡村建设是稳固乡村治理基础、实现乡村振兴战略的关键。在新时代背景下，乡村基层依法治理是全面推动法治国家、法治政府建设的重要组成部分，也是实现乡村治理体系和治理能力现代化、推进乡村振兴战略、规范乡村“小微权力”运作的迫切需求。

农村社区事务可通过道德观念、传统习惯和村规民约调整。但涉及公共秩序和公共利益等核心问题时，必须依靠法律解决。因此，法治在乡村治理中的工具性和操作性日益凸显。应采用法治思维方式推动乡村治理，用法治方法解决难题。在乡村治理体系的法治环节中，强烈的问题意识和问题导向确保了法治的核心地位。

（3）德治作为引领

道德是社会互动的根基及人与人和谐相处的关键。自古以来，道德在乡村治理中不可或缺。儒家思想中的尊重礼仪、维护社会公义、个人修养和社会和谐等传统道德观念，在乡村治理中仍具有价值。将优秀传统文化和社会主义核心价值观融入乡村习惯法和村规民约中，有助于将道德规范转化为人们行为的自觉性。

德治在乡村治理中展现出强大的道德导向能力，为现代化进程注入精神动力。法治和德治相互补充、相互推动。在乡村治理体系中，德治通过“软治理”策略为法治的“硬治理”提供补充。在法治无法触及的领域，德治起到积极补充和推动作用，推进乡村治理的法治化和现代化。将德治整合到乡村治理体系中，展现了其核心地位。此外，德治还增强了村民自治效果，补充了法治的不足。

二、农村管理逐渐走向法治化

乡村治理的法治化意味着治理主体应根据特定规范推动乡村管理和发展的制度化、规范化和程序化。其显著特征包括治理实体的多样性、治理方法的合法性、治理流程的标准化及治理目标的现代化。这一进程体现了乡村治理的规范化、程序化和制度化发展，有助于实现乡村社会的和谐稳定与可持续发展。

（一）乡村治理法治化的多元主体构成与实践

1. 多元主体的界定与角色定位

依据十九大报告及2018年中央一号文件精神，乡村治理法治化的多元主体主要包括以下四个。

基层党组织：在乡村社会治理中发挥领导核心作用，引领乡村治理的方向和进程。

乡（镇）政府：作为乡村治理的主要责任主体，确保治理活动依法进行，提供必要的政策支持和资源保障。

村民委员会：作为村民自治的核心实体，是乡村治理的基础组成部分，通过依法选举、决策和监督等方式实现村民自治。

乡村社会组织、乡贤精英及村民：作为乡村治理的积极参与者，通过参与治理活动，发挥各自的优势和作用，共同推动乡村治理法治化进程。

2. 多元主体的重要性

通过建立多样化的乡村治理实体，鼓励各种乡村治理实体通过分工和合作来增强乡村治理的实际成果，并确保他们在乡村治理过程中充分展现自己的优势，从而加速乡村治理的现代化步伐。

首先，降低法律成本，提升治理效率。党组织作为法治实践的标杆，引领乡村治理走向法治化，通过与政府、村委会等主体的合作，共同推进乡村法治建设。多元主体的共同参与有助于减少政府直接控制乡村社会所产生的社会成本，避免行政管理中的错误，同时为乡村群众组织提供支持和空间，培养自治能力。这将有助于减少农村治理过程中的法律成本。

其次，促进农村社区稳定与有序发展。乡村治理法治化涉及多个核心参与者，各治理实体之间的互助与合作是乡村治理法治化的关键基石。随着乡村自治机构和社会组织的壮大，以及村民法治意识的增强，村民自治成为保持乡村社会稳定和秩序的重要工具。构建法治化的农村管理体系和多元化的主体结构，能够激活乡村社会内在活力，实现法律对基层民众权益的保障，促进农村社区的公正、稳固和有序发展。

再次，鉴于我国城乡发展的不平衡和乡村社会的阶级差异，乡村治理法治化需要遵循法律的多元主体和强调软法的理念。法律体系不仅包括国家法、行政法规、地方性法规和规章等正式法律文件，还包括党内法规、党的政策、民间习惯法和村规民约等非正式规范。这种多元性的法律体系能够更全面地适应乡村社会的实际情况，实现各方利益的平衡和乡村社会的和谐稳定。

综上所述，乡村治理法治化的多元主体构成与实践是一个复杂而系统的过程，需要各主体明确角色定位、发挥积极作用、相互协作与互动。同时，法律体系的多元性和软法功能的强调也是实现乡村治理法治化的重要保障。

（三）农村治理法治化的深远意义

1. 依法治国离不开乡村治理的法治化

依法治国战略的实施离不开乡村治理的法治化进程。基层作为依法治国的基石，其法治化水平直接关系到法治社会建设的最终成效。根据2020年第七次人口普查数据，尽管城市化进程加速，但乡村地区仍居住着超过5亿人口，占全国总人口的36.11%。鉴于我国人口城市化的长期性与复杂性，未来数十年内，农村地区仍将承载着庞大的人口基数，这是我国的基本国情。因此，要实现依法治国的宏伟目标，就必须将乡村治理纳入法治化轨道，确保乡村居民的合法权益得到充分保障，从而推动法治政府建设，为依法治国的全面实施奠定坚实基础。

2. 乡村治理法治化对于国家治理现代化的重要性

乡村治理不仅是国家治理体系的重要组成部分，其法治化水平也是衡量国家治理现代化和乡村治理现代化程度的关键指标。受地理位置、历史背景和资源配置等多重因素影响，我国乡村治理方式历来复杂多变，面临诸多挑战。乡村治理法治化不仅能够规范基层权力的行使，还为乡村居民积极参与乡村管理提供了科学完备的制度保障。这有助于提升基层权力的运行效率，依法维护村民在乡村治理中的合法权益，实现权力与权利的相互制衡与持续发展，进而推动地方治理规范化和国家治理现代化的实现。

3. 乡村治理法治化在保护村民合法权益中的关键作用

随着农村社会经济的快速发展和村民法律意识的增强，广大民众对乡村公共事务的参与度不断提高，对公正、正义等法律核心问题的关注度也日益增强。乡村治理法治化程度的高低，直接影响到对村民合法权益的保护和公平正义的实现。因此，乡村治理法治化的首要任务是确保村民基本权益的实现。要实现这一目标，关键在于激发村民的主动参与意识，形成有序参与的良好氛围。而评价乡村治理法治化成果的最终标准，则是村民的满意度水平。在国家治理和乡村法治建设的进程中，乡村仍是一个薄弱环节。行政执法不规范、基层民众权利易受侵害等问题依然突出。因此，推进乡村治理法治化，是维护乡村基层社会稳定、保障村民权益的核心举措。

三、突发公共卫生事件背景下的乡村治理法治化

1. 公共卫生事件中乡村治理所受到的影响

尽管我国是农业大国并拥有庞大的农村人口，但农村地区的医疗设备相对落后，村民对疫情的防护意识也不强，这导致了广大农村地区成为疫情防控的薄弱环节。提高农村地区在疫情防控和管理方面的能力，以确保农村居民的生命安全和健康，以及乡村防疫工作的有序性和稳定性，无疑是对乡村基层治理能力的一次考验和挑战。2020年前后，我国在推进国家治理体系和治理能力的现代化进程中，遭遇了前所未有的挑战和困境。习近平总书记多次强调，我们在法律的引导之下，必须全方位地协调并推进各种预防和控制措施的执行。

广大农村地区的治理不仅是国家治理的中心，乡村地区也被视为疾病预防的关键战场。新冠肺炎疫情对中国的经济和社会造成了深刻的影响，同时也给农村的治理带来了前所未有的挑战。当前，我国乡村正处于从传统乡土社会向现代化社会的迅速转型过程中，这一转变导致了大规模的人力和物力资源流失，从而使得乡村治理能力明显不足。同时，在农村地带，医疗资源是非常稀缺的，并且其预防和控制机制也显得特别不稳固。但是，在疫情的预防和控制行动中，农村社区表现出了坚定的立场。他们制定了一个统一的战略目标，汇聚了所有可用的资源来对抗疫情，并从传统的管理模式转向了更加灵活和运动化的治理方式，这一转变已经产生了显著的成效。

2. 乡村治理法治化目标

“将人民的生命安全和身体健康置于首位，实施实际有效的措施，坚定地抑制疫情的进一步扩散”，是疫情防控的核心目标。 在农村疫情的预防、控制和治理中，由于缺少专业的应对策略和法律的指导，许多乡村治理实体可能会采取违背常理的措施。此外，鉴于多个主体之间经常出现的利益矛盾，我们必须依靠法律途径来解决这些建议的问题。因此，我们强烈推崇并积极推行法治化的管理模式，积极参与疫情的预防和控制工作，以确保农村地区疫情防控和治理工作能够有序地进行。

构建结构完整且层次分明的法律规范框架，以强化乡村治理的法治基础。面对疫情的严峻挑战，乡村地区在法律规范体系上的不足被进一步凸显。在推进依法治国与依法治村的进程中，我们应加强乡村软法的建设，形成一套具有内在逻辑性和驱动力的村规民约体系。这不仅有助于提升乡村治理的法治化水平，还能为乡村应对突发公共卫生事件提供坚实的制度保障。同时，我们应构建一个与乡村现状和未来发展趋势相契合的规范体系，该体系应充分发挥法治在行为规范、制度保障、价值导向及权利保护等方面的多重功能，确保乡村疫情防控和治理工作的有序进行。

激发乡村治理多元主体的积极作用，构建协同防控体系。在乡村疫情的预防和控制过程中，基层党组织、基层政府和村委会等乡村治理实体扮演着至关重要的角色。为了有效应对疫情，我们应充分激发这些治理实体的主动参与意识和责任担当精神。一方面，需要构建一个由多元主体共同参与的乡村疫情防控和治理体系，通过明确各主体的职责和功能，实现协同作战、优势互补，从而确保乡村疫情防控和治理工作的全面性和有效性。另一方面，需通过法律手段保障村民在疫情期间的合法权利，维护村民自治的核心地位，确保乡村治理的民主性和法治性。

培育法治思维与信仰，营造浓厚的乡村法治治理文化氛围。在应对突发公共卫生事件时，法治思维和法治信仰的培养至关重要。应通过执行法律、普及法律知识等方式，积极培养乡村治理多元主体的法治观念，推动其依法依规履行职责。同时，应引导乡村治理主体形成法治思维和法治信仰，将法治理念贯穿于乡村疫情防控和治理的全过程。此外，还应努力营造浓厚的乡村法治治理文化氛围，通过法治宣传、法治教育等手段，提升乡村社会主体的法治素养和法治意识，确保乡村疫情防控和治理工作依法有序进行。

四、乡村疫情防控治理法治化路径建设的建议

（一）构建乡村疫情防控治理多元主体

十九届四中全会指出“完善党委领导、政府负责、民主协商、社会协同、公众参与、法治保障、科技支撑的社会治理体系”。新的国家社会治理观念突出了治理实体的多元性。为了确保乡村疫情防控治理能够真正落实这一理念，需要依赖基层党委和政府来领导乡村的治理工作。同时，村委会和村支部需要充分发挥他们的自我管理、自我教育和自我服务的能力，明确各自的职责范围，并吸引村民参与，从而形成一个多元化的治理模式，进一步推动乡村疫情防控的法治化发展。

1.强化法治导向下基层党组织的领导能力在乡村疫情防控中的作用

在中国特色社会主义建设的伟大征程中，党的领导始终是确保乡村社会治理机制有效构建与实施的核心力量。十九届四中全会明确指出，“要健全党组织领导的自治、法治、德治相结合的城乡基层治理体系”，这凸显了党的领导在推进乡村疫情防控工作中的关键作用。

（1）基层法治型党组织建设：依法治党的必然要求与实践

宪法作为国家的根本大法，赋予了党在推进和完善法治建设中的领导地位。就乡村治理而言，《村民委员会组织法》第四条明确规定了党组织在村级治理中的领导地位，而党章则进一步明确了党在乡、镇、村等基层组织的全面领导职责。这些法律规定为党在乡村治理中的领导角色提供了坚实的法律基础，党和政府发布的规范性文件也进一步强化了党在乡村治理活动中的主导地位。特别是在《中共中央国务院关于实施乡村振兴战略的意见》及《乡村振兴战略规划（2018—2022年）》等文件中，党的领导地位被明确为实施乡村振兴战略的核心原则。在新时代中国特色社会主义建设的背景下，乡村疫情的防控和治理成为党和国家工作的重中之重，而乡（镇）基层法治党组织的建设则是推动乡村疫情防控和治理走向法治化的关键所在。

（2）提升基层党组织的法治领导能力以应对乡村疫情的挑战

在乡村疫情防控和管理的复杂环境中，以法治为导向的基层党组织发挥着至关重要的领导作用，其中基层党组织干部的作用尤为突出。因此，采取有效措施

以增强基层党组织干部在紧急情况下的法治意识和实践能力，对于提升基层党组织在乡村疫情预防、控制和管理中的领导地位具有决定性意义。具体而言，首要任务是深化基层党组织干部对法治的理解与认同，这不仅是党组织依法治国理念的具体体现，也是确保乡村疫情预防和管理工作走向法治化的根本保障。在此基础上，基层党组织需要灵活运用法治思维和方法，有效应对乡村疫情防控和治理过程中可能出现的各种突发情况。同时，乡（镇）、村两级党委应更加主动地与村民建立紧密联系，通过加强法治宣传教育、完善法治服务等方式，不断提升基层党委在乡村居民中的法治权威和依法领导乡村疫情防控的实际能力。必须坚决查处和纠正疫情期间农村社区中严重妨碍法治建设和侵犯村民合法权益的行为，确保乡村疫情防控工作始终在法治的轨道上稳步前行。

2. 基层政府法治化程度有待提高

十九届四中全会所明确的社会治理体系，强调了乡（镇）政府在乡村社会治理中的主体责任。在乡村疫情防控治理的实践中，乡（镇）政府不仅需配合上级政府执行疫情防控任务，还需独立负责其行政区划内的疫情防控工作推进。自十八届三中全会以来，法治政府与服务型政府已成为政府职能转型的核心目标。在此背景下，乡（镇）政府在乡村疫情防控与管理中扮演着至关重要的角色，其法治建设水平直接决定了乡村疫情防控治理的法治执行成效。

在疫情防控期间，乡（镇）政府所采取的防疫措施均须基于法定程序制定，且工作人员必须严格遵循法律赋予的权利与程序履行职责。防疫措施应具备明确的法律依据，并严格遵循法定流程。同时，基层政府及其工作人员的各项活动亦应受到严格监管，以确保法治精神的贯彻落实。

3. 基层政府与村民委员会职责划分的明确性

在乡村应急管理体系中，村规民约的制定对于疫情预防与控制至关重要。当前的乡村自治体制是在现代国家框架下，由全体村民广泛参与的基层民众自治形式，每位村民均享有参与乡村社会公共事务管理的权利。乡村自治制度已逐渐发展为乡村居民实践基本权益的制度性平台，因此，明确村民委员会在乡村应急管理中的具体职责，对于有序防控疫情具有重要意义。

然而，现行《村民委员会组织法》在乡（镇）政府对村民委员会的指导方针及村民委员会具体职责方面存在模糊性，导致农村基层自治长期存在混乱现象。面对疫情威胁，乡（镇）政府期望村民委员会能够探索新的自治策略并采取积极措施，而村民委员会则往往因担心越界而严格遵循乡（镇）政府的统一工作方案。因此，强化《村民委员会组织法》及疫情防控执行细则在实际应用中的可操作性显得尤为重要。通过立法途径对疫情防控相关法律及程序法进行补充和完善，明确基层政府与村民委员会之间的职责划分，是解决疫情防控工作中矛盾与冲突的关键步骤。

在疫情防控实际操作中，应明确区分基层民众自治权与政府管理权的差异。基于《村民委员会组织法》，制定专门针对突发公共卫生事件的规范性文件，从实体与程序两方面对疫情防控的各个环节进行详细规范，并严格区分“村务”与“政务”。同时，须明确基层群众自治组织在面对突发公共卫生事件时如何协助乡（镇）政府，并确保其权限不越界。地方立法机关可根据本行政区域实际情况，制订更具操作性的疫情防控实施细则，严格区分村委会的协助职责与基层政府的行政管理职责，并明确规定乡（镇）政府对村委会的指导、支持与帮助的具体内容。

4. 村民自治优势的发挥与防控工作的共同参与

理念引领行动，法治的内在崇敬则为精神支柱。当前，部分农村地区法治建设有时存在“说起来重要、做起来次要、忙起来不要”的问题，这主要源于思想认识层面的不足。因此，加强乡村普法工作，提高村民法律意识和自治能力显得尤为重要。

首先，应加强法治的日常宣传与教育。结合村民的知识背景、文化水平和接受能力，利用微信群、流动宣传车和文化墙等村民喜闻乐见的方式，推广相关法律知识、小案例及其解读，提高村民的法律意识，并鼓励其积极、高效地参与法律防控活动。其次，重视道德教育的引导。以继承家族优良传统为起点，大力推广诚信、互助守望和信任等传统价值观，培养积极乐观的心态，为乡村创造充满活力与健康的生活环境，确保家庭安全屏障的稳固。此外，可定期邀请法官、检察官等法律专业人士举办法律讲座、以案释法等多样化的普法宣传活动。分发由突发公共卫生事件工作实践总结而来的普法资料，引导村民更加积极地遵守法律、保护法律，推动各项具体工作依法、有序进行。最后，完善农村基层民主协商机制，充分利用村民自治的优势。乡（镇）政府应指导村民委员会进一步推动社区自治工作的制度化和规范化，完善村规民约，并充分调动和高效利用本地资源，如老党员、退伍军人、乡村教师等文化素质较高的群体，组织村民共同学习，充分发挥村规民约的积极引导作用。同时，为增强广大村民对农村基层治理的信心，应鼓励村民主动参与保护、动员和援助等复杂任务，确保政策高效执行，共同应对突发公共卫生事件的挑战。

（二）强化基层干部的法治和德治观念，使疫情防控措施更为规范

1. 提升基层干部对法治的认识和理解

在疫情的预防和控制阶段，乡（镇）的党委和政府始终扮演着领导、组织和实践的关键角色。因此，我们需要有针对性地加强乡（镇）干部的法律观念，采用法治的方法来解决问题，并培育他们面对突发状况的应变能力。在农村基层

的疫情防控措施中，存在一些偏颇和极端的做法，这暴露了在疫情工作推进过程中，相关领导干部的法治思维和法律意识还需要加强。在农村地区开展法律知识普及工作，首先要从乡镇一级抓起。鉴于基层疫情防控治理中存在的诸多不足和薄弱环节，我们有责任坚决执行中央的依法防控指导原则。需要教育和引导干部和群众尊重法律、学习法律、遵守法律以及应用法律，不断提高他们运用法治思维和方法解决问题的能力。在疫情防控的全过程中，必须始终坚持法治的思维和方法。

（1）深化基层干部法治教育之重要性

乡村疫情防控治理的法治化进程，深受基层干部的法治观念和思维方式影响，同时也直接塑造着村民的法治认知与行为模式。当前，我国部分农村地区面临基层党组织领导力不足、村干部法律意识薄弱、法治教育缺失等挑战，这些问题严重阻碍了乡村疫情防控治理的法治化步伐。因此，强化基层干部的法律素养与依法治理能力，成为农村疫情防控工作的核心要务。

在乡村疫情防控的实践中，基层干部扮演着举足轻重的角色。村党支部书记作为基层领导的核心，其领导力直接关乎村级防疫工作的成效。村两委成员应深度融入村民的日常生活与生产管理，他们具备较强的法律意识，能够运用法律知识维护乡村社会秩序。当基层干部以法治思维和手段处理乡村事务时，不仅能树立榜样，还能激发村民学习法律、运用法律的热情，培养村民依法行事的良好习惯。基层干部不仅是乡村治理的中坚力量，也是村民自治的引领者和积极参与者，因此，他们应成为乡村法治教育和宣传活动的重点对象。

在推进农村法律知识普及的过程中，应首先从乡镇层面着手，加强对乡村干部的培训，特别是提升其应对突发公共卫生事件的能力。通过脱产培训、视频教学等多种方式，组织乡村干部深入学习《传染病防治法》《突发事件应对法》等法律法规，以增强乡村基层的法治意识。

（2）法治思维在乡村疫情防控中的融合应用

一方面，应将法治思维与科学判断紧密结合。疫情防控工作应遵循依法、科学、有序的原则，其中科学是基础，法律是依据，有序是运行标准。在乡村疫情防控中，应基于科学决策，在法律框架内有序开展工作。制定乡村疫情防控措施时，应避免依赖乡村基层执法机构、村级干部的个人偏好和情感等非理性因素，而应遵循科学规律。尽管法律已对应急措施作出规定，但这些措施应根据时间、地点、情境等具体条件进行调整。特别是在疫情形势各异的地区，乡村防疫策略应避免“一刀切”，以节约资源、减少伤害，确保疫情防控工作的有序进行。

另一方面，应运用法治思维弥补法律漏洞。法治精神是法治的核心，也是乡村治理法治化的关键。在乡村法治管理中，尤其是在疫情防控背景下，应培养村民的法治意识，将法律体系与规范转化为村民的自觉行为。新冠疫情对当前法律与制度提出了严峻考验，暴露了《传染病防治法》《突发事件应对法》等法律法规的不足之处。因此，在运用法治思维时，既要依据现有法律法规推动疫情防控工作，又要以法治思维和法律精神审视现有法律体系，完善法律法规，推动法治的持续发展。

2. 强化基层干部在道德引领与治理效能上的作用

德治作为一种深植于文化土壤与意识形态之中的治理模式，对乡村振兴战略的发展路径具有深刻而持久的影响。为构建并优化乡村的现代治理框架，必须确保道德在乡村疫情防控与日常管理中发挥核心引领作用、规范作用及激励效应。在此背景下，提升乡村基层干部的道德治理能力与大局观念，以激发村民的道德自觉，是确保德治实践在乡村疫情防控中取得实效的关键。

（1）深化基层干部道德素养与全局视野的培育

乡村振兴战略的实施，应将农村基层干部的思想境界与道德品质置于社会主义核心价值观乡村治理实践的核心地位。鉴于基层自治的特性，德才兼备、品德高尚的领导干部是推进乡村德治的关键。若村级干部道德品质缺失，将导致德治理念难以在乡村治理中有效落地，特别是在疫情等突发事件应对中，可能因缺乏强有力的防控策略而危及乡村的稳定、和谐与长远发展。因此，应加强对乡村基层干部的思想政治教育与专业培训，提升其道德修养，深化科学文化知识学习，坚定政治信念，增强政治敏锐性与思维深度。在此基础上，应强化应急管理能力，拓宽全局视野，面对疫情防控时，深入剖析问题本质，有效安抚村民情绪，创新防疫宣传内容与形式，提升宣传效果。

（2）构建道德激励与约束并重的机制体系

在乡村疫情防控中，德治发挥着不可或缺的道德支撑与制约功能。构建道德激励与约束机制，不仅能够降低治理成本，还能有效激发基层干部参与疫情防控的积极性与责任感，进而提升治理效能。基层干部的思想观念与能力水平，直接关乎乡村疫情防控的实际成效。在疫情应对过程中，建立道德激励与约束机制，能够引导基层干部在思想上高度重视、行动上积极作为。这既有助于激发基层干部的主观能动性与创新精神，又能促进疫情防控工作的有效实施。具体而言，可通过表彰奖励、宣传先进典型等方式，对在疫情防控中表现突出的基层干部给予正面激励；同时，对失职渎职、行为不当者进行批评教育乃至惩处，以此提升德治在疫情防控中的作用，弥补自治与法治在疫情防控中的不足，实现治理效能的最大化。

（三）强化乡村疫情法律普及的精准度与实效性

深入理解并认同法律，是构建法律信仰之基，亦是促使全民自觉守法之本。

长期以来，乡村基层的法律宣传工作在内容与形式上的滞后性，以及村民法治需求的薄弱，致使宣传效果不尽人意。面对未来可能出现的突发公共卫生事件，持续且有效的普法宣传活动显得尤为重要。此类活动旨在深化乡村居民对法律的尊崇、学习、践行与运用，倡导以合法、合理途径解决矛盾纠纷，为乡村疫情的预防与治理构筑坚实的法治屏障。

在乡村疫情防控与管理的实践中，各治理主体在法治意识上的显著差异不容忽视。普法宣传的受众群体在需求层次与接受度上亦呈现多样性。因此，针对乡村疫情的普法宣传主体与多元受众，必须精准施策，提升普法团队的法律素养，并拓宽普法内容的覆盖面与影响力。

乡（镇）、村两委的基层干部，作为乡村疫情防控治理的引领者与执行者，其法律知识的深度与广度直接关乎治理成效。从制度层面出发，应充分利用党内法规与制度，强化防疫普法团队的法律认知。基层干部在执行法定职责、开展合法防控时，必须严格遵循规定，确保行为合规。党内法规不仅是治理工作的核心参照，也是农村疫情防控规范体系的关键构成，更是推动农村依法治理的坚实保障。“党规党纪严于国家法律”的原则，确保了基层党员干部行为的规范性，既提升了其法治意识，又激励其运用法治思维与方法解决防疫难题，化解社会矛盾，推动乡村疫情防控与治理的法治化进程。

从实践层面看，为基层干部提供高质量的法律教育与培训至关重要。调研显示，我国农村基层党组织在法律意识、法治观念及法律制度建设方面存在不足。对于未接受过系统法律教育的基层干部，应着重加强与其工作密切相关的法律培训与学习，特别是涉及乡村治理中广泛应用的，以及在特定情境下（如处理重大突发公共卫生事件）的相关法律法规。同时，应培养基层干部对新时代法律法规的敏锐度及运用法律的技巧，以更好地维护自身合法权益，促进乡村健康发展。

未来，还应创新法律普及团队的学习方式。除面向社区居民传授法律知识外，还应拓宽渠道，使更多人了解并熟悉国家关于突发公共卫生事件的法律法规。例如，可编纂并发布疫情法律指南，为疫情防控提供针对性建议，并优化基层干部在突发公共卫生事件中学习法律的路径，确保其具备足够的法律宣传能力。通过构建线上线下相结合的学习平台，利用案例分析、模拟演练等多种形式，提升普法教育的互动性与实效性，确保法律知识深入人心，为乡村疫情防控与治理提供坚实的法治支撑。

（四）努力完善农村的公共法律服务结构

公共法律服务的完善水平被视为衡量社会法治水平的关键指标之一，而农村公共法律服务的健全程度则是评估农村治理现代化水平的一个核心标准。建立和优化乡村公共法律服务体系不仅能为广大村民在面对重大公共卫生事件时提供专业和充分的法律保障，同时也有助于维持乡村疫情防控的稳定秩序，进一步推动乡村治理走向法治化。对乡村公共法律服务体系的完善不仅有助于培育村民在选择法律途径解决纠纷时的思考模式和行为模式，还能有效地提高村民的整体法律认知水平。构建公共法律服务体系不仅是乡村疫情防控和治理的核心环节，同时也是提升乡村法治水平的关键路径。

1.致力于完善农村公共法律服务的基础设施建设

在乡村疫情的防控与治理实践中，乡村公共法律服务往往面临来自乡村社会传统因素的诸多限制。然而，若能在乡村社会的传统治理体系中发掘与现代乡村治理模式相契合的元素，则有望在一定程度上缓解这一治理障碍。传统管理体系中的两大优势——特定群体在传统乡村治理中的积极作用，以及传统规则在乡村治理中的独特优势，为我们提供了宝贵的借鉴与启示。

（1）强化乡村公共法律服务的支持体系

在传统的乡村社会中，矛盾和纠纷往往由具有权威性的族长、乡贤等人物进行调解和解决。当前，乡村治理的核心力量已逐渐转变为以村级干部为主导的现代乡村精英群体。在疫情防控的实际运作中，众多纠纷正是在村级干部与现代乡村精英的共同调解下得以平息的。因此，将村级干部与现代乡村精英纳入乡村公共法律服务体系的构建之中，不仅能够有效解决乡村社会中的矛盾与纠纷，还能显著扩大公共法律服务的覆盖面，确保服务队伍的稳定性与持续性。

然而，乡村干部与现代乡村精英在提供公共法律服务时，往往面临法律专业知识匮乏的困境。为了完善乡村公共法律服务体系，必须将法律知识的普及与提升作为法治宣传教育的核心内容，确保乡村干部与现代乡村精英能够掌握基础法律知识，提升其法治意识。具体而言，可以通过举办法律培训班、提供在线法律学习资源等方式，为其提供更优质的法律服务支持。同时，鼓励乡村干部与现代乡村精英积极参与人民调解、法治宣传等实践活动，以实践促学习，不断提升其法律服务能力。

（2）传统乡村治理原则对乡村公共法律服务的支撑作用

在我国传统乡村管理体系中，村规民约作为具有悠久历史背景的乡村自治规范，发挥了至关重要的作用。在传统乡村管理实践中，国家法律的参与度相对较低，而村规民约和民间习惯法实际上构成了乡村管理的核心规范框架。在当前乡村管理体系中，村规民约仍被视为一种普遍适用的社会准则，并在实践中取得了显著成效。

为了确保乡村疫情防控治理的法治化效果，应深入挖掘和传承村规民约等自治规范的积极作用，实现国家法律与公序良俗在村规民约中的有机结合。具体而言，可以在乡村的村规民约中融入应对突发公共卫生事件、疫情防控等相关内容，或者专门制定与疫情防控相关的村规民约。这不仅能够满足乡村应急治理的实际需求，还能在乡村治理框架下凸显乡村疫情防控治理的特殊性质与重要性。

然而，由于各地实践方式的差异，关于疫情防控的村规民约在制定过程中可能会面临诸多问题，如制定流程是否清晰、所制定内容是否与相关法律法规产生冲突等。因此，在疫情防控与治理过程中，还应注重自治章程、民间习俗及其他社会规范的重要性。当国家法与传统法规范之间出现不协调时，应根据具体情况进行深入分析，确保保留传统法规范中的正面内容，同时摒弃与现代法治理念相违背的乡村传统法规范。在此基础上，通过不断完善乡村公共法律服务的基础设施建设，推动乡村治理体系的现代化与法治化进程。

2. 优化乡村公共法律服务平台与强化人才保障机制的策略

为深化乡村公共法律服务平台的效能并构建坚实的人才保障体系，应采取一系列策略，以确保法律服务在乡村疫情防控与治理中发挥核心作用。

（1）促进农村公共法律服务平台的持续成长与深化

鉴于乡村基层在法律意识觉醒与法治观念塑造方面仍存在显著的提升空间，在基层治理的实践中应更为注重城乡融合发展的战略导向，并着力推动城市法律资源向农村地区的合理流动与优化配置。乡（镇）政府应充分发挥其主导作用，加大对司法机构、法律服务站等基层法律服务单位的资金投入与专业人才支持，同时深入剖析其运营机制，以精准识别并解决存在的问题与瓶颈。在此基础上，应致力于提升乡村司法系统的互联互通水平，通过构建信息共享与协同处理机制，实现各部门之间的无缝对接与高效协作。同时，应对各部门的职能与责任进行明确界定，以确保各项工作有序开展、责任到人。

此外，为进一步提升乡村基层调解委员会的效能，应注重从多元化的视角出发，吸纳来自不同领域、具备不同专业背景的调解员加入，以丰富调解手段、拓宽调解思路。在疫情时期，乡村基层调解委员会应充分发挥其独特优势，及时、有效地化解村民之间的矛盾与纠纷，从而降低解决问题的成本，维护社会稳定与和谐。在此基础上，应充分利用公共法律咨询热线和在线平台等现代通信手段，通过提供便捷、高效的法律咨询，以及人民调解、普法宣传等服务，确保这些专业机构在乡村疫情防控与治理中发挥辅助作用。此举将进一步推动法律服务渠道的多样化与便捷化，为民众在法律难题上提供更具针对性、更具实效性的建议与解决方案，从而满足其实际需求。

为进一步深化农村公共法律服务平台的效能，还应注重加强与其他相关部门的合作与联动，如与农业农村部门、卫生健康部门等建立定期沟通机制，共同研究解决乡村疫情防控与治理中的法律问题。同时，还应积极引入社会力量和第三方机构参与乡村公共法律服务平台的建设与运营，以形成多元化的服务供给格局，提升服务质量和效率。

（2）着力培养与吸引乡村法律领域的专业人才

首先，要培育本土化的乡村法治治理专才。应定期为乡村基层干部、乡村精英及法律工作者提供法律业务知识的培训，加深其对法律的理解，并培养其运用法治思维指导实践工作的能力。其次，需从乡村社会外部引入杰出的法律专家，利用政策优势吸引城市中的优秀法律从业者参与乡村疫情防控工作。此外，为法学专业的在校学生提供必要的生活补助与奖励，鼓励其利用假期深入乡村进行疫情防控实践，以确保专业队伍的稳定性与先进性。最后，乡村基层政府应有权聘请律师及公检法的退休员工，构建基层政府的法律顾问体系。该体系不仅负责对基层政府发布的疫情防控规章及相关措施的合法性进行审查，并在疫情防控期间听取法律顾问的建议，还应具备调解或解决乡村内在疫情防控期间出现的各类矛盾与纠纷的能力。在条件允许的情况下，行政村可采纳“一村一顾问”的策略，为村民配备专业律师，为其提供在解决矛盾与纠纷时的智慧支持。

通过上述策略的实施，我们旨在构建一个更加完善、高效且可持续的乡村公共法律服务平台与人才保障机制，为乡村疫情防控与治理提供坚实的法治支撑。

第三节　突发公共卫生事件下社区治理法治化问题

社区治理是国家治理和社会治理的末端，也是基层应对突发公共卫生事件的破题之眼。增强社区治理法治化水平，是关系最广大人民群众切实利益的民生大事，也是实现国家全面依法治国目标的重要环节。

一、社区治理法治化概述

（一）社区治理

“社区”这一概念，深植于社会学的土壤之中，其内涵由德国社会学家斐迪南·滕尼斯在其著作《共同体与社会》中首次明确：社区是以共同取向和共同生活习俗的人聚集在一起形成的具有社会共同体和社会人际关系形成的团体，社区人员关系通过不同的衔接方式形成关系密切、互帮互助。

基于我国独特的国情，社区治理被视为国家治理的核心部分。国家在发布的《民事部关于在我国推动城市发展的若干意见》中也明确表示，社区是一个集结每个人生命意志的共同体。社区的形成与构建，主要依托以下关键要素。

地理位置的确定性：社区首先是一个具有明确空间属性的社群结构，由某一特定地域内的居民构成，他们在相对稳定的环境中开展日常生活与生产活动。

人口因素的集聚性：社区的形成需要一定规模的人口集聚，同时，这些居民应积极参与社区治理活动，共同推动社区治理与建设的进程。

社区组织的稳固性：社区组织作为满足居民日常生活需求的载体，是社区治理与秩序健康运行的基石。社区治理与建设的目标，往往通过社区组织得以实现。

文化成分的整合性：长期居住于同一社区的居民，会逐渐形成独特的风俗习惯与文化氛围，这些生活方式与文化认同，共同构筑了被大家广泛认可的社群。

当前，社区治理模式正经历着从单一管理模式向多元化共同治理模式的深刻转变，这一转变在社会生活中呈现出以下显著特征。

首先，以政策为先导。在社区治理过程中，政府出台的相关政策发挥着强有力的引导作用。政府通过对社区管理人员的指导与培训，确保社区治理任务能够顺利完成，如成立社会管理团队、主导街道建设、开辟新的社会管理路径等。

其次，推行多元化的社会治理方式。为实现社区共同治理与良好治理的目标，应将各种社区力量纳入社会治理体系之中，形成多元共治的格局。

再次，需要构建一个网络化的社区治理模式。一方面，加强政府、街道与居委会的纵向管理与协调；另一方面，鼓励非政府组织参与社区治理，确保社会各领域、自治实体及社区居民能够积极融入社区管理之中，形成更为紧密的联系与纽带。通过网络化构建，整合各类组织资源，优化资源配置，实现社区各主体间的资源共享与协同推进，共同推动社区治理向现代化与法治化方向发展。

最后，关于社区治理的参与度。通过特定途径为社区居民提供广泛的参与机会与便捷的参与方式，是社区治理构建过程中实现自我管理的有效途径。这不仅能够最大限度地为社区居民提供服务，还能够促进社区治理的民主化与科学化。

（二）社区治理法治化

1. 社区治理法治化内涵

依法治国作为中国长期坚持的治国方略，需要国家、政府与社会各界的共同努力，以推动法治化建设工作的深入发展。在社会治理的宏大图景中，社区作为基层治理的最后一环，其治理方式的法治化显得尤为重要。从更为宏观的视角审视，法治体系不仅立足于全局，旨在促进依法治国理念的落实，更引发我们深思其本质所在。《中共中央关于全面推进依法治国若干重大问题的决定》对此进行了深刻阐释：法治体系的建立与完善，不仅要求构建健全、系统的法治理论体系，以提升治理效能，并为执法工作的顺畅进行提供坚实的法律支撑，更需在治理实践中深度融合法治理念，强化法治监督力度。

有专家指出，法治体系概念的提出，标志着法治化进程迈入了一个崭新的阶段，预示着国家将从静态的法律条文出发，推动动态法律执行的实现。静态的法律，通常由一系列法规构成，若未能得到有效实施，则难以发挥其应有的功能；而动态的法治体系则与之截然不同，它涵盖了法律条款的实际运用，能够充分展现法律的价值。这一过程并非立法主体单方面的任务，而是需要社会各界的广泛参与，共同推动实施。

部分学者在阐释法治体系时，从理论与实践两个维度进行了深入分析。他们认为，法治理论体系蕴含了包括核心价值观在内的多种意识形态；而法治实践体系则涉及静态与动态的法律，即立法、执法、司法等与法律紧密相关的各个环节的充分融合与对接。为成功构建社会主义法治体系，需将理论与实践两大体系紧密结合，通过准确解读其本质，为实践工作提供有力的理论支撑。

法治体系还应涵盖包括行业规定在内的多种社会规范体系，这些规范在法治体系中均占据不可或缺的地位。因此，在社区治理法治化的实现过程中，应以法治体系为切入点和突破口。这既要求在治理的全过程中渗透法治精神，又要在实践层面促使各项工作实现深度融合。从静态层面来看，应对社区治理法规进行必要的补充和修订；从动态层面来看，则应正确应用和执行社区治理法规。同时，还应充分发挥软法的作用，以不断提升治理水平。

2.社区治理呈现出法治化的特点

社区治理的法治化代表了一种多样化的管理模式，其中涉及的管理参与者既多又复杂。这些参与者通过各自的角色共同参与社区工作的决策和管理，从而构建了一个协商、共同决策和共同执行的社区治理框架。此外，法律明确规定了所有参与者的权益和职责，并通过详尽的职责列表，确保每个参与者都能有效地完成自己的任务。对于需要共同管理的事务，采用协商和合作的方法，以凸显多元化参与者在治理中的优势。

始终遵循以人民为中心，把居民放在首位的社区管理策略。民主建设始终以民众的利益为核心，而社区治理旨在为市民创造一个更为优质的居住环境。在推进社区治理法治化的过程中，应当把社区居民的需求放在首位，确保满足人民的服务需求作为工作的核心，并从多方面努力提高社会管理的总体质量。

始终遵循法律的最高准则。我国推行的法治国家政策是基于宪法构建的，它强调每个人都应当享有平等的权利，并且绝对不允许任何人越界。为了确保行政执法有清晰的法律支撑，必须从科学的角度来制定相关法律。行政部门必须严格按照法律来执行其职责，确保司法服务于民众，确保案件审判的公正和公平，并鼓励公民遵守法律，从而提高他们的法治观念。

民主参与的独特性质。社区治理的法治化不仅激发了居民的主动参与，而且是社区治理法治化和基层民主建设的关键支柱，同时也是现代民主观念的明显体现。推进社区治理的法治化进程中，应该寻找多种方式来鼓励社区居民更加主动地参与到社会议程、社区治理以及社会事务的管理中。与此同时，居民有机会通过社区治理的法治化平台，向社区提供宝贵的意见和建议，从而更好地保护其自身权益。

在社区治理中，我们可以观察到多个维度和全面特征。社区治理的范畴所涉及的事务较为繁杂，其中主要包括政治生活中的民主选举、社区日常管理事务、社会公益的法律服务等。但是在社区治理中不能因事务繁杂，或仅仅为了完成上级单位的任务而工作，某些本质性的社区服务工作是不可忽略的。这就需要通过法治建设来对社区治理工作进行有效的监督，并将所有涉及的社会事务都赋予了法治的属性。此外，社区治理所采纳的是多种治理策略，这与传统的自上而下的管理方式有所不同。通过推进社区治理的法治化进程，可以建立一个民主协商、共同管理和共同管理的多角度治理模式。

法律的保护特性。为了实现法治化，社区事务的执行和实施必须严格按照法律和法规进行，确保社区治理既有法律依据，也有法律要求。为了确保社区居民的合法权益得到全面保护，需要避免行政权力的任意扩张，并确保社区的所有参与者和社区工作人员都严格遵守法律，同时按照法律所规定的程序来执行他们的职责。

健全的法律体系可以为社区的治理提供坚实的法律支撑，并通过法律的权威来展现法治的理念。我们鼓励社区的居民不断加强他们对法治的认识和意识，他们不仅有权利，还有义务参与社区的管理，并应积极参与社区事务，以确保社区治理的公正性和公平性。此外，法律的保护机制能够有力地监督社区治理向法治方向发展，并通过法律手段对社区的参与方和社区工作人员进行有效的监督，以此来确保行政权力不被肆意扩张，从而让广大社区居民充分行使法律所赋予的权力。

二、社区治理走向法治化的迫切性

我国基层社区构成了建设社会主义法治社会和全方位推动法治政府建设的基础性环境。在中国特色社会主义建设的新时代背景下，社区治理法治化不仅是国家治理体系中最基层且至关重要的单元，更是新时代法治社会建设不可或缺的组成部分。

（一）国家治理体系迈向现代化进程

2021年4月，中共中央国务院发布了《关于加强基层治理体系和治理能力现代化建设的意见》，该意见强调，“基层治理是国家治理的基石，统筹推进乡镇（街道）和城乡社区治理，是实现国家治理体系和治理能力现代化的基础工程”。实现国家治理体系和治理能力现代化，离不开基层治理现代化。基层治理是国家治理的基石，而基层治理现代化也可以说是实现国家治理体系和治理能力现代化的基础工程。

1. 以法治化社区治理为动力，推动治理体系改革

国家治理体系是在党的坚强领导下，管理国家的制度体系，涵盖经济、政治、文化、社会、生态文明及党的建设等各个领域的体制机制与法律法规安排，形成了一套紧密相连、相互协调的国家制度框架。其中，城市社区治理构成了国家治理体系的核心组成部分。因此，推进社区治理法治化，不仅有助于在基层治理中催化治理结构与机制的革新，还能与新型社会治理实践相融合，以灵活应对时代变迁的多元需求。通过不断修正与现实情况不符的治理机制，更新与时代发展脱节的法律法规，我们能够进一步深化改革，构建新的制度框架与法律规范，使社区治理逐步迈向制度化、程序化的常态。这一过程将促进更为合理的基础制度体系的确立，为治理体系的全面变革提供强大动力。通过对社区治理典型案例的深入分析，我们能够更全面地把握中国基层社区治理的演进脉络，并深刻认识到民众对治理体制改革的迫切需求。这不仅为治理结构与手段的变革注入了新的活力，也进一步强化了满足民众需求与完善国家治理结构的内在联系，为国家治理结构与治理能力的现代化发展奠定了坚实基础。

2. 法治化社区治理提升国家治理能力

国家治理能力是指一个国家运用各种制度管理社会各个方面的能力，包括改革、发展、稳定、内政、外交、国防、党的治理、国家治理和军队管理等多个领域。党中央明确指出，“国家治理体系和治理能力的现代化水平在很大程度上体现在基层”。社区治理作为国家治理现代化进程的关键一环，推动其法治化不仅能够强化城市社区的基础功能，还能有效提升国家治理能力。

法治化社区治理有助于在社区内部构建一个科学、合理的居民参与机制，搭建智能化的信息交流平台，拓宽居民获取信息的渠道，为居民依法参与社区治理活动创造有利的基础环境。为了营造崇尚法律、运用法律的法治氛围，我们需要在日常生活中加强对居民法治观念的培养，提升他们的法治素养，从而显著增强他们的参与度和法治意识。在与居民日常生活紧密相关的管理实践中，我们应持续培育居民的法治意识，营造社区的法治文化氛围，并全面提升居民依法参与社区治理的能力。

社区治理法律化不仅有助于多元实体参与社区治理，还能吸引社会服务机构和全职社会服务人员投身其中，从而加强社区法律专业人才的队伍建设。这种多元化的参与模式能够促进各方合作，提升社区内各主体在社区治理中的参与能力，进而全面提升国家治理水平，为国家治理体系的进一步发展提供坚实支撑。

（二）社区治理的法治化实现

构建法治政府被视为全面依法治国的核心任务和主要工程，它起到了示范和引领的作用。在实际操作中，必须充分利用法治政府建设的示范作用，以此作为推动整个法治化的系统建设的发力点。我国正处于全面建成小康社会的关键时期，如何将法治精神和法治思维融入到各项工作中去，是必须面对的重大课题。而城市社区的法治治理被认为是构建法治国家、法治政府和法治社会“三位一体”的基础，坚持法治政府的建设理念可以更有效地推动向法治化的方向发展。

1.社区治理法治化实现的路径

2021年8月，国务院正式发布了《法治政府建设实施纲要（2021—2025年）》，该纲要明确指出，在优化政府机构职能的过程中，应致力于构建高效、灵活的基层管理体制，积极推进扁平化管理和网格化管理模式的实施。同时，强调了应同步完善法治政府建设的科技支撑体系，并加速以“分级分类”为策略推动信息化平台的建设进程。通过深化立法与执法体系、完善司法架构、强化社会监督机制等多维度举措，全面促进国家治理能力的现代化水平提升，进而推动国家治理体系与治理能力现代化的实现。在此过程中，社区治理法治化作为法治政府建设的关键一环，发挥着举足轻重的作用。因此，我们应坚守法治政府建设的核心理念，并与其前沿策略保持同步推进，以在社区治理实践中创新治理结构，确保社区治理逐步走向法治化。

理论框架与价值观的构筑在法治政府建设进程中同样不可或缺，它们共同为社区治理法治化的实践操作提供了坚实的理论支撑与价值导向。然而，当前我国法治政府建设仍面临诸多挑战，这些挑战在一定程度上制约了社区治理法治化的进程。在此阶段，我们应摒弃传统观念与治理焦点，将依法行使权力、增强公民参与度、强化权力监督及提升公务员法治素养作为法治政府建设的核心方向，并在社区治理法治化的推进中予以同等重视。针对我国城市社区治理中存在的法律制度不健全、行政管理方式不合理等问题，需在法治框架下保障社区居委会的规范运作，拓宽居民参与社区事务的渠道，加强对社会服务组织和居委会权力行使的监督，并着力提升社区服务人员的法治观念与法律素养。唯有通过多元化手段改革现有治理结构，社区治理方能真正实现法治化转型。

随着信息技术的迅猛发展与互联网时代的全面到来，依托网络平台构建新型社区治理模式已成为必然趋势。法治政府建设强调，在社区治理的基层实践中，应顺应时代科技发展水平，逐步构建起高效、便捷的信息化工作平台，以实现上传下达中的高效嵌入式连接。基于分级推进的原则，我们应促进各级政府间的信息互通与互联互通，这不仅有助于推动治理体制的创新，还能进一步促进城市社区治理的转型升级，从而迈向治理现代化与法治化的新高度。

2. 社区的治理法治化的深化与发展

法治政府的建立为社区治理法治化提供了坚实的基础与有力保障。在当前阶段，法治政府的构建重新界定了政府职责范围，并逐步改革了“全能型政府”的传统管理模式，为社区治理向法治化方向持续发展提供了有力支撑。在这一新的时代背景下，社区治理与法治政府的构建之间存在着紧密的内在联系。在法治政府建设进程中，我们强调了社区治理应与基层治理的实际需求相契合，并根据社区工作的不断演变调整治理策略，以推动城市社区治理向法治化方向发展，确保社区治理法治化进程的顺利推进。

在法治型政府构建的过程中，我们不断深化“放管服”改革，推动简政放权、放管结合与服务优化的实施，从而逐步实现了治理观念与治理焦点的转变。在城市社区治理方面，亦应进行相应调整，逐步推动社区行政功能的转型与升级。具体而言，应对社区居委会的职责进行明确划分与拆分，并清晰界定各治理实体的功能与权限范围。通过整合社区资源，构建多元共治格局，形成以社会组织为依托的多元化参与模式，进一步强化公共服务与公共管理功能，推动社区治理从传统的“管理”模式向“治理”模式的转变。

为了满足民众日益增长的需求与期待，需要进一步完善治理结构与方法体系，并采用法治思维与法治方式指导治理实践活动。此举不仅能够提升我们的公共服务水平与质量，还能有效推动社区治理向法治化方向的深入发展。

（三）社区治理在法治方面的实际需求

社区，作为社会治理结构中的基础单元，是社会的微观缩影，承载着复杂而多元的利益关系网络。社区治理是一个集多元主体、多样服务于一体的综合系统，涉及地方政府、街道办事处等公共权力主体，以及社区居委会、居民等私人自治主体的协同参与。在此背景下，法治化的引入成为规范治理主体权利、保障民众私人权利、满足社区内部实际需求的关键路径。

1. 法治化的社区治理是对社区治理主体权利进行规范的关键途径

城市社区内部有多个治理实体，包括代表地方政府权力的街道办事处、社区居民委员会、社会服务机构、物业管理委员会等自治实体，这些实体在社区治理工作中起到了协同作用。多元的治理主体为居民提供着多样化的公共服务，有利于提高社区治理水平和效率。然而，治理主体的多样性也带来了治理主体间的矛盾和冲突，权力资源的分配不均可能导致权力结构的不平衡。因此，应该明确社区内部治理主体的权利范围，并对治理主体的治理权限进行适当的规制。同时，需要从法律层面上保障各治理主体依法行使自己所享有的权利，从而实现多元共治格局下基层公共管理效能最大化的目标。其功能在于指导社区服务机构扮演社区服务提供者的角色，并鼓励社区居民积极参与社区事务。要通过完善法律制度来保障多元主体参与到社区治理中来。更具体地说，社区治理的法治化要求地方政府作为社区治理活动的组织者将社区治理的各个环节纳入其中，引导社区服务机构更好地融入社区治理工作中，从而创新社区治理体制，改变社区治理方式，为社区治理的法治化建设提供坚实的保障。目前我国社区服务机构在服务过程中还存在一些问题，影响到居民参与社区治理活动的积极性和主动性。社区服务机构应当充分发挥其作为公共服务提供者的角色，为社区居民提供方便快捷的公共服务。通过不断地鼓励和大力支持居民参与社区治理的各个环节，进一步提升居民的法治参与意识，增强他们参与社区治理的能力，从而实现社区居民自治的目标。因此，通过法治化的社区治理方式，我们能够对社区内的各个治理实体的权力进行规范，确保社区内的治理权限得到明确划分，从而提高社区治理的整体效果。

2.社区治理的法治化是必经的途径

为了确保居民的合法权益，需要采用法治化的方法。在推动社区治理法治化的过程中，必须始终以满足人民群众的需求为核心。党的十八届三中全会和《中共中央关于全面深化改革若干问题的决定》，都对社区治理的法治化建设提出了更高的标准和更规范的要求。因此，本节从社区治理法治化的概念入手，分析我国现阶段社区治理存在的主要问题及原因，最后针对这些问题探讨相应的对策措施。

在社区治理法治化的过程中，首要任务是解决社区居民面临的实际问题，满足他们的真实需求，并确保他们的合法权益得到保障。法治化的社区治理，不仅有助于解决社区居民面临的实际问题，保障其合法权益，还能改变不合适的工作模式，建立科学、合理的民主参与机制。通过构建便捷高效的监督反馈系统，拓宽居民参与途径，确保居民自治权利的行使，有效维护居民合法权益。同时，法治化也是完善我国基层社会管理体制、健全民主法治体系的重要手段，有助于刷新社区治理框架，重新定义治理实体职责，将自治权力交给居民，增强基层社会活力。在此基础上，社区治理法治化有助于形成多元共治格局。社区治理的法治化不仅可以培养专门的社区工作人员，还可以组织高质量的法治专家团队，这有助于增强居民的法治意识和参与意识，从而提高社区居民的法治认知和参与水平。

综上所述，社区治理的法治化不仅是规范治理主体权利、保障居民合法权益的关键路径，也是推动社区治理现代化、提升基层社会治理效能的必由之路。通过深化法治化实践，构建科学、合理、高效的社区治理体系，为社区居民提供更加优质、便捷的服务，推动社区治理的全面发展与进步。

三、突发公共卫生事件下社区治理法治化路径

在疫情常态化防控的进程中，一系列精心设计的治理举措的切实落实，方能有效地应对疫情挑战，同时促进经济社会的稳健发展。在治理的复杂过程中，强化基层治理机制建设显得尤为重要。在社会治理的广阔图景中，应采取多措并举的策略，通过不同手段的有效融合与协同，紧密结合各区域的独特实际，既要确保政府发挥强有力的主导作用，又要激发基层群众的自我管理、自我提升能力。在治理实践中，应运用多模式并进的框架，以期实现治理成效的显著提升。从多维度出发，运用一系列精心策划的举措，确保规章制度的坚实保障，充分发挥群众自治力量的积极作用，从而更好地应对疫情防控的复杂局面，大幅提升治理的有效性与针对性。

（一）健全法律法规体系

在国家与社会治理的坚实基础上，应严格遵循法治管理的高标准要求，通过构建完备的法律规章制度体系，为社会治理的有效性提供坚实的制度保障。有鉴于此，应对社区管理模式进行深度优化，同时促使社区在应对突发公共卫生事件的过程中发挥更为积极且关键的作用。社区的精细管理与积极引导，使群众能够深度参与到社会治理与危机应对的进程中来。尤为重要的是，应通过法律机制建设的持续强化，确保制度层面有保障、流程层面有跟踪、效果层面有评价，以此全面提升治理的成效与水平。

1. 国家层面：制定社区治理专项法律

从法律制度构建的角度来看，当前社会治理的法律保障机制尚存在不完善之处，尤其是在社区治理领域，法律制度的制定与实施未能充分应对治理实践中复杂多变的问题。因此，国家层面应制定社区治理专项法律，以全面、系统地规范社区治理行为。在制定过程中，须紧密结合中国发展的实际情况，特别是针对新社区、新问题，确保法律制度的应用既具有时效性，又具备针对性。专项法律应明确重大社区问题的规范与要求，并通过实施细则的制定，强化基层在落实法律及处理问题时的可操作性。同时，应激发社区群众的主动参与意识，通过多元化途径提升其参与社会治理的力度。然而，当前社区群众在社会治理中的参与度尚显不足，其主动性、积极性有待进一步挖掘。为此，强化政府的主导作用，并引导群众积极参与社会治理，通过多组织、多维度的举措落实，有效提升社会治理的效能。在此过程中，法律制度不仅应作为保障，还应成为化解矛盾、促进和谐的有效工具，吸引不同组织、力量共同参与社会治理，以提升自治权力与社会治理效果。

2. 地方层面：完善社区治理地方性法规

鉴于中国地域辽阔、社区数量庞大且各具特色，社会治理过程中面临的问

题与矛盾亦呈现多样化特点。因此，地方层面应结合各自区域的特点，制定有针对性的社区治理地方性法规，以实现对社会治理的精准改进。在制定地方性法规时，应充分考虑不同社区的管理方式差异，制定切实可行的实施细则，使社区能够根据自身情况灵活管理。在城市发展过程中，各区域的特点各异，社会治理应采取差异化、针对性的策略，以解决社区面临的具体问题。通过实践与法规的有效结合，可提升社会治理的有效性，确保治理效果。

3. 国家和地方法律之间的协调衔接

在社会治理过程中，保障机制的不健全、规章制度及实施细则的缺失是当前面临的主要问题。随着社区治理面临的新问题、新矛盾、新事件不断涌现，现有治理制度难以与实际情况有效结合，导致矛盾和问题难以得到妥善解决。因此，须结合基层实际特点，制定有针对性的指导意见，并辅以实施细则，以增强基层在社会治理中的有效性。在立法方面，应通过完善社区管理制度的保障机制，提升法律的执行力。同时，在法律规范过程中，应强化社区治理力度，通过各项法规建设的融合，提升社会治理效果。在各项法律制度制定过程中，应注重法律制度的衔接与融合，确保制度的执行力与落实的驱动力。

4. 构建“国家—社会”应急法律体系

在社区治理过程中，单纯依靠国家和政府的力量难以实现高效的社会治理。从当前中国社会治理的实际出发，应强化政府的引导作用，并提升公众的参与度。特别是在面临新问题、新挑战和新压力时，社区管理问题不断呈现新的变化特点。因此，应强化危机意识和管理主动性，特别是在疫情等突发事件发生时，更应积极引导社会公众参与。在立法过程中，应建立应急机制，吸引社会公众参与，通过政府主导与积极引导相结合的方式，提升公众的主动性和积极性参与意识。通过构建多措并举的应急管理模式，提升社会治理效果与应急管理能力。在此过程中，“国家—社会”应急法律体系的构建显得尤为重要，它有助于实现政府与社会力量的有效整合，共同应对社会治理中的挑战与风险。

（二）减少行政化干预

当前社会法治建设不断迈入新的阶段，国家在行政干预方面也进行了一系列的调整。通过对社区加大放权的同时，也让群众参与的程度得到提升。从目前社区管理的实际来看，很多形式上的管理举措进行了有效的缩减，然而，大部分社区在行政主导方面还没有真正的实现减负。基层社区组织的压力依然较大，这就需要通过多措并举的模式进行改革。既要发挥社区组织的力量，同时也让基层政府强化社区管理的有效性，在改革过程当中以实践进行检验。通过有针对性的改革和调整，真正让基层的压力和负担得到进一步的减轻。

1. 精准制定改革目标

在社区治理改革的深化进程中，确保改革措施与实际状况的紧密结合是提升改革针对性的关键所在。针对当前社区面临的新情况、新问题与新环境，应进行全面而深入的调研与分析，将实际调研中发现的问题与目标作为改革的导向与基准。在行政机制变迁的过程中，应细致梳理环境的影响、矛盾的演变及问题的凸显，其核心目的在于解决问题、化解矛盾。改革进程中，应坚定不移地将目标作为改革的靶向，以强化改革的效果。在调整过程中，既要遵循国家和政府的宏观指导，又需对新环境、新问题、新矛盾及新特点进行深度剖析。改革应遵循稳健原则，避免激进与冒进，紧密结合城市发展的独特性。在确立改革目标时，应将人民置于改革的中心地位，确保改革的焦点与核心始终围绕人民利益展开。通过积极引导群众参与改革进程，提升人民生活水平，满足人民生活诉求，将群众利益作为改革的重中之重，以此提升改革的穿透力、影响力及实效性。

2. 细化改革实施路径

在改革实践中，坚持目标导向的同时，还应对改革路径进行细致划分。改革实施须通过多个环节逐步推进。首先是全面评估改革面临的新问题、新风险与新挑战，通过多元化策略化解主要矛盾与关键问题。在此基础上，通过变革社区管理机制，以多样化的方式深化与应对改革，激发基层组织建设的活力。其次，在上述阶段的基础上，构建多主体共治与共同参与改革的机制，以提升改革的有效性。同时，改革过程中应秉持创新精神，勇于尝试与实践，既要发挥群众的智慧与力量，引导其积极参与改革进程，又要总结与梳理不同区域涌现出的优秀做法，实现经验的复制与推广，优化改革路径。最后，对改革进行有序疏导，坚持统筹结合、分类引导与协同推进的原则，全面提升治理水平。

（三）完善社区治理监督机制

当前，我国已建立了多维度的监督保障机制，党和政府不断强化监督机制建设，对权力形成有力约束。在社区治理层面，落实多项监督机制是提升治理效果与水平的关键。政府需通过职能转换，引入多维监督，并吸纳社会监督力量，以充分发挥社会治理的效能。

1. 党内监督的强化

在社区治理过程中，应强化党的引领作用，遵循党的指导与安排。在党的引领下，提升工作执行力，确保实践工作符合党组织的要求与安排，深刻领会党的精神与指示。通过党建与具体工作的深度融合，提升社区治理效果。在强化治理过程中，利用党建共建，发挥党员的推动作用，激励周边民众积极参与社会治理，提升社会治理的整体质量，同时确保监督作用的有效发挥。若党的引领缺失，监督作用将大打折扣。

2. 国家机关监督

在社会治理和社会监督制度落实的过程当中，要通过多措并举的方式，对不同层级的人员开展多种形式的监督。在社区治理过程当中，尤其是要强化对社区政府相关工作人员的监督和管理力度、从社区管理来看、社区管理工作下沉、很多监督工作并没有落实到位，尤其是在一些基层单位的监督管理上，目前仍然存在很多问题，如监管的覆盖面不足，监管的力度不够，监督的公信力难以得到保证等。国家和政府在近些年以来，持续强化了治理机制建设，同时也强化了监督检查机制的落实，对监察部门也提出了更高的要求。从社区监督和治理来看，监察部门要充分结合职能，强化对社区基层单位加大监督管理的力度，尤其是要对权力和制度进行规范和约束。同时，也要重点打击违法犯罪行为。党和政府对于监察机制的落实，这些年来不断强化新的要求、新的安排，目的就是进一步提升权力的阳光化和透明化，在基层社会治理当中充分发挥监督的倒逼作用。多种形式的监督，让基层管理人员更加有效落实手中的权力，实现为民服务，为民用权，持续改善基层生态，提升社会治理的效果。

3. 公众监督

在进行社会监督的时候，公众的影响力是不可估量的，当他们参与到公共事务的监督中时，可以进一步确保权力得到公正的行使。在社区治理的实施过程中，社会居民既是参与者也是体验者，因此，在参与社会事务的过程中，可以通过有效的监督来发挥其作用。现在，许多社区已经开始鼓励社会大众参与社区管理者的评估和考核，这有助于在社区的管理和服务中进一步增强公众的信任和接受度。

4. 监委会监督

在进行社会治理的过程中，需要进一步强化监督和管理的职责，并通过完善体制和机制来增强机制实施的保障力度。在这一流程中，需要对监管人员进行持续的培训和指导，确保他们在管理和监督实施过程中充分发挥其监督功能。在进行监督的时候，也应及时地跟进和管理，以确保监督的准确性。对于与群众监督相关的问题，需要迅速作出回应，并对违法者进行严格的问责和追责。

（四）培育法治思维

近年来，国家高度重视制度建设和权力约束的强化，以确保权力运行的正确性和公正性。从权利运行的本质出发，良好的法律和制度建设是保障权力公正执行的关键。在当前社会发展的背景下，法治建设显得尤为重要，特别是在社区治理领域，强化法治和制度建设对于权力的公正运行至关重要。

社区治理作为社会治理的重要基石，虽然面向基层群众，但其治理效果对社会稳定具有深远影响。在法律制定过程中，必须充分考虑对权力的约束。应从法治的视角审视社区治理问题。以疫情防控为例，部分执法人员在应对疫情时忽视了群众利益和法律要求，导致执法行为简单粗暴，损害了基层政府在群众中的形象。这暴露出法律意识不足、认识不到位、权利监督缺失及执行力不足等深层次问题，基层执法人员在处理问题时缺乏实际考虑，与群众渐行渐远，产生较大隔阂。

因此，在治理基层事务的过程中，必须进一步强化基层社区管理者的责任意识、思想认识和法治意识，确保他们在法律框架内开展管理和应对工作。同时，应强化对社区工作人员的监督和考核机制，不断提升其思想境界和业务能力。在队伍建设过程中，应着重提升政治意识，通过多元化措施加强对相关人员的监督和管理。通过强有力的落实机制，确保基层工作人员能够及时有效地接受监督，并加大考核力度，从多个维度进行综合评价，以推动基层社区管理人员在能力、责任和意识方面的全面提升。

在社区治理中，应充分发挥党的引领作用，特别是在重大事件处理过程中，应强调党员的作用，发挥党建的引领作用。在处理事件时，应注重灵活性和有效性，通过跟踪和评价机制对处理效果和手段进行全面评估，以提升应急事件处理的有效性。此外，应配备足够的资源保障，并推动多领域人才参与到基层社会治理中来，通过法治建设和人才建设共同提升社会治理水平。

与此同时，应进一步强化社会公众的法律责任意识。在社区内开展法律技能培训，使社会公众更好地理解、掌握和应用法律。在此过程中，也应加强对基层社区管理人员的法律知识培训，确保其知法懂法、正确执法。在法律落实过程中，应积极响应各层级政府的要求，通过多元化措施提升治理的有效性。

在上述工作的基础上，应引入独立的法律顾问并建设法律指导平台。这有助于在处理新问题、化解新矛盾、适应新环境时，通过法律手段合法合规地解决问题和矛盾。通过这些措施的共同作用，进一步强化社区治理的法治基础，推动社会治理体系的不断完善和发展。

（五）加强自治规约的软治理

在法律治理过程来看，要通过硬约束和软约束相互融合的方式，才能提升社会治理的有效性。从基层社会治理来看，基层区域广大，在法律监管有效性来看，难以做到全面的监管。要加强社区法治化管理和制度的建设，需要通过多措并举的方式强化政治执行力的提升，同时也要提升社区治理能力。在社区治理过程当中需要加强群众的力量，通过群众融入才能更好的实现共建和共治。在社区治理的过程当中，需要引入社会监督和群众参与，这样才能提升社区治理的公信力。在社区治理的过程中，通过一系列共同参与机制制定的公约能够提升社会治理的有效性。在社会治理过程当中，要对公约进行论证和分析。虽然在公约的执行过程中缺少法律的约束，但是民众制定的公约，如果大家能够一致地遵守，那么也能产生相应的约束力。让社会公众共同加入进来，通过公约的形式管理，有助于多类公共事务解决，不仅能够处理问题，也能化解邻里之间的纠纷和矛盾。

在公约制定过程中，要对相应的流程进行明确，对内容进行规范。从社区治理的角度来看，结合中国的实际，通过公约的制定，强化社会治理的推动作用。结合具体的实际来看，不同区域都已经制定了相应的公约，从流程机制方面已经进行了明确。有鉴于此，针对不同区域的公约制定来看，要不断结合新情况的变化，新问题的出现，制定有效的公约，这样才能提升社会治理的有效性。第一，在公约的制定过程中，不能违反法律的要求和制度的规定。从流程上讲，要通过基层组织的参与和民众的加入，对公约的内容进行共同研讨，这样才能保证公约的有效力，同时也不能违背法律和制度的相关要求。在公约的制定过程当中也要经过党组织的审查，如果不经过党组织的审查，那么难以起到公约的约束作用，也不能保证其合法性。同时，在公约的制定过程中，要与法律制度相吻合，要满足社会道德的要求。在公约的制定过程中，要结合多个层面的意见，也要由上级主管部门进行审查，这样才能保证公约的效力。第二，在公约制定上要与社会价值相吻合。如果公约制定的内容与社会价值相违背，那么公约就失去了效力，即公约制定要与社会价值观相统一，不能出现与道德和价值观相违背的内容。

针对公约来讲，主要是对基层社区的矛盾问题进行化解的依据，同时也是当地区域群众在生活当中的规范。要通过简单明了的语言对公约进行描述，不能采用专业的法律术语，否则会影响公约的执行力。简洁明了、合法合规、尊重道德的公约，能够起到社区治理效果，同时也能让社区居民更好的遵守，提升社区生活的和谐度。

（六）增强社区自治能力

1. 发挥居民委员会主导作用

从疫情防控的实践中可以清晰地观察到，我国在疫情防控方面取得了举世瞩目的成就。在这场没有硝烟的战争中，基层治理发挥了至关重要的作用。中央和各级政府持续强化公共安全与公共卫生管理，通过精准、依法的管控措施，全面、系统地强化了疫情防控的各个环节。

从疫情防控的实际情况出发，基层组织在疫情防控中的作用无可替代，尤其是社区居委会组织的作用更为显著。发挥社区居委会的职能，可以更有效地实现网格化管理，对辖区群众进行针对性的防控，从而从根本上减轻疫情的影响。然而，目前社区组织的作用发挥尚不充分，缺乏上级的有效指导，同时在管理过程中存在各自为政、相互独立的问题，导致管理存在一些短板和不足。特别是在社区交界地带，容易出现管理失控的情况。

此外，社区工作人员的技能和政治素质相对不足，也是制约社区治理效果的重要因素。由于社区工作人员能力素质、水平技能普遍较低，导致社区组织的作用受到了一定程度的限制。尽管国家和政府对社区管理不断强化，但针对社区人员的管理制度还不够完善，指导落实不够有力，存在一些漏洞和制度真空。

从专家学者的研究来看，虽然在社会治理层面已经制定了相关制度，并落实了相关法律安排，但这些制度在基层实践中难以得到有效落实，特别是在基层社会治理方面，还不能起到有效的指导性作用。社区治理的相关制度建设与实际需求脱节，难以与基层实际相结合。

在社会治理过程中，需要多方主体充分融入，既要依靠政府的力量，也要依靠社会和群众的力量。因此，管理的维度需要进一步细化，管理的流程需要进一步优化。要对制度进行不断调整、修正和优化。尽管党和国家高度重视基层治理，对人民群众需求进行了重新定位，对矛盾进行了重新分析，并结合当前环境完善了基层治理的制度体系，但基层治理的实际与法律制度的顶层设计之间仍存在差距。很多问题尚未得到制度的有效保障，按照现有制度也难以有效解决基层面临的实际问题。同时，制度和法律也未能对基层组织的职责定位进行清晰的梳理，导致人员主动性、积极性不足。在人才引进方面，缺乏有效的引进机制，应对紧急事件和环境变化的能力也略显不足，提升公共安全的社会治理机制保障尚不完善。此外，监督缺位的问题也普遍存在，监督和问责机制尚未建立，难以保障监督的落实。

在社区组织的定位和落实过程中，需要进一步明确不同组织的职能。通过明确职责分工，避免管理上的重叠和冲突，提高管理效率。要加强基层的服务管理手段，鼓励居民积极参与社区管理流程。通过提高居民参与的主动性、积极性和创造性，结合法律和服务保障机制的融合，提升社会治理的有效性。同时，要激发群众参与的热情，运用科学管理的手段和服务型平台的建设，依托信息手段进行数据收集、统计分析、加工整理，更好地契合群众的痛点，解决面临的难点和问题，从而提升群众满意度和社会治理能力。

2. 加强多元主体参与

强化多元主体参与机制于社区治理之中，是推进社区综合治理效能的关键路径。从社区治理的宏观视角审视，须采取多元化、综合性的治理策略，其核心在于构建一套完善的法律体系与规章制度框架，并同步强化政府的主导角色与社会公众的深度融合。在此过程中，政府的主导作用不可或缺，但同样重要的是激发社区居民的主动参与意识、积极性及创造性，以形成治理合力，确保治理效能的最大化。

当前，社区治理实践中普遍存在的现象是过度依赖地方政府，而社区居民的参与热情与创造力尚未得到充分激发。此外，政府在宣传引导方面的不足，也导致了政府主导地位的过度凸显，形成了工作单一化的局面。值得注意的是，部分基层社会管理者在观念上并不倾向于吸纳群众参与，甚至存在官僚主义倾向，倾向于采用简单粗暴的命令式管理方式，缺乏与群众的沟通与协商，这无疑极大地降低了群众的满意度。

党的建设作为引领社会治理的重要力量，同样需要人民群众的广泛参与。当前，党和国家对社会治理给予了高度重视，强调全员、全流程、全环节的参与与管理。从社区实际出发，应充分结合不同地域的文化特色，构建差异化、特色化的社区文化体系。在社会治理层面，强化社区治理需严格遵循党组织的要求，同时紧密结合社区实际，激发多元主体的活力与潜能。利用大数据、云计算等现代科技手段，构建云平台，实现社区管理的高质量发展。

在社区治理的动态过程中，应持续分析环境变化，把握新形势下的特点与挑战，通过政府、社区、居民等多方的共同融入与协作，不断优化社区治理模式，促进社区人文关系的和谐与社区文化的提升。这一过程，不仅能够有效提升社区治理的效能，还能更好地满足人民群众对美好生活的向往与追求，进而增强人民群众的幸福感与满足感。

参 考 文 献

[1] 曹艳春，余飞跃. 突发公共卫生事件下公共政策比较与创新[M]. 上海:上海远东出版社，2021.

[2] 张春颜. 公共卫生事件衍生社会风险防控研究[M]. 北京:中国社会科学出版社，2022.

[3] 彭文华. 公共卫生事件中的刑法问题研究[M]. 北京:中国政法大学出版社，2021.

[4] 张晓丽. 当代中国重大公共卫生事件研究[M]. 东南大学出版社，2019.

[5] 钟开斌. 新时代防范化解重大风险基本问题研究[M]. 中共中央党校出版社，2021.

[6] 伍岳琦，林锦炎. 突发公共事件卫生应急管理[M]. 中山大学出版社，2008.

[7] 郭清. 公共卫生事件防制概论[M]. 杭州:浙江大学出版社，2006.

[8] 刘菲. 行政应急法律实施机制之优化[M]. 武汉:武汉大学出版社，2020.

[9] 郑冰岛，李瑞昌. 中国式基层治理现代化[M]. 上海:上海人民出版社，2023.

[10] 林婷. 基层社区应急协同治理的理论与实践[M]. 北京:海洋出版社，2024.

[11] 金大鹏. 医疗防疫机构应对突发公共卫生事件的管理[M]. 北京:中国协和医科大学出版社，2005.

[12] 许文文. 基层治理中多元整合的实践探索与模式建构[M]. 北京:应急管理出版社，2023.

[13] 范从华. 突发公共卫生事件理论与实践[M]. 昆明:云南科学技术出版社，2020.

[14] 冯卫国. 危害公共卫生罪立案追诉标准与司法认定实务[M]. 北京:中国人民公安大学出版社， 2010.

[15] 埃里克・希尔根多夫. 医疗刑法导论[M]. 王芳凯，译. 北京:北京大学出版社，2021.

[16] 莫于川，林嘉，田宏杰，等. 依法战疫:重大公共卫生事件中的法治之维[M]. 北京:中国人民大学出版社，2020.

[17] 刘仁文. 食品药品安全犯罪的刑法规制[M]. 北京:中国社会科学出版社，2020.

[18] 戚建刚. 中国行政应急法学[M]. 北京:清华大学出版社，2013.
[19] 姜平. 突发事件应急管理[M]. 北京:国家行政学院出版社，2011.
[20] 夏明方. 民国时期自然灾害与乡村社会[M]. 北京:中华书局，2000.
[21] 丁学君. 重大突发公共卫生事件中社交媒体谣言传播行为及引导策略[M]. 北京:科学出版社，2022.
[22] 余新忠. 清代江南的瘟疫与社会[M]. 北京:北京师范大学出版社，2003.
[23] 冯添. 立法提高突发公共卫生事件应对能力[J]. 中国人大，2024(19):28-29.
[24] 马怀德. 疫情防控必须依靠法治运用法治完善法治[J]. 中国党政干部论坛，2020(5):50-54.
[25] 刘洋，唐睿彬，张晓君. 新中国成立以来我国突发公共卫生事件治理模式变迁:基于“政府能力-政社关系”视角的分析[J]. 风险灾害危机研究，2023(2):145-169.
[26] 王群. 突发公共卫生事件中刑法第330条之反思:以刑罚功能的实现为视角[J]. 风险灾害危机研究，2023(10):60-70.
[27] 曹舒，米乐平. 农村应对突发公共卫生事件的多重困境与优化治理:基于典型案例的分析[J]. 中国农村观察，2020(3):2-15.
[28] 殷书建. 常态化疫情防控中乡村治理的困境与出路[J]. 江苏警官学院学报，2022(3):88-95.
[29] 柳望春，徐昌洪，程翔宇，等. 基层社会治理与重大疫情应对研究[J]. 社会政策研究:2021(1):116-136.
[30] 代海军. 突发事件的治理逻辑及法治路径:以新冠肺炎疫情防控为视角[J]. 行政法学研究:2021，(3):53-66.
[31] 杨贺然，崔玉娇，杨孟露，等. 重大突发公共卫生事件下农村治理的困境及化解措施[J]. 国际公关，2022(7):58-60.

后　记

相较于其他社会事件而言，突发公共卫生事件往往情况更加复杂、时间更加紧迫、影响更加深远，每一次应对都是推进法治国家、法治政府、法治社会建设的重要实践，这是一个值得我们关注与探索的领域。本书着眼于基层应对突发公共卫生事件的防控实践，以刑法、劳动与社会保障法、行政法、经济法为视角对社会基层治理、民生保障等焦点、热点问题进行梳理，提出有针对性的对策和建议，本书以法治视角积极探索新时代基层治理现代化建设路径，丰富了基层治理法治化理论体系。

在写作过程中，我们针对疑难问题进行了反复探讨，共著有六章，项目主持人王琳(河北开放大学) 主要负责导论、第二章、第三章、第四章、第五章的撰写工作，共计199千字；柴瑜(河北开放大学) 主要负责第一章、第六章的撰写工作，共计约129千字。

在撰写过程中，从城市、社区、乡村的调查，到档案文献的查找、各类资源的收集和梳理，以及若干问卷发放、回收和整理，实乃历经艰辛。付梓之际，特别要感谢河北师范大学博士生导师张继良教授为本人进行的研究指明了方向，为本书的撰写提出了宝贵的建议和意见，并欣然为本书作序。同时也要感谢河北省中医院的崔静老师为本书承担了收集、整理文献资料、分析回收问卷这一繁杂的工作。本书得到河北省社会科学基金研究项目“突发公共卫生事件下基层应急管理能力提质升级路径研究”（项目编号：HB21ZZ006）的资助支持，在此一并表示感谢。

在撰写本书的过程中，我们查阅了大量的与基层治理法治化应对、突发公共卫生事件应急管理相关的专著和前沿论文，在此对相关作者表示诚挚的谢意!

2024年11月30日